LE NOUVEAU SANS FRONTIÈRES 2

MÉTHODE DE FRANÇAIS

PHILIPPE DOMINIQUE · JACKY GIRARDET
MICHÈLE VERDELHAN · MICHEL VERDELHAN

Conception graphique : Claudine Combalier

Illustrations : Xavier de Sierra

Roman-photo : Les films du Lézard

27, rue de la glacière. 75013

© *Éditions CLE International, PARIS 1989 - ISBN 978 2.19.033460.9*

LE NOUVEAU SANS FRONTIÈRES est une méthode complète de français pour adolescents et adultes.

Elle assure l'apprentissage de la langue, avec ses nombreux exercices écrits, oraux, d'écoute et de systématisation; l'apprentissage de la communication, avec ses nombreuses activités de prise de parole; l'apprentissage de la civilisation, avec ses nombreux documents, illustrations et photos.

Ce deuxième niveau est utilisable après 100 ou 150 heures d'enseignement. Il est conçu et organisé selon les mêmes principes que le NOUVEAU SANS FRONTIÈRES 1.

Tout en poursuivant les acquisitions lexicales, grammaticales et communicatives, il comporte une révision systématique des connaissances et des savoir-faire de base.

Nous avons pris un soin particulier à rendre le matériel attrayant et motivant, l'apprentissage d'une langue et la découverte d'une autre culture ne pouvant se faire que dans le plaisir. L'équipe qui a créé et mis en forme ce matériel a travaillé dans cet espoir.

Description du matériel

1 livre de l'élève (224 pages)
1 cahier d'exercices (160 pages)
1 livre du professeur (160 pages)
4 cassettes (4 heures d'enregistrement)

DANS LE LIVRE DE L'ÉLÈVE

4 unités (correspondant à 4 histoires suivies)
Dans chaque unité : 5 leçons — 1 bilan de l'unité.

A la fin de l'ouvrage :
Précis grammatical
Tableaux de conjugaison
Index de vocabulaire
Tableau des contenus

Les Bilans. *Tests, documents et exercices de révision sur les acquisitions des 5 leçons de chaque unité.*

Le Précis grammatical. *Récapitulatif de toutes les acquisitions grammaticales. Il pourra être consulté pour toute vérification ou révision.*

Tableaux de conjugaison. *Toutes les conjugaisons modèles, à tous les temps appris, et les principaux verbes irréguliers.*

Index de vocabulaire. *Tous les mots nouveaux contenus dans le livre, avec renvoi à l'unité, la leçon et la rubrique.*

Structure d'une leçon

Regardez ! Écoutez !

Dialogue et documents (• •)

Apprenez !

Vocabulaire et Grammaire

Activités

Répétez ! Répondez !

Phonétique, mécanismes (• •)

Écrivez !

Exercices écrits

Parlez !

Exercices oraux

Écoutez !

Exercices d'écoute (• •)

Observez !

Exercices sur documents

Lisez !

Textes littéraires

Chaque leçon est divisée en trois parties **A B C** *qui permettront de travailler par séquences.*

LA GUERRE DES STARS

Leçon 1 - Une vedette de la télévision

Leçon 2 - Deux conceptions de l'information

Leçon 3 - Reportage en Afrique

Leçon 4 - Une promotion

Leçon 5 - Rupture et réconciliation

GRAMMAIRE

Révision des acquisitions du niveau I — Expression de la cause.

COMMUNICATION

Dire ses goûts et ses préférences — Donner un avis, une opinion — Juger, accuser, pardonner.

CIVILISATION

Télévision — Relations socio-professionnelles — Portraits de Français.

UNE VEDETTE DE LA TÉLÉVISION

A
Dans la salle à manger d'une famille française. Il est vingt heures.
A table ! C'est bientôt l'heure du journal télévisé ! Laure, tu peux mettre *la Quatre*, s'il te plaît ?
On ne peut pas regarder les informations sur une autre chaîne ?
Moi, je trouve cette Claire Martin plutôt ennuyeuse. J'aime mieux le présentateur de *TV1*. Il a de l'humour, lui !
Il fait des plaisanteries stupides.
Et il n'est pas très objectif.
Claire Martin, elle, est sympathique, pas bête...
Et elle est agréable à regarder !
Bon, d'accord, je suis seule contre tous. J'abandonne. Regardons votre star !

TÉLÉ-SEMAINE

CLAIRE MARTIN, PRÉSENTATRICE DE L'ANNÉE

Soixante pour cent des téléspectateurs choisissent de regarder le journal télévisé sur Antenne 4 et Claire Martin s'impose comme la présentatrice vedette de l'année. Mais notre star du petit écran sait rester simple. «Je suis une femme comme les autres. J'ai un mari, des enfants, et j'essaie de protéger ma vie familiale. Tout simplement, je suis très organisée. Le matin, je me lève à 7 h et je m'occupe des enfants... petit déjeuner... école... Puis je passe une heure dans la salle de bains. C'est bon pour mon équilibre...

B
Dans l'appartement de Patrice Dubourg, jeune reporter à Antenne 4.
Patrice bavarde avec Édith, une collègue. Il est vingt heures.
ermets? Je veux voir les informations.
e doit passer mon reportage sur la Corse.
eux encore voir Claire? Ma parole, tu es amoureux d'elle!
Tu plaisantes! Elle a un caractère impossible! Nous ne sommes pas ses assistants, nous sommes ses esclaves.
Elle est compétente.
Tu ne peux pas dire le contraire.
C'est vrai, mais je trouve que son journal est trop classique. Aujourd'hui, il faut étonner le téléspectateur.
Regarde la chaîne Télé-Jeunes: ils ont un journal beaucoup plus drôle.
C
Dans le studio d'Édith. Christiane, une collègue, téléphone.
Édith? C'est Christiane.
s libre ce soir?
envie d'aller voir un film.
en... ce soir, je vais au cinéma
vec Patrice. Mais tu peux venir
vec nous.
Avec Patrice? Ah non! Dans l'équipe, c'est le moins sympa, le plus prétentieux, et puis il croit toujours qu'il est le meilleur...
Tu exagères! Il est jeune.
Il est ambitieux, c'est normal.
Moi, je trouve qu'il est amusant.
Avec toi, peut-être...

VOCABULAIRE ET GRAMMAIRE

■ LA TÉLÉVISION

• *un téléviseur – la télévision en couleurs/en noir et blanc – un poste (de télévision, de radio) – un écran – un bouton – une télécommande*

• *une chaîne – regarder la première chaîne – passer sur une autre chaîne*

Sigles des six principales chaînes

TF1

Antenne 2

FR3

La Cinq

TV6

Canal Plus

• *un programme – une émission*
• *le journal télévisé, les informations, les actualités*
• *une émission sportive, littéraire, scientifique, etc.*
• *un reportage – un documentaire – un jeu télévisé*
• *un présentateur (une présentatrice) – un reporter – un animateur (une animatrice)*
• *une vedette – une star – être connu, célèbre*

■ LA CONJUGAISON DES VERBES AU PRÉSENT

1. Conjugaison simple et conjugaison pronominale

Le sens du verbe change selon la conjugaison

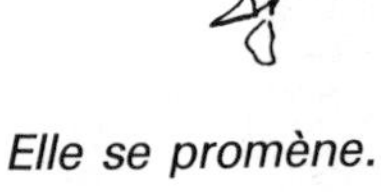
Elle se promène.

Elle promène son chien.

Il lave ses vêtements.

Il se lave.

laver	se laver
je lave *tu laves* *il/elle/on lave* *nous lavons* *vous lavez* *ils/elles lavent*	*je me lave* *tu te laves* *il/elle/on se lave* *nous nous lavons* *vous vous lavez* *ils/elles se lavent*

2. Les types de conjugaison

● **Les verbes en er**
(conjugaison régulière)

parler
je parle *tu parles* *il/elle/on parle* *nous parlons* *vous parlez* *ils, elles parlent*

● **Les autres verbes**
(conjugaison souvent irrégulière, voir tableau p. 206)

Il y a cependant certaines régularités

lire

La prononciation des 3 premières personnes est souvent identique
- *je lis*
- *tu lis* } *la terminaison est souvent* **s**
- *il/elle/on lit* → *souvent terminée par* **t** *ou* **d**
- *nous lisons* → **ons**
- *vous lisez* → **ez**
- *ils/elles lisent* → **ent**

■ EXPRIMER LES GOÛTS ET LES PRÉFÉRENCES

⊕
Il aime (bien)...
Il aime beaucoup...
Il apprécie...
Il admire...
Il adore...

⊖
Elle n'aime pas beaucoup...
Elle n'aime pas...
Elle n'aime pas du tout...
Elle déteste...
Elle a horreur de...

Elle préfère...
Elle aime mieux...

■ LE CARACTÈRE

● Le caractère

- *avoir bon/mauvais caractère*
  avoir un caractère facile/difficile, impossible
- *être gentil, agréable / désagréable*
  - *sympathique / antipathique*
  - *aimable / grossier, vulgaire*
  - *simple / compliqué*
  - *chaleureux / froid*
  - *poli / impoli, grossier*
  - *bon / méchant*
  - *modeste / prétentieux, ambitieux, orgueilleux*
- *avoir de l'humour, manquer d'humour*
  être drôle, amusant / ennuyeux
- *la personnalité : avoir une forte personnalité*
- *le comportement – se comporter*
  l'attitude – agir – le style
  la manière

■ CARACTÉRISER

• ***pour caractériser***
→ *Cette personne est intelligente.*
C'est une personne intelligente.
Je trouve cette personne intelligente.
Je trouve que cette personne est intelligente.

• ***pour comparer***
→ *Paul est* ***plus*** *fort* ***que*** *Luc.*
Luc est ***aussi*** *fort* ***que*** *Guy.*
Luc et Guy sont ***aussi*** *forts.*
Jean est ***moins*** *fort* ***que*** *Luc et Guy.*

Attention :
il est meilleur... aussi bon... moins bon...
il est pire (il est plus mauvais)... aussi mauvais... moins mauvais

→ *Paul est* ***le plus*** *fort.* *le meilleur... le moins bon*
Jean est ***le moins*** *fort.* *le pire... (le plus mauvais)... le moins mauvais*

• ***pour préciser***
Elle est ***plutôt*** *sérieuse.*
Elle est ***assez*** *sérieuse.*
Il est ***très*** *sérieux.*
Elle est ***trop*** *sérieuse.*
Elle ***n'****est* ***pas assez*** *sérieuse.*

ACTIVITÉS

MÉCANISMES

- *Nicole/ennuyeux.*
  Nicole est ennuyeuse.
- *Jacques et Annie/sérieux.*
  Jacques et Annie sont sérieux.
- *Intéressante, cette ville!/Je trouve...*
  Je trouve que cette ville est intéressante.
- *Amusants, ces enfants!/Je trouve...*
  Je trouve que ces enfants sont amusants.

1. ÉCRIVEZ le verbe entre parenthèses à la forme qui convient

Projets de soirée

« Qu'est-ce qu'on (faire) ce soir? On (sortir)?
– Non, je (être) fatigué(e). Je (préférer) rester ici et (regarder) la télé.
– Tu (prendre) quelle chaîne?
– La première. Je (vouloir) regarder l'émission sur le rock des années 60.
– Bon. Alors, moi, je (aller lire) dans ma chambre.

2. ÉCRIVEZ le verbe entre crochets à la forme qui convient

Tous les dimanches de printemps, nous allons faire un pique-nique en famille dans la forêt de Fontainebleau. Le matin, tout le monde **[(se) lever]** tôt. Les enfants **[(se) laver] et [(s') habiller]** en vitesse. Puis, ils **[(se) préparer]** les sandwichs. Mon mari **[(se) laver]** la voiture. Moi, je **[(s') occuper]** de notre petite fille de 3 ans. A 9 heures, on **[(s') installer]** les enfants, le chien et le chat à l'arrière de la voiture et on **[(se) dépêche]** de sortir de Paris avant l'heure des embouteillages.

3. ÉCOUTEZ! Un présentateur de radio raconte sa journée de travail. Notez son emploi du temps

« 3 heures et demie du matin : lever
.... »

4. IMAGINEZ la suite de la journée de Claire Martin et rédigez la fin de l'article

« ... Ensuite, je prends mon deuxième café de la journée et j'écoute les informations à la radio. Puis, ... »

5. CARACTÉRISEZ-LES avec l'un des adjectifs de la p. 11

- Il ne gagne pas beaucoup d'argent, mais il est content de sa situation. Il est **modeste.**
- Quand il fait un discours, tout le monde s'endort. Il est ....
- Ce journaliste impose souvent ses idées personnelles. ....
- Elle s'occupe de la documentation. Mais elle veut devenir P.-D.G. de la chaîne. ....
- Quand elle raconte des histoires, tout le monde rit. ....
- Ce directeur ne sourit jamais. Il parle très durement à ses employés. Il est souvent en colère.
....

6. JOUEZ LES SCÈNES. *Conversations de salons. Ils parlent de ce qu'ils aiment, de ce qu'ils n'aiment pas*

Je trouve Alain Delon...

Oh, moi, les pays chauds... vous savez...

Picasso ? J'adore !

Ne me parlez pas de ce type. Je ne le supporte pas.

B MÉCANISMES

- **Paul et François sont intelligents... Mais Paul est plus intelligent que François.**
- **André et Gérard sont travailleurs... Mais André est plus travailleur que Gérard.**
- ***André est aussi prétentieux que Pierre ? Non, il est moins prétentieux. Il est plus modeste.***
- ***Nicole est aussi chaleureuse que Pierre ? Non, elle est moins chaleureuse. Elle est plus froide.***

7. COMPLÉTEZ avec « trop », « assez », « pas assez »

- *Annie ne sait pas faire son devoir de mathémathiques. Le problème est ... difficile pour elle.*
- *Ma nouvelle dactylo est ... compétente. Je suis content d'elle.*
- *Je ne suis pas à l'aise avec Michel. Il n'est ... aimable avec moi et il a ... mauvais caractère.*
- *Pouvez-vous m'aider ? Cette caisse est ... lourde. Je ne peux pas la porter. – Je vais essayer. Mais je ne sais pas si je suis ... fort.*

8. VOICI DES ACTEURS FRANÇAIS. *Quel type de rôles leur donneriez-vous ? Expliquez pourquoi*

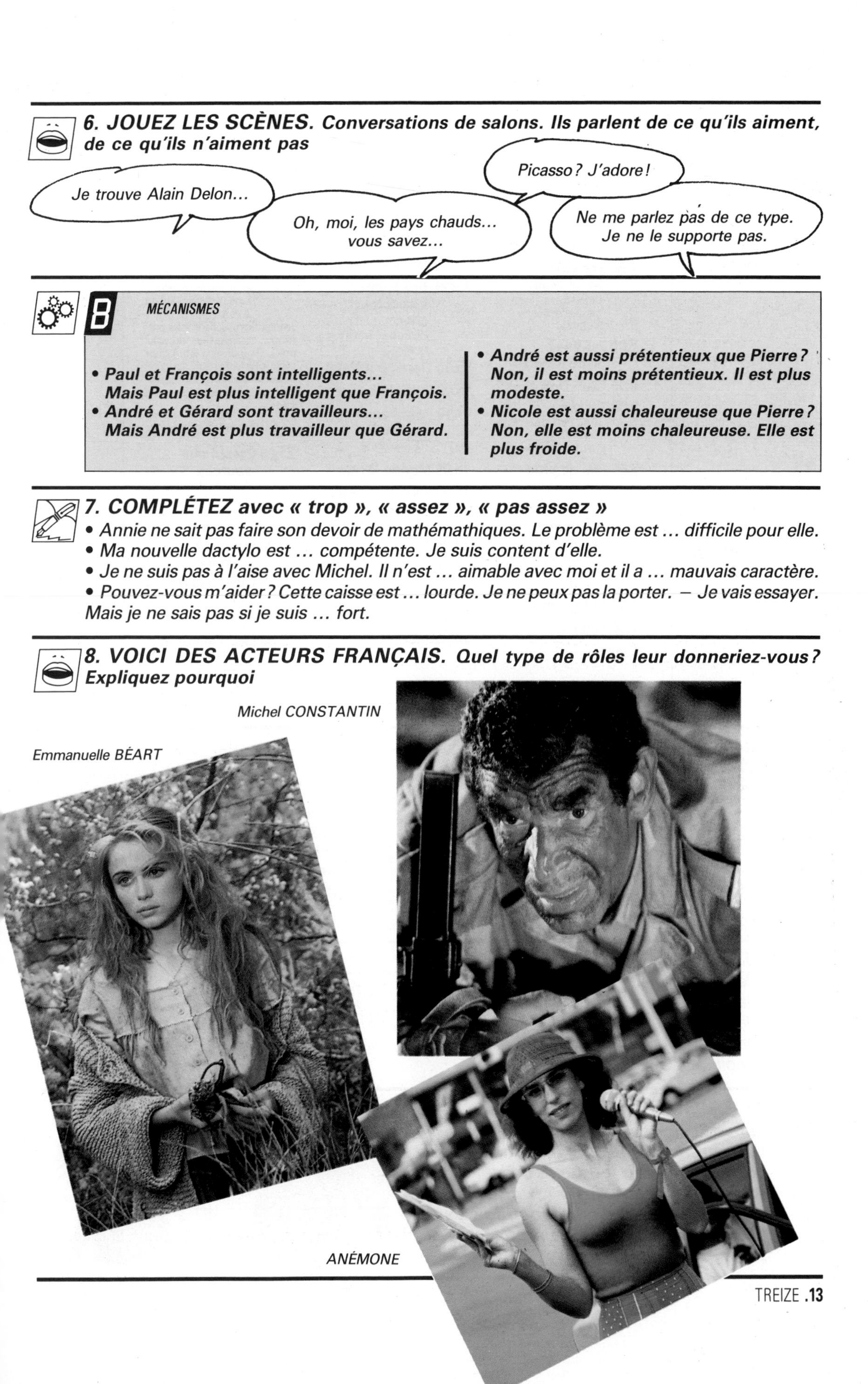

Michel CONSTANTIN

Emmanuelle BÉART

ANÉMONE

9. OBSERVEZ ce programme de la chaîne de télévision TF1

• *Identifiez les types d'émissions (films, comédies, émissions sportives, musicales, etc.).*
• *Comparez avec les programmes des chaînes de votre pays. Est-ce que les programmes commencent plus tôt? Plus tard? Est-ce qu'ils sont plus culturels? Plus récréatifs?*

6.45 Bonjour la France,

7.50 Bonjour M. le Maire
Emission présentée par Pierre Bonte. A Cluses.

8.00 Jardinez avec Nicolas

8.15 Club Dorothée

9.00 Tarzan
«Une certaine résistance» (2). Avec Ron Ely.

9.55 Pas de pitié pour les croissants

10.30 Les animaux du monde
Emission proposée par Marlyse de La Grange.

11.00 Auto-moto

11.30 Téléfoot

13.00 Journal

13.20 Texas police
«Le rêve américain».

14.15 Music-chance

15.00 Rick Hunter, inspecteur choc
«Amour, haine et sport».

15.50 Tiercé à Auteuil

16.00 Interchallenges

17.10 Pour l'amour du risque
«Le fourbe».

18.05 Mondo Dingo

18.30 Vivement lundi
«Comptes et couffin». Avec Bernard Ménez.

19.00 7/7
Emission présentée par Anne Sinclair. Invité: François Furet, historien.

19.55 Loto sportif

20.00 Journal

20.40 Cours privé
Film de Pierre Granier-Deferre (1986). Avec Elizabeth Bourgine, Michel Aumont, Xavier Deluc, Sylvia Zerbib.
Jeanne Kern, jeune et jolie professeur, enseigne dans un institut privé. Un jour, une lettre anonyme parvient à son directeur, qui est amoureux d'elle, dans laquelle la jeune femme est mise en cause.

22.20 Sport dimanche

23.25 Retour aux sources
«Yehudi Menuhin en Union Soviétique». N. 3 et fin: «Naissance d'un duo».

0.20 Intrigues
«Chère Léa».

0.45 Cités à la dérive
N. 3.

1.35 Symphorien

2.00 Les aventures de Caleb Williams
N. 1.

C — MÉCANISMES

• *Patrick et Didier sont amusants... Mais c'est Patrick le plus amusant.*
• *Julie et Martine sont bonnes en français... Mais c'est Julie la meilleure.*
• *Jacques n'est pas un employé compétent. C'est le moins compétent de tous les employés.*
• *Juliette est une amie très jolie. C'est la plus jolie de toutes mes amies.*

10. DISCUTEZ. Quel est d'après vous... ?

• *le meilleur plat?*
• *la ville du monde la plus agréable?*
• *le livre d'aventures le plus passionnant?*
• *le type de caractère que vous aimez le moins?*
• *l'actrice la meilleure?*
• *l'acteur le meilleur?*
• *le mois de l'année le plus agréable?*
• *la chose la moins facile à faire?*

11. LA GUERRE DES ÉTOILES

Lundi 12 septembre à 20 h, Christine Ockrent accomplit sur A2 son retour de présentatrice du journal télévisé. A la même heure sur TF1, P.P.D.A. (Patrick Poivre d'Arvor) continue à se battre pour conserver sa première place.

Christine Ockrent

Patrick Poivre d'Arvor

Aujourd'hui, la concurrence entre les chaînes est très dure. La télévision, comme le cinéma, le théâtre, le sport et la politique, crée de farouches rivalités.
Lundi prochain, deux géants de l'information vont s'affronter : le sympathique P.P.D.A. et la blonde Christine Ockrent. Qui va remporter ce duel ?
Tous deux ont le même amour de la gloire, la même ambition, la même passion pour leur métier. Tous deux sont très compétents et très professionnels. Mais ils sont très différents. La personnalité chaleureuse et décontractée de P.P.D.A. s'oppose au style sec, à la réserve et au sérieux de Christine... On critique P.P.D.A. pour son côté curieux et impatient mais on reproche aussi à Christine Ockrent son regard sévère, malgré un délicieux sourire...

- ***Relevez tous les termes qui caractérisent les deux présentateurs.***
- ***Comparez les présentateurs (ou les animateurs) de télévision de votre pays.***
- ***Rédigez un portrait du présentateur que vous préférez.***

12. ANALYSEZ ET COMMENTEZ *ces statistiques sur l'importance de la télévision en France*

Les téléspectateurs passent 3 h 26 mn par jour devant le petit écran :
- *3 h 19 du lundi au vendredi,*
- *3 h 31 le samedi,*
- *3 h 57 le dimanche.*

• En février 1988, 88 % des Français étaient satisfaits des journaux télévisés (8 % mécontents), 79 % satisfaits des magazines d'information (14 % mécontents), 66 % satisfaits des émissions de variétés (25 % mécontents), 60 % satisfaits des émissions pour enfants (16 % mécontents), 60 % satisfaits des retransmissions sportives (25 % mécontents), 57 % satisfaits des émissions politiques (28 % mécontents), 50 % satisfaits des films (45 % mécontents), 40 % satisfaits des émissions de jeux (50 % mécontents). Mais 53 % étaient plutôt mécontents de la qualité des programmes offerts par les chaînes (42 % plutôt satisfaits).
• 84 % des Français trouvent que les publicités sont trop nombreuses à la télévision (12 % pensent que ce n'est pas un problème).

Gérard MERMET, *Francoscopie,* © Éd. Larousse.

13. À TRAVERS LA LITTÉRATURE

La Fontaine (1621-1695), auteur de fables célèbres, se décrit dans ce poème

« J'aime le jeu, l'amour, les livres, la musique
La ville et la campagne, enfin tout ; il ne m'est rien
Qui ne me soit souverain bien
Jusqu'au sombre plaisir d'un cœur mélancolique. »

- ***Quel est le caractère de La Fontaine ? Vous sentez-vous proche de lui ?***

Au XVIIe siècle, le Cardinal de Retz fait un portrait particulièrement méchant de la reine

« La reine avait plus d'aigreur que de hauteur, plus de hauteur que de grandeur, plus de manière que de fond, plus d'attachements que de passions, plus de dureté que de fierté, plus de mémoire des injures que des bienfaits. »

- ***Relevez les termes de comparaison.***
- ***Montrez que l'auteur oppose chaque fois une qualité et un défaut.***

DEUX CONCEPTIONS DE L'INFORMATION

A ***Dix heures du matin. Dans la salle des télex d'Antenne 4, les nouvelles arrivent du monde entier.***

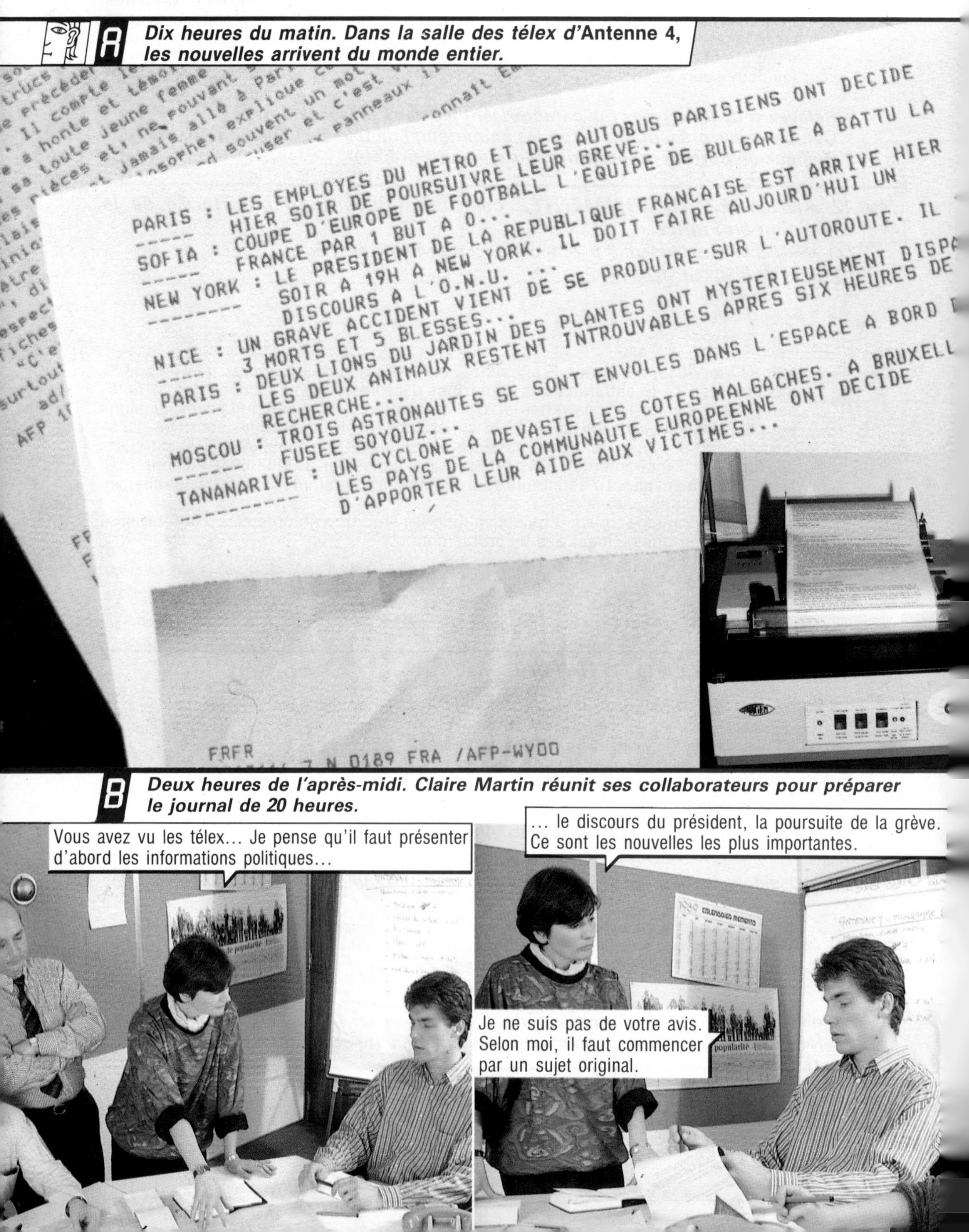

PARIS : LES EMPLOYES DU METRO ET DES AUTOBUS PARISIENS ONT DECIDE HIER SOIR DE POURSUIVRE LEUR GREVE...

SOFIA : COUPE D'EUROPE DE FOOTBALL L'EQUIPE DE BULGARIE A BATTU LA FRANCE PAR 1 BUT A 0...

NEW YORK : LE PRESIDENT DE LA REPUBLIQUE FRANCAISE EST ARRIVE HIER SOIR A 19H A NEW YORK. IL DOIT FAIRE AUJOURD'HUI UN DISCOURS A L'O.N.U. ...

NICE : UN GRAVE ACCIDENT VIENT DE SE PRODUIRE SUR L'AUTOROUTE. IL 3 MORTS ET 5 BLESSES...

PARIS : DEUX LIONS DU JARDIN DES PLANTES ONT MYSTERIEUSEMENT DISPA LES DEUX ANIMAUX RESTENT INTROUVABLES APRES SIX HEURES DE RECHERCHE...

MOSCOU : TROIS ASTRONAUTES SE SONT ENVOLES DANS L'ESPACE A BORD FUSEE SOYOUZ...

TANANARIVE : UN CYCLONE A DEVASTE LES COTES MALGACHES. A BRUXELL LES PAYS DE LA COMMUNAUTE EUROPEENNE ONT DECIDE D'APPORTER LEUR AIDE AUX VICTIMES...

FRFR 7 N 0189 FRA /AFP-WYOO

B ***Deux heures de l'après-midi. Claire Martin réunit ses collaborateurs pour préparer le journal de 20 heures.***

Vous avez vu les télex... Je pense qu'il faut présenter d'abord les informations politiques...
... le discours du président, la poursuite de la grève. Ce sont les nouvelles les plus importantes.
Je ne suis pas de votre avis. Selon moi, il faut commencer par un sujet original.

Par exemple, la disparition des lions du jardin des Plantes. Comment ont-ils disparu? Qui a ouvert la porte de la cage? Où sont-ils? Ça, ça intéresse les gens!
Je ne suis pas d'accord, Patrice. Ce type d'information a peut-être sa place dans un journal à sensation. Mais pas chez nous, à la télé!
C
Deux jours après, le téléphone sonne dans la salle de rédaction. Le directeur de la chaîne veut parler à Patrice...
Patrice, nous avons un problème. Il faut remplacer Claire Martin ce soir. Elle vient de téléphoner. Elle est malade. Alors, j'ai pensé à vous.
Mais...
Ne discutez pas, mon petit Patrice! Vous êtes capable de faire ce travail.
C'était le directeur!
Qu'est-ce qu'il voulait?
Édith, c'est formidable! Je remplace Claire ce soir. Tu te rends compte?
Alors, va mettre une cravate et calme-toi! C'est la chance de ta vie.

TÉLÉ-SEMAINE

Un nouveau visage présentait les informations la semaine dernière sur Antenne 4. Claire Martin était absente et Patrice Dubourg, un jeune reporter de la chaîne, a remplacé notre star du petit écran.

On connaissait Patrice Dubourg pour ses reportages originaux. On a pu apprécier ses talents de présentateur. Dynamique, souriant, amusant, il a passionné les téléspectateurs avec l'affaire des lions du jardin des Plantes.

VOCABULAIRE ET GRAMMAIRE

■ L'INFORMATION

- *une nouvelle – une information – un sujet – un événement – un fait – un fait divers*
- *important, capital, essentiel/ insignifiant – principal/secondaire*
original/banal, quotidien
- *une nouvelle politique, économique, sociale, culturelle, etc.*
un fait divers (un vol – un cambriolage – un accident – un assassinat)
- *avoir lieu – se produire – se passer*

■ L'EXPRESSION DU PASSÉ

1. Le passé récent : venir de... + verbe

Je viens de finir mon travail.
Marie vient de sortir.

2. Le passé composé

a/ *Cas général :* avoir + participe passé

J'ai dormi dans cet hôtel...
Elle a raconté cette histoire...
} *le 3 décembre*
hier, avant-hier
la semaine dernière
ce matin

- **Verbes en er :**
participes passés en é
arriver → arrivé
- **Autres verbes :**
voir liste p. 208.

b/ *Cas des verbes pronominaux :* être + participe passé

Je me suis levé(e) à 8 heures.
Nous nous sommes promené(e)s dans le parc.

c/ *Cas des verbes aller, venir, monter, descendre, partir, sortir, entrer, arriver, passer par, tomber, rester* *(s'ils ne sont pas suivis d'un complément direct)*

être + participe passé

Hier, je suis allé au théâtre.
Hier soir, ils sont restés chez moi jusqu'à minuit.
(N.B. : *Quand ils sont suivis d'un complément direct, ces verbes utilisent l'auxiliaire « avoir » :*
J'ai descendu l'escalier très vite.)

J'ai bien dormi!

État présent

J'ai dormi dans cet hôtel l'an dernier.

HOTEL

Action passée

3. L'imparfait

regarder
*je regard**ais*** *tu regard**ais*** *il/elle/on regard**ait*** *nous regard**ions*** *vous regard**iez*** *ils/elles regard**aient***

- *Formation à partir du présent (1re personne du pluriel).*
  *nous **all**ons + **ais, ais, ait, ions, iez, aient***
  (j'allais, tu allais, il allait, ...).
- *Emploi :*

→ ***en relation avec le passé composé***

→ ***un état, une habitude dans le passé...***

Quand j'avais votre âge les enfants allaient à l'école le samedi toute la journée.

Jacques travaillait quand je suis entré.

■ *EXPRIMER UN AVIS, UNE OPINION*

- *donner un avis, une opinion – donner un point de vue*
  exprimer une idée – faire une réflexion, une remarque
- *Je pense que...* *D'après moi...*
  Je crois que... *Selon moi...*
  Pour moi...

Je ne suis pas de votre avis!

- *être d'accord (avec...).*
  être de l'avis de...
- *être pour... être contre...*

■ *L'INTERROGATION*

- *Le directeur a téléphoné? – Est-ce que le directeur a téléphoné? – Le directeur a-t-il téléphoné?*
- ***Qui** est-ce? – **Qui** est à l'appareil? – **Qu'**est-ce que c'est? – **Que** voulez-vous? **Où** êtes-vous? Où est-ce que...? – **Quand, comment, pourquoi,...** partez-vous? Tu pars quand/où?*

■ *LA COMPÉTENCE*

- *être compétent/incompétent*
  être capable/incapable de...
- *l'expérience – le métier*
  avoir de l'expérience
  un professionnel/un amateur
  un défaut/une qualité
  avoir des qualités/des défauts

savoir	*connaître*
– une leçon *– le nom de quelqu'un* *– faire quelque chose* *– où, quand, pourquoi...*	*– quelqu'un* *– le nom de quelqu'un* *– un pays, une ville* *– un livre* *– une idée*

ACTIVITÉS

MÉCANISMES

- ***Aujourd'hui, tu travailles tard.***
  Hier aussi, tu as travaillé tard.
- ***Aujourd'hui, nous dînons au restaurant.***
  Hier aussi, nous avons dîné au restaurant.
- ***Ce soir, nous allons au cinéma.***
  Hier soir aussi, nous sommes allé(e)s au cinéma.
- ***Aujourd'hui, je m'occupe des courses.***
  Hier aussi, je me suis occupé(e) des courses.

1. RECOPIEZ LE TEXTE SUIVANT en mettant les verbes entre parenthèses au passé

*Ce matin, Claire Martin **(arriver)** dans les studios* d'Antenne 4, *à midi, comme d'habitude. Elle **(saluer)** ses assistants et ses secrétaires, **(s'asseoir)** à son bureau et **(lire)** les télex du matin. Puis, elle **(aller)** dans la salle de montage et **(poser)** des questions aux techniciens :*
*« Vous **(finir)** le reportage sur les grèves?*
*– Oui, il est prêt. Nous **(recevoir)** aussi le film vidéo de New York.*
*– Est-ce que quelqu'un **(s'occuper)** de l'accident de Nice?*
*– Oui, nous **(téléphoner)** à notre correspondant. Il **(partir)** sur le lieu de l'accident. »*

2. QUE NOUS APPRENNENT ces « nouvelles brèves »? Pour chacune, trouvez le lieu et le type d'événement. Rédigez un titre pour chaque article

Le TGV Genève Paris roulait déjà à près de 100 km/h hier matin du côté de La Plaine, dans la banlieue de Genève, quand son mécanicien a aperçu un camion bloqué sur un passage à niveau. Freinage d'urgence, roues bloquées, choc. Quelques bris de verre et tôle froissée seulement. On a eu chaud.

Une cinquantaine de tableaux ont été volés à Marseille dans la nuit de vendredi à samedi. Les tableaux, d'une valeur totale de près de 2 millions de francs, étaient stockés dans d'anciens entrepôts d'une société de transports dont les malfaiteurs ont neutralisé le gardien.

Un jeune Masaï de 12 ans, armé seulement d'une lance, a affronté et blessé un lion, alors que l'animal menaçait son troupeau, dans le sud du Kenya. « *Je ne pouvais pas laisser nos bêtes se faire tuer par le lion* » a déclaré le jeune guerrier.

Un avion cargo nigérian s'est écrasé sur Karam-Omran, un village près de Louxor en Haute-Egypte. 13 tués, parmi lesquels 5 habitants.

Soixante-treize mille Stockh-
mois sont atteints de grip
en ce moment. Un chiffre r
cord. Une variété de gripp
chinoise dite de Sechuan.

Aux Etats-Unis, la société Kraft a retiré mercredi ses yaourts de la vente. Cette décision fait suite au décès d'un adolescent, intoxiqué par un pot empoisonné au cyanure.

Le village de Lockerbie, où s'était écrasé un Boeing 747 de la Pan Am le 21 décembre dernier, a enterré ses morts hier. Des onze victimes de ce village écossais, seuls trois corps ont été retrouvés.

Une vague de froid s'est abattue depuis hier sur la Grèce, causant de sérieuses perturbations des trafics maritime, aérien et routier. Plusieurs villages de montagne sont isolés, et, fait rarissime, quelques flocons sont tombés sur Athènes.

Le Père Noël a reçu cette année quelque 270 000 lettres. C'est ce qu'indiquent les 20 employés des PTT du centre spécialisé de Libourne, qui ont, pour leur part, expédié 212 700 cartes.

MIDI LIBRE, extraits déc. 88.

3. Les sujets suivants partagent les Français. Donnez votre avis. Organisez un sondage en classe. Rédigez les arguments des uns et des autres

- *Les constructions architecturales modernes*
- *Les œuvres d'art étranges*

La pyramide du Louvre

En 1985, l'artiste Christo a emballé le plus ancien pont de Paris (le Pont-Neuf).

Pour ou contre...

LA CEINTURE DE SÉCURITÉ OBLIGATOIRE EN VOITURE

LA LIMITATION DU VOLUME SONORE DANS LES SALLES DE CONCERT ET LES DISCOTHÈQUES

UNE LANGUE COMMUNE AUX EUROPÉENS : L'ESPÉRANTO

4. IMAGINEZ ce qui vient de se passer et ce qui s'est passé avant

- ***Récit d'un explorateur***

... Mardi. 4 heures de l'après-midi. Nous arrivons enfin à l'oasis de Dakla...

- ***Journal intime***

... Samedi. Trois heures du matin. Je rentre chez moi fatigué(e)...

- ***Roman social***

... 6 heures du soir. Pierre Durand, ouvrier dans l'entreprise Socovia, retrouve quelques collègues dans le petit café à côté de l'usine...

Exemple : *Mardi... Nous arrivons enfin à l'oasis de Dakla. Nous venons de traverser le désert de... nous sommes partis... nous avons rencontré...*

MÉCANISMES

- ***Vous avez vu les télex ?***
  Non, je n'ai pas vu les télex.
- ***Il est allé à Nice ?***
  Non, il n'est pas allé à Nice.
- ***Vous avez lu le dernier roman de Marguerite Duras ?***
  Avez-vous lu le dernier roman de Marguerite Duras ?
- ***Jacques est sorti ?***
  Jacques est-il sorti ?

5. QUE S'EST-IL PASSÉ EN 1969 ?

POMPIDOU EST ÉLU PRÉSIDENT DE LA RÉPUBLIQUE

ON A MARCHÉ SUR LA LUNE

SAMUEL BECKETT REÇOIT LE PRIX NOBEL DE LITTÉRATURE

LA FRANCE DIT NON À DE GAULLE

CONCORDE A VOLÉ 27 MINUTES

HÔ CHI MINH EST MORT

250 000 AMÉRICAINS ONT MANIFESTÉ CONTRE LA GUERRE DU VIÊT-NAM

Quels sont d'après vous les principaux événements... { du mois dernier ? / de l'année dernière ?

6. LE COMMISSAIRE DE POLICE *interroge un suspect sur son emploi du temps de la matinée du 3 octobre. Voici les réponses du suspect. Retrouvez les questions*

.... ? *J'ai quitté mon appartement à 8 heures.*
.... ? *Je suis arrivé au bureau à 8 heures 30.*
.... ? *À pied.*
.... ? *Je me suis seulement arrêté 10 minutes pour prendre un café.*
.... ? *Je suis resté au bureau jusqu'à midi.*
.... ? *Non, je ne suis pas sorti entre 8 heures 30 et midi.*

7. UN JOURNALISTE D'ANTENNE 4 *interroge le gardien du zoo du jardin des Plantes et l'inspecteur de police qui a dirigé les recherches.*

Posez les questions et jouez les scènes

8. ANALYSEZ CE SONDAGE. *Êtes-vous pour ou contre l'ouverture des magasins le dimanche ?*

UN FRANÇAIS SUR DEUX POUR L'OUVERTURE DES MAGASINS LE DIMANCHE

• Pour	**53**
• Contre	33
• Ne se prononcent pas	14

JE SUIS POUR PARCE QUE...

• Le dimanche, on dispose de plus de temps et on peut donc acheter dans de meilleures conditions	**47**
• Le dimanche est un jour comme les autres et je ne vois pas pourquoi les commerçants n'ouvrent pas leurs magasins	10
• L'ouverture des magasins permet de développer l'activité économique et de créer des emplois	**40**
• Ne se prononcent pas	3

Sur 100 personnes interrogées

JE SUIS CONTRE PARCE QUE...

• Le dimanche est un jour de repos et tout le monde doit pouvoir en profiter	**44**
• Le dimanche est un jour de fête, réservé aux activités familiales et religieuses : il faut le maintenir ainsi	25
• Ouvrir les magasins le dimanche ce sera injuste pour tous ceux qui devront travailler	31
• Ne se prononcent pas	

LA VIE n° 2257, 01/12/88.

MÉCANISMES

- ***Cette année, il ne va plus au théâtre. Mais l'année dernière, il allait souvent au théâtre.***
- ***Cette année, je ne sors plus le soir. Mais l'année dernière, je sortais souvent le soir.***
- ***Il arrive. Je regarde la télévision. Quand il est arrivé, je regardais la télévision.***
- ***Nous entrons. Françoise est dans le salon. Quand nous sommes entré(e)s, Françoise était dans le salon.***

9. METTEZ LES VERBES entre parenthèses au passé composé ou à l'imparfait

*Lui : Tiens. J'**(rencontrer)** Bruno Lagarde cet après-midi.*
Elle : Bruno Lagarde? Qui est-ce?
*Lui : Tu ne te rappelles pas? Il **(être)** à côté de toi au dîner des Michaud... Vous **(parler)** de l'Italie. Il **(travailler)** pour la télévision, je crois.*
*Elle : Ah, je vois. Il **(porter)** une veste rouge et il **(avoir)** les cheveux longs. Il **(raconter)** des histoires drôles et avec lui, nous **(rire)** toute la soirée.*
*Lui : C'est ça. Eh bien, tu sais, il **(changer)** d'allure. Cet après-midi, il **(avoir)** les cheveux courts et il **(porter)** un costume sombre.*
*Elle : Il t'**(reconnaître)**? Vous **(bavarder)**?*
*Lui : Non, il **(marcher)** sur le boulevard Victor-Hugo. Moi, je **(passer)** en voiture. Il ne m'a pas vu.*

10. ÉCOUTEZ! Ils racontent un souvenir. Remplissez le tableau

	1	2	3
• *Type de souvenir*	*une rencontre*	....	....
• *Époque*	....	....	....
• *Lieu*	....	....	....
• *Temps qu'il faisait*	....	....	....
• *Détails de l'événement*	....	....	....

11. SUR LE MODÈLE DES RÉCITS que vous venez d'entendre, rédigez le récit d'un souvenir

« C'était en ... Il faisait... »

12. EXTRAIT D'UNE PIÈCE DE IONESCO : La Cantatrice chauve

La pièce commence par un échange de banalités entre M. Smith et sa femme. Ensuite, leur bonne, Mary, entre en scène

Mary, entrant : Je suis la bonne. J'ai passé un après-midi très agréable. J'ai été au cinéma avec un homme et j'ai vu un film avec des femmes. À la sortie du cinéma, nous sommes allés boire de l'eau-de-vie et du lait et puis on a lu le journal.
Mme Smith : J'espère que vous avez passé un après-midi très agréable, que vous êtes allée au cinéma avec un homme et que vous avez bu de l'eau-de-vie et du lait.
M. Smith : Et le journal!
Mary : Mme et M. Martin, vos invités sont à la porte. Ils m'attendaient. Ils n'osaient pas entrer tout seuls. Ils devaient dîner avec vous, ce soir.
Mme Smith : Ah oui. Nous les attendions. Et on avait faim. Comme on ne les voyait plus venir, on allait manger sans eux. On n'a rien mangé, de toute la journée. Vous n'auriez pas dû vous absenter!
Mary : C'est vous qui m'avez donné la permission.
M. Smith : On ne l'a pas fait exprès!
[...]

Eugène IONESCO,
La Cantatrice chauve, © Éd. Gallimard.

***Notez tout ce qui est absurde : a/** dans le récit de Mary **b/** dans la réponse de Mme Smith **c/** dans la situation de la fin de la scène.*

REPORTAGE EN AFRIQUE

A

Paris, le 2 octobre

Chère Edith,

Quand tu rentreras de vacances, je serai en Afrique. Je vais faire une série de reportages au Cameroun, en Côte d'Ivoire et au Niger. C'est une décisio[n] de Claire. Je crois qu'elle est jalouse de mon succ[ès]. Je serai à Yaoundé jusqu'au 18, puis j'irai à Abidjan et de retour, je m'arrêterai quelques jou[rs] à Niamey. Je rentrerai vers le 10 du mois procha[in]. J'emmène Pierre comme cameraman et Christia[ne] comme assistante. (Dommage! Tu es en vacances.)

Amuse-toi bien.

Affectueusement,

Patrice

P.S. Je n'oublie pas que tu aimes les sculptures africaines et les fruits exotiques.

B Patrice Dubourg s'entretient avec un responsable africain.

Notre problème principal, c'est l'augmentation de la population dans les villes. Il n'y a pas assez de travail pour tout le monde.
Quelles sont les causes de cette augmentation?

Elles sont nombreuses, mais c'est surtout la sécheresse et
a disparition des forêts. Les terres deviennent des déserts.
Les troupeaux meurent. Cela entraîne le départ des agriculteurs
et des éleveurs vers les villes.
Et pour quelles raisons les forêts disparaissent?
C'est une longue histoire et ce n'est pas seulement un problème africain. Les pays pauvres ont besoin de bois pour préparer la nourriture. Et puis, ils ont aussi besoin d'argent. Alors ils vendent leurs arbres...

C ***Dans une réserve d'animaux sauvages, Patrice rencontre un étonnant personnage : le comte Hubert de Chavigny.***

Je passe la moitié de mon temps dans les réserves d'Afrique ou d'Asie.

AFRICAN TOURS & HOTELS LTD.

st l'héritage de mes ancêtres.
XVIIe siècle, ils chassaient le cerf
s les forêts de l'Île-de-France.
c'était une grande époque!
ourd'hui, en France, il n'y a
sque plus de bêtes sauvages.
s je viens ici...

Mais la chasse est interdite.

Je chasse avec mon appareil photo.

Est-ce qu'on trouve encore des rhinocéros?

Malheureusement, ils ont tous disparu. Le nombre des éléphants diminue et il y a moins de lions qu'avant...

VOCABULAIRE ET GRAMMAIRE

LE MOUVEMENT

• **aller – venir**

partir → arriver
revenir ←
retourner → repartir
rentrer ←

• *le départ*
l'arrivée
le retour

• **avec quelqu'un**

amener – emmener – accompagner →
ramener – raccompagner ←

• **avec quelque chose**

apporter – emporter →
rapporter – remporter ←

L'EXPRESSION DU FUTUR

1. Le futur proche : aller + infinitif

je vais revenir
il va partir
} *à 8 heures – demain – après-demain*
dans quelques minutes
tout de suite – tout à l'heure

il y a → il va y avoir

2. Le futur :

a/ cas général : infinitif + ai – as – a – ons – ez – ont

parler → je parlerai *repartir → je repartirai*

*je parti**rai*** *tu parti**ras*** *il/elle/on parti**ra*** *nous parti**rons*** *vous parti**rez*** *ils/elles parti**ront***	*ce soir* *demain, après-demain* *l'année prochaine* *dans deux ans* *jusqu'au 1er janvier*

b/ cas particuliers

avoir → j'aurai *être → je serai*
aller → j'irai *venir → je viendrai*
faire → je ferai *prendre → je prendrai*
pouvoir → je pourrai *vouloir → je voudrai*
il y a → il y aura

→ tableau de conjugaisons p. 206.

LES VERBES CONSTRUITS AVEC « QUE »

penser
croire
supposer
être sûr(e)
trouver
espérer
oublier
} **que...**

J'espère qu'il viendra !
Je trouve qu'il est bien long !
Je suppose que sa voiture est en pann
Tu crois qu'il a oublié ?

■ PAUVRETÉ – RICHESSE – DÉVELOPPEMENT

- *être riche/pauvre*
  la richesse/la pauvreté

  un pays développé/un pays en voie de développement
- *un climat sec/humide*
  un climat tropical – un climat équatorial

  un désert
  la sécheresse – la soif
- *la faim – la famine*
- *un besoin – avoir besoin de*
  un manque – manquer (de)

  Cette région manque d'eau.
  L'eau manque dans cette région.
- *devenir (le devenir – le futur – l'avenir) – (se) développer (le développement)*
  changer (le changement)
  augmenter (une augmentation) – diminuer (une diminution) – apparaître (une apparition)
  disparaître (une disparition).

■ L'EXPRESSION DE LA CAUSE

- *Pourquoi y a-t-il la sécheresse?*
  Quelle est la cause de / *Quelle est la raison de* / *A quoi est due* } *la sécheresse?*

  Parce que...
  C'est à cause de...
  C'est en raison de...
  C'est dû à...

- *La disparition des forêts* { *cause...* / *entraîne...* / *produit...* } *la sécheresse*

■ LES ANIMAUX

- *un animal domestique (un chien, un chat, un cheval, une poule, un coq, un lapin, etc.).*
- *un animal sauvage (un lion, un tigre, un éléphant, un crocodile, un rhinocéros, un singe, une gazelle, un ours, un serpent, etc.)*
- *une réserve d'animaux – un zoo*
  chasser – tuer – la chasse – un chasseur
  protéger les animaux – la protection des animaux

■ L'EXPRESSION DE LA QUANTITÉ

1.

***du** lait – **de l'**eau*	***des** fruits*
***un peu de** lait*	***quelques** fruits*
***peu de** lait*	***peu de** fruits*
***beaucoup de** lait*	***beaucoup de** fruits*

2. *Il y a **encore** du poulet?*
*Non, il **n'**y a **plus** de poulet*

3. ***assez** – **suffisamment** – **trop***
pas trop** – **pas assez

C'est assez salé?

Oui, mais il y a trop de poivre et pas assez de beurre.

4. La comparaison des quantités

villes[1]	*population*
Paris	8 700 000
Lyon	1 200 000
Rouen	380 000
Strasbourg	380 000

- *Il y a **plus** d'habitants à Paris **qu'**à Lyon.*
  *Il y a **davantage** d'habitants à Paris **qu'**à Lyon.*
- *Il y a **moins** d'habitants à Rouen **qu'**à Lyon.*
- *Il y a **autant** d'habitants à Rouen **qu'**à Strasbourg.*

(1) Banlieue comprise.

ACTIVITÉS

MÉCANISMES

- ***Quand est-ce que tu pars?***
  Je vais partir dans cinq minutes.
- ***Quand est-ce qu'on dîne?***
  On va dîner dans cinq minutes.
- ***Vous allez bientôt être en vacances?***
  Je serai en vacances le mois prochain.
- ***Catherine et Rémi vont bientôt se marier?***
  Ils se marieront le mois prochain.

1. RÉDIGEZ les projets d'avenir de ces lycéens

Quitter le lycée le plus vite possible
Trouver du travail
Me marier
Avoir des enfants, une petite maison
...

a.

Continuer mes études – Passer mon bac
Partir à l'étranger
Apprendre deux langues étrangères
Rentrer en France
Préparer un diplôme d'interprète

c.

Faire des études à l'université
Être professeur ou journaliste
Écrire des romans

b.

a. Je quitterai le lycée...

2. IMAGINEZ les projets qu'ils font

Quand vous irez en Afrique...

Quand je serai à la retraite...

Quand nous serons en vacances...

3. COMPLÉTEZ avec l'un des verbes de la rubrique « Le mouvement », p.

Marie : Allô Sylvie? Je vais au marché aux puces cet après-midi. Tu m'...?
Sylvie : Impossible. À 1 h et demie, je dois ... mon fils à l'école. Puis, je ... chez moi. J'atter un coup de fil important entre 2 h et 3 h. Ensuite je ... faire des courses et je dois ... c livres à la bibliothèque municipale. À 4 h et demie je ... à l'école pour ... mon fils à la maiso
Marie : Est-ce que tu veux venir dimanche chez moi? J'ai invité quelques amis. On déjeun dans le jardin. On dansera. Bien sûr, tu ... ton mari et ton fils.
Sylvie : Ça me fera plaisir. Je pense que mon mari sera d'accord aussi.
Marie : Alors, à dimanche! Et surtout, n'oublie pas d'... tes disques de rock.

4. COMPLÉTEZ le dialogue avec les verbes croire, espérer, être sûr, oubli penser, trouver.

Conversation entre deux associés

André : Je ... vais prendre quelques jours de vacances.
Didier : J'... tu n'es pas malade. Je ... tu es un peu pâle.
André : Non, mais je ... je suis un peu fatigué.
Didier : Tu n'... pas que nous avons beaucoup de travail en ce moment?
André : Non, mais je ... je travaillerai beaucoup mieux après une semaine de repos.
Didier : Alors, pars une semaine! J'... tu reviendras en pleine forme.

MÉCANISMES

- *Pourquoi est-il fatigué ? C'est parce qu'il a beaucoup travaillé ?*
  Oui, c'est à cause de son travail.
- *Pourquoi les gens sont-ils mécontents ? C'est parce que les prix augmentent ?*
  Oui, c'est à cause de l'augmentation des prix.
- *Est-ce que tu as assez d'argent ? /Oui.*
  Oui, j'ai assez d'argent.
- *Est-ce qu'il y a assez d'eau au Sahel ? /Non.*
  Non, il n'y a pas assez d'eau.

5. *RELIEZ LES DEUX ÉLÉMENTS* *en utilisant l'expression de cause entre parenthèses*

- *La pollution des rivières → la mort des poissons* .... ***(entraîner).***
- *La disparition des forêts → la sécheresse* .... ***(causer).***
- *La sécheresse → les troupeaux meurent* .... ***(à cause de).***
- *Il n'y a pas assez de travail → les gens sont au chômage* .... ***(parce que).***
- *La pauvreté des campagnes → les paysans partent vers les villes* ..... ***(en raison de).***

***6. COMMENTEZ ces images de l'Afrique.* Quels sont les problèmes ? Quels sont les manques ? Quelles sont les causes de ces problèmes ? Quelles sont, d'après vous, les solutions ?**

7. ILS DEMANDENT DES EXPLICATIONS. Répondez-leur en imaginant les causes

a/ Jouez les scènes

Monsieur le directeur,
j'apprends que mon fils doit
redoubler sa classe de 6ᵉ.
Pourquoi ?

Allô ! L'entreprise de plomberie Ingrand ?
Je vous ai téléphoné à 8 heures
pour une réparation dans ma salle de bains.
Il est 19 heures et je vous attends toujours !

b/ Écrivez-leur

Banque Legros
à
Madame Morin

Madame,
Vous avez demandé à notre banque un prêt de 100 000 F. Pouvez-vous préciser les raisons de votre demande ?

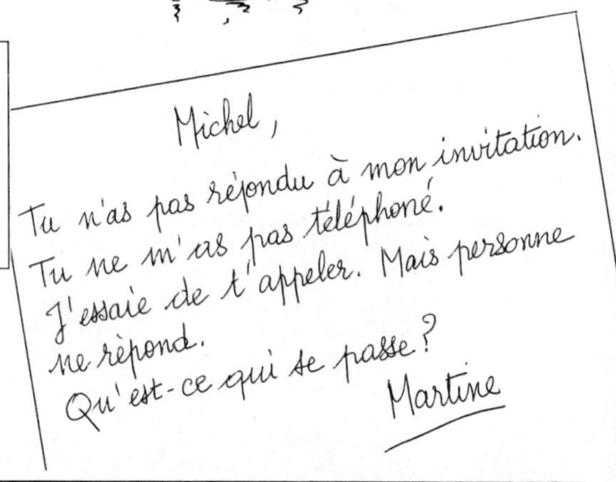
Michel,
Tu n'as pas répondu à mon invitation.
Tu ne m'as pas téléphoné.
J'essaie de t'appeler. Mais personne ne répond.
Qu'est-ce qui se passe ?
Martine

MÉCANISMES

- *Vous voulez encore un peu de thé ?*
  Non, je ne veux plus de thé.
- *Il y a encore du lait dans le frigo ?*
  Non, il n'y a plus de lait.
- *Est-ce qu'il a autant de livres que moi ?/Plus...*
  Il a plus de livres que vous.
- *Est-ce que vous buvez autant de café que moi ?/Moins...*
  Je bois moins de café que vous.

8. DANS CHAQUE LISTE CHERCHEZ L'ANIMAL INTRUS

a. le chat – le serpent – le lion – le cheval – le chien
b. l'oiseau – la mouche – le moustique – le rat – le coq
c. le rhinocéros – le taureau – le bœuf – l'éléphant – le tigre
d. le singe – le serpent – l'oiseau – la poule – le poisson

9. ÉCOUTEZ ! Patrice Dubourg et Hubert de Chavigny parlent des animaux de la réserve.

Reportez dans un tableau les informations que vous entendez

Nom de l'animal	Caractéristiques	Quantité
....	....	....
....	....	....

10. COMMENTEZ ces statistiques

Les Français et les animaux familiers

55 % DES FOYERS POSSÈDENT UN ANIMAL. C'EST LE RECORD D'EUROPE

- 10 millions de chiens (un foyer sur trois)
- 7 millions de chats (un foyer sur quatre)
- 9 millions d'oiseaux, 9 millions de poissons, 2 millions de lapins, hamsters, singes, tortues, etc.

(Francoscopie)

Cherchez les raisons de cette passion des Français pour les animaux.
Êtes-vous pour ou contre les animaux familiers... chez vous ? chez vos voisins ?
Faites la liste des avantages et des inconvénients d'avoir un animal à la maison.

11. COMPAREZ le présent et le passé

• L'usage du tabac

Y a-t-il aujourd'hui plus de fumeurs qu'avant ?
Plus, autant ou moins de femmes qui fument ?

• Les loisirs

A-t-on plus de loisirs que nos grands-parents ?

• La violence

Y a-t-il plus ou moins de vols, d'enlèvements, de meurtres ?

12. UN POÈME DE VICTOR HUGO

Demain, dès l'aube[1], à l'heure où blanchit la campagne,
Je partirai. Vois-tu, je sais que tu m'attends.
J'irai par la forêt, j'irai par la montagne.
Je ne puis[2] demeurer loin de toi plus longtemps.

Je marcherai, les yeux fixés sur mes pensées,
Sans rien voir au-dehors, sans entendre aucun bruit,
Seul, inconnu, le dos courbé, les mains croisées,
Triste, et le jour pour moi sera comme la nuit.

Je ne regarderai ni l'or du soir qui tombe,
Ni les voiles au loin descendant vers Harfleur[3],
Et, quand j'arriverai, je mettrai sur ta tombe
Un bouquet de houx vert et de bruyère en fleur.

extrait des *Contemplations*.

Notes :
(1) l'aube : le lever du jour – (2) je ne puis : je ne peux pas – (3) Harfleur : petite ville au bord de la Seine entre le port du Havre d'où part le poète et le village de Villequier où il se rend.
Le 4 septembre 1843, la fille de Victor Hugo, Léopoldine, s'est noyée à Villequier au cours d'une promenade en barque sur la Seine.

a. Relevez les verbes au futur.
b. Où va Victor Hugo ? Quels lieux traverse-t-il ?
c. Quelle est son attitude pendant le voyage ?
d. Imaginez à qui s'adresse ce poème.

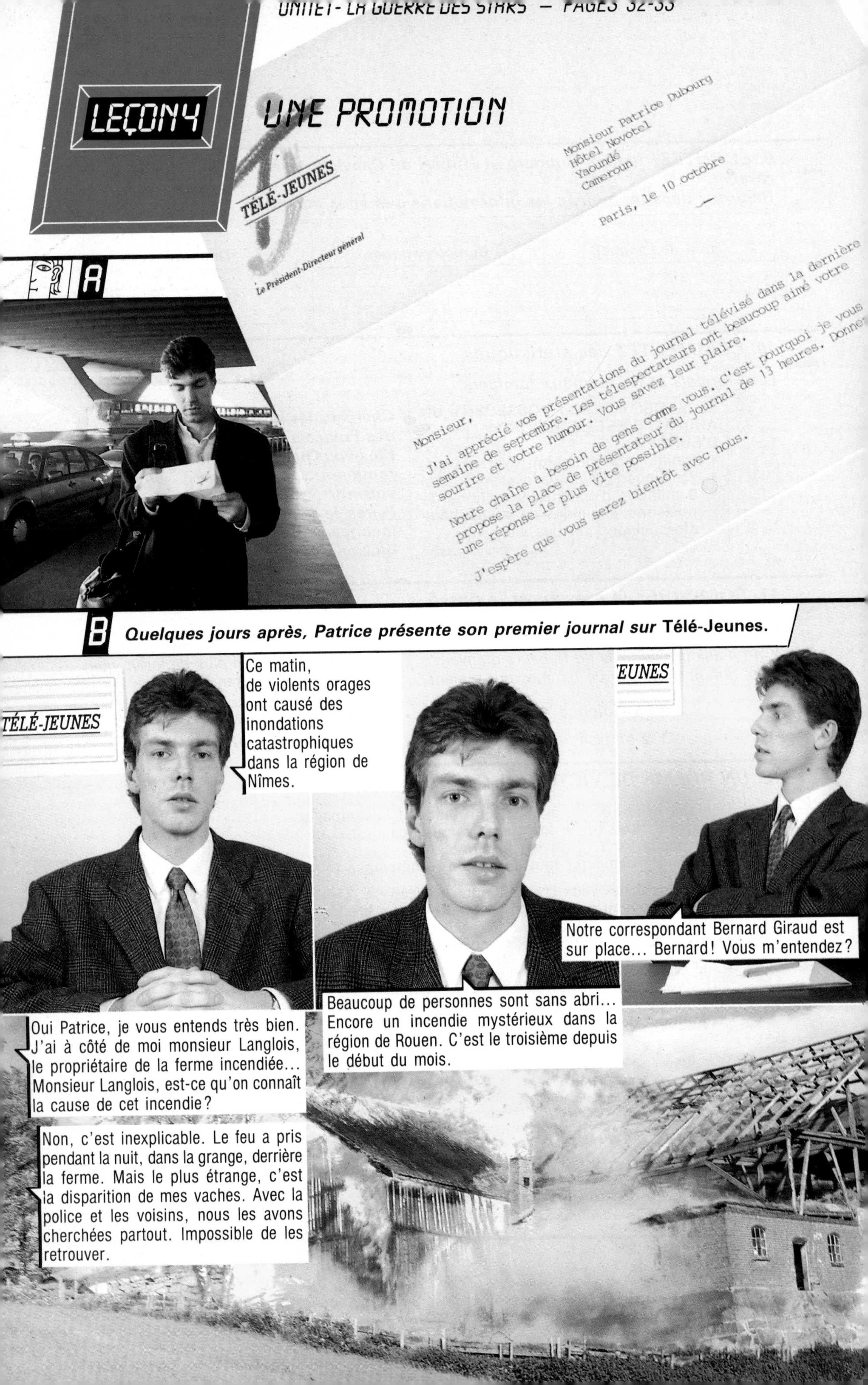
LEÇON 4
UNE PROMOTION
A
TÉLÉ-JEUNES
Le Président-Directeur général
Monsieur Patrice Dubourg
Hôtel Novotel
Yaoundé
Cameroun
Paris, le 10 octobre
Monsieur,
J'ai apprécié vos présentations du journal télévisé dans la dernière semaine de septembre. Les téléspectateurs ont beaucoup aimé votre sourire et votre humour. Vous savez leur plaire.
Notre chaîne a besoin de gens comme vous. C'est pourquoi je vous propose la place de présentateur du journal de 13 heures. Donnez une réponse le plus vite possible.
J'espère que vous serez bientôt avec nous.
B
Quelques jours après, Patrice présente son premier journal sur Télé-Jeunes.
TÉLÉ-JEUNES
Ce matin, de violents orages ont causé des inondations catastrophiques dans la région de Nîmes.
Beaucoup de personnes sont sans abri... Encore un incendie mystérieux dans la région de Rouen. C'est le troisième depuis le début du mois.
JEUNES
Notre correspondant Bernard Giraud est sur place... Bernard ! Vous m'entendez ?
Oui Patrice, je vous entends très bien. J'ai à côté de moi monsieur Langlois, le propriétaire de la ferme incendiée... Monsieur Langlois, est-ce qu'on connaît la cause de cet incendie ?
Non, c'est inexplicable. Le feu a pris pendant la nuit, dans la grange, derrière la ferme. Mais le plus étrange, c'est la disparition de mes vaches. Avec la police et les voisins, nous les avons cherchées partout. Impossible de les retrouver.

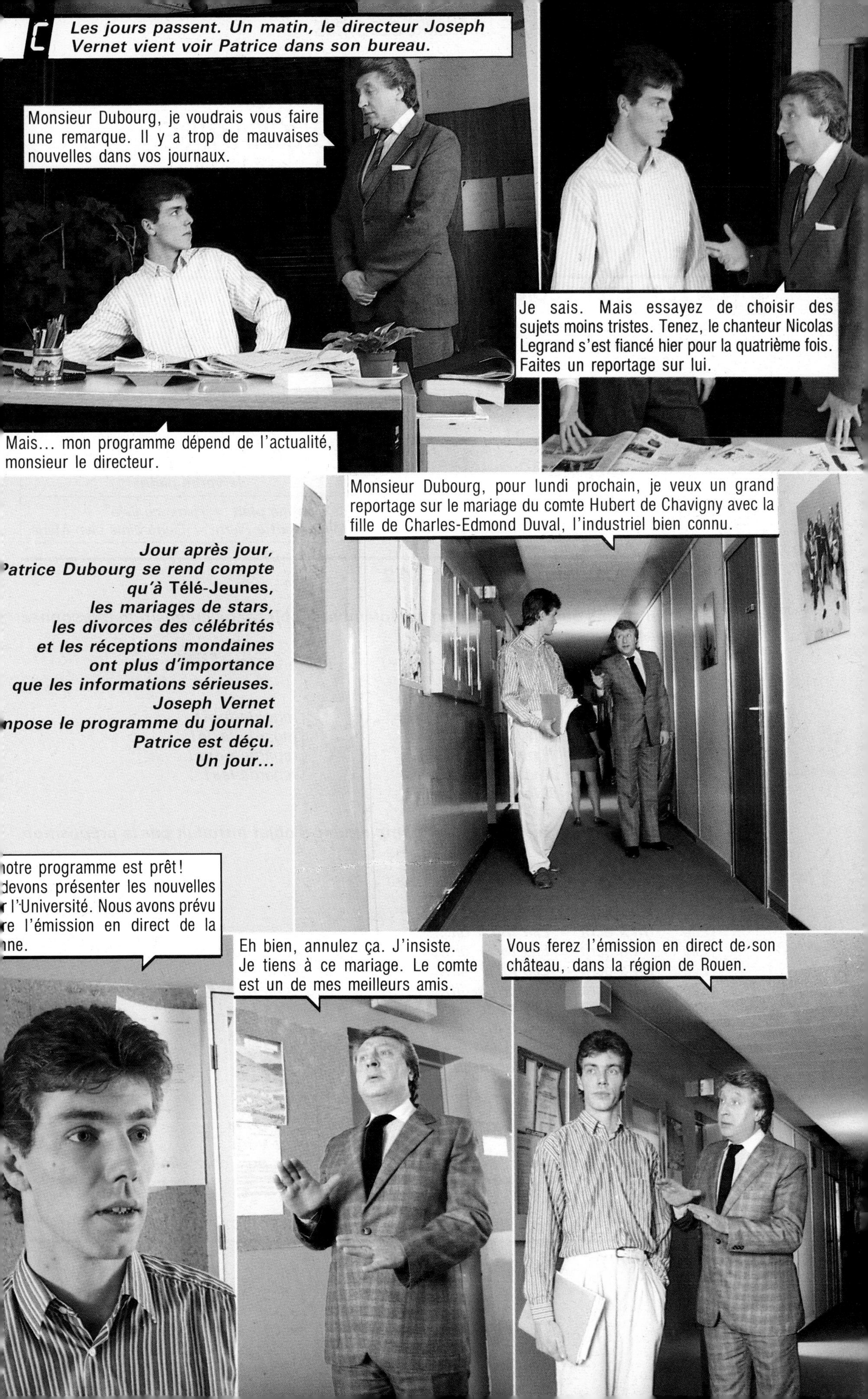
C
Les jours passent. Un matin, le directeur Joseph Vernet vient voir Patrice dans son bureau.
Monsieur Dubourg, je voudrais vous faire une remarque. Il y a trop de mauvaises nouvelles dans vos journaux.
Mais... mon programme dépend de l'actualité, monsieur le directeur.
Je sais. Mais essayez de choisir des sujets moins tristes. Tenez, le chanteur Nicolas Legrand s'est fiancé hier pour la quatrième fois. Faites un reportage sur lui.
Jour après jour, ’atrice Dubourg se rend compte qu'à Télé-Jeunes, les mariages de stars, les divorces des célébrités et les réceptions mondaines ont plus d'importance que les informations sérieuses. Joseph Vernet npose le programme du journal. Patrice est déçu. Un jour...
Monsieur Dubourg, pour lundi prochain, je veux un grand reportage sur le mariage du comte Hubert de Chavigny avec la fille de Charles-Edmond Duval, l'industriel bien connu.
ıotre programme est prêt! devons présenter les nouvelles r l'Université. Nous avons prévu re l'émission en direct de la ıne.
Eh bien, annulez ça. J'insiste. Je tiens à ce mariage. Le comte est un de mes meilleurs amis.
Vous ferez l'émission en direct de son château, dans la région de Rouen.

VOCABULAIRE ET GRAMMAIRE

■ LES VERBES CONSTRUITS AVEC LA PRÉPOSITION « À »

Ces verbes indiquent souvent :
- ***l'attribution :*** *donner à – offrir à – envoyer à – promettre à*
- ***la communication :*** *dire à – raconter à – écrire à – demander à – répondre à – présenter à – montrer à*

Ex. : Joseph Vernet a envoyé une lettre à Patrice.

le verbe plaire
*ce livre me **plaît** = j'aime ce livre* *Marie **plaît** à Pierre = Pierre aime bien Marie*

■ LES PRONOMS COMPLÉMENTS

1. Les pronoms qui remplacent un complément d'objet sans préposition (personnes ou choses)

*Tu connais **Patrice Dubourg** ? – Oui, je **l'**ai vu hier à la télévision.*

*Il **m'**a vu*	*– Il **me** regarde*	
*Il **t'**a vu*	*– Il **te** regarde*	*regarde-**moi** !*
*Il **l'**a vu(e)*	*– Il **le/la** regarde*	*regarde-**le/la** !*
*Il **nous** a vu(e)s*	*– Il **nous** regarde*	*regarde-**nous** !*
*Il **vous** a vu(e)s*	*– Il **vous** regarde*	*regarde-**les** !*
*Il **les** a vu(e)s*	*– Il **les** regarde*	

2. Les pronoms qui remplacent un complément d'objet introduit par la préposition « à » (personnes)

*Tu as écrit à **Marie** ? – Oui, je **lui** ai écrit.*

*Elle **m'**a écrit*	*– Elle **me** dit...*	
*Elle **t'**a écrit*	*– Elle **te** dit...*	*écris-**moi** !*
*Elle **lui** a écrit*	*– Elle **lui** dit...*	*écris-**lui** !*
*Elle **nous** a écrit*	*– Elle **nous** dit...*	*écris-**nous** !*
*Elle **vous** a écrit*	*– Elle **vous** dit...*	*écris-**leur** !*
*Elle **leur** a écrit*	*– Elle **leur** dit...*	

3. Les pronoms utilisés après une préposition

*Tu vas chez **tes parents** ? – Oui, je vais chez **eux**.*

*Je vais chez **moi***	*Je vais chez **nous***
*Je vais chez **toi***	*Je vais chez **vous***
*Je vais chez **lui**/chez **elle***	*Je vais chez **eux**/chez **elles**.*

LES CATASTROPHES

- ***un incendie*** – *le feu – brûler – un pompier*
- ***une tempête*** – *le vent – un ouragan – un orage – la foudre – le tonnerre*
- ***une explosion*** – *exploser – une bombe*
- ***une inondation*** – *inonder – déborder*
- ***un tremblement de terre*** – *trembler*
- ***une éruption volcanique*** – *un volcan (éteint/en activité)*
- ***les dégâts***
  détruire (une destruction) – endommager (les dommages)
  casser – écraser
- ***les victimes***
  mourir (un mort) – blesser (un blessé)
  être sans abri
- ***le bilan de la catastrophe***
  grave – catastrophique – tragique

détruire (détruit)
je détruis *nous détruisons* *ils détruisent*

mourir (mort)
il meurt *nous mourons* *ils meurent*

LE DÉSIR – LA VOLONTÉ

Qu'est-ce que vous désirez, Madame?
Je voudrais un café, s'il vous plaît.

- ***Demander***
  Je voudrais ce livre.
  Je voudrais sortir.
  Qu'est-ce que vous désirez?
- ***Insister***
- ***Commander – ordonner***
  donner un ordre

  Je veux ce livre.
  Je vous demande de sortir.
  Je vous ordonne de sortir.

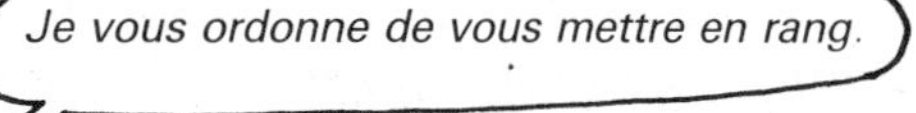
Je vous ordonne de vous mettre en rang.

obéir (obéi)
j'obéis *nous obéissons*

- ***imposer***
- ***tenir à***
  je tiens à ce reportage.

Je tiens beaucoup à ce vase de Chine.

- ***la volonté*** – *avoir de la volonté – (s')imposer*
  être libre – indépendant

LES ÉVÉNEMENTS SOCIAUX ET MONDAINS

- *la naissance – naître (né) – un nouveau-né – un bébé*
  les fiançailles – se fiancer – un fiancé – une fiancée – les futurs époux
  le mariage – se marier (avec quelqu'un) – épouser quelqu'un – le marié – la mariée
  un célibataire – un veuf (une veuve)
  le divorce (divorcer) – un(e) divorcé(e)
  un enterrement – un décès (décéder)
- *une réception – inviter – recevoir des amis*
  un déjeuner (d'affaires) – un dîner – un cocktail – un buffet
  une soirée – une fête
  → *Les réceptions entre jeunes...*
  dans les années 60 : une surprise-partie,
  dans les années 70 : une boum,
  dans les années 80 : une soirée, une fête

ACTIVITÉS

MÉCANISMES

- ***Tu écris souvent à tes parents?***
  Oui, je leur écris souvent.
- ***Il téléphone à son frère?***
  Oui, il lui téléphone.
- ***Vous m'avez écrit?***
  Oui, je vous ai écrit.
- ***Tu as répondu à Michèle?***
  Oui, je lui ai répondu.

1. COMPLÉTEZ en utilisant le pronom qui convient

Sophie : *J'ai des nouvelles de Nicolas. Il ... a écrit hier. Il ... invite, toi et moi, le week-end prochain, dans sa maison de campagne.*

Valérie : *Dommage! Je ne suis pas libre. Mais je veux ... remercier. Il ... a donné son numéro de téléphone?*

Sophie : *Il n'a pas encore le téléphone. Mais il ... a donné le numéro de ses voisins. Ils sont très gentils. On peut ... téléphoner. Ils ... feront la commission.*

2. COMPLÉTEZ en utilisant le pronom qui convient

Édith : *Samedi après-midi, je vais à la foire du Trône[1] avec ma sœur et mon beau-frère. Après, on fait un petit dîner chez eux. Tu viens avec ...?*

Patrice : *Impossible. J'ai du travail. Je reste chez ... tout l'après-midi.*

Édith : *Dommage. On s'amusera moins sans ...*

Patrice : *Si tu veux, le soir, je peux dîner avec ...*

Édith : *C'est sympa. Comment fait-on? On passe te prendre chez ... ou tu vas directement chez ...?*

(1) *Fête foraine qui a lieu en mai à Paris.*

3. JOUEZ LES SCÈNES

a/ *Ils viennent de faire connaissance. Il lui propose ... Elle refuse ... Il insiste.*

b/ *Le déménageur propose du travail au chômeur.*

4. RÉDIGEZ LA RÉPONSE de Patrice Dubourg à la lettre de Joseph Vernet

Il lui dit ... *qu'il a bien reçu sa lettre*
qu'il le remercie
qu'il accepte sa proposition
qu'il est très heureux ... qu'il essaiera d'être ...

MÉCANISMES

- ***Vous invitez Patrice à votre anniversaire?***
  Oui, je l'invite.
- ***Vous m'invitez?***
  Oui, je vous invite.
- ***Vous avez reçu ma lettre?***
  Oui, je l'ai reçue.
- ***Vous avez vu le film à la télé?***
  Oui, je l'ai vu.

5. RÉPONDEZ en employant le pronom qui convient

- *Est-ce que Patrice a visité le Niger?*
- *Est-ce qu'il a vu les animaux d'Afrique?*
- *Est-ce qu'il a terminé ses reportages?*
- *Est-ce que les présentations du journal télévisé de Patrice ont plu à Joseph Vernet?*
- *Est-ce que Claire Martin a regretté le départ de Patrice?*

6. IMAGINEZ et jouez les scènes

Patrice Dubourg vient d'arriver à Paris.
a/ *Joseph Vernet le reçoit dans son bureau.*
b/ *Patrice téléphone à Claire Martin pour lui annoncer son départ.*

7. QUE S'EST-IL PASSÉ? Identifiez la catastrophe. Décrivez les dégâts. Imaginez un court article de presse pour chaque image. Imaginez le récit des témoins de ces catastrophes.

8. LE JOURNALISTE BERNARD GIRAUD interroge M. Langlois, le propriétaire de la ferme incendiée. Voici les réponses de M. Langlois.
Retrouvez les questions du journaliste

- *... ? – Vers 3 heures du matin.*
- *... ? – Oui, nous avons essayé. Mais tout a brûlé très vite.*
- *... ? – Oui, nous les avons appelés. Nous avons aussi appelé la police. Ils sont arrivés très vite.*
- *... ? – Nous les avons cherchées toute la matinée.*
- *... ? – Non, nous ne les avons pas retrouvées.*
- *... ? – Nous allons continuer les recherches. Peut-être que quelqu'un les a vues dans les environs.*

9. TRANSFORMEZ SELON LE MODÈLE
Tu dois m'écrire → Écris-moi !

- *Vous devez écouter les dernières chansons de Michel Sardou.*
- *Vous devez aller écouter le concert de Jacques Higelin.*
- *Tu dois téléphoner plus souvent à tes parents.*
- *Nous ne devons pas déranger Patrice. Il travaille.*
- *Vous ne devez pas téléphoner à Édith. Elle est en vacances à l'étranger.*
- *Tu ne dois pas aller voir ce film. Il est nul.*

10. ÉCOUTEZ LES INFORMATIONS À LA RADIO ! Pour chaque événement notez
***a.** le lieu ; **b.** les causes ; **c.** les conséquences.*

MÉCANISMES

- ***Est-ce que tu as rencontré Pierre, récemment ?***
  Non, je ne l'ai pas rencontré.
- ***Est-ce qu'il t'a écrit ?***
  Non, il ne m'a pas écrit.
- ***Je vous demande de lire ce livre.***
  Lisez-le !
- ***Je vous demande de ne pas raconter cette histoire.***
  Ne la racontez pas !

11. JOUEZ LES SCÈNES. Ils manifestent leur volonté.
Imitez le dialogue C.

***a/** Une femme chef de service en colère contre l'un de ses employés.*

***b/** L'épouse tient à partir en vacances.*

12. *ANALYSEZ ET COMMENTEZ ces sondages sur le mariage*

• 45 % des Français considèrent qu'il y a aujourd'hui une crise grave du mariage.
36 % que cette crise est passagère.
14 % que le mariage se porte bien.
5 % ne se prononcent pas.

• Pour les Français, les principales causes de la diminution des mariages sont (par ordre d'importance)
– leur volonté de garder leur indépendance;
– le fait qu'ils voient un grand nombre de divorces autour d'eux;
– le fait qu'il est plus avantageux économiquement de ne pas se marier;
– le fait qu'ils ne croient plus à l'amour pour toute la vie;
– le fait qu'ils trouvent que c'est « vieux jeu ».

• Après une période où on se mariait dans la simplicité et dans l'intimité, on constate aujourd'hui une tendance à un mariage plus traditionnel... Dans une société dure et froide, le mariage constitue un prétexte pour retrouver un peu de candeur, de joie et d'espoir. Et l'on dépense beaucoup d'argent pour que cette journée soit un souvenir exceptionnel.

Gérard MERMET, *Francoscopie,* © Éd. Larousse.

13. *UN POÈME DE JACQUES PRÉVERT*

a. Relevez tout ce qui concerne la femme (qui parle) et l'homme (qui dort).
b. Montrez l'opposition entre les deux strophes.

QUAND TU DORS

Toi tu dors la nuit
moi j'ai de l'insomnie
je te vois dormir
ça me fait souffrir

. . . .

Toutes les nuits je pleure toute la nuit
et toi tu rêves et tu souris
mais cela ne peut plus durer
une nuit sûrement je te tuerai
tes rêves alors seront finis
et comme je me tuerai aussi
finie aussi mon insomnie
nos deux cadavres réunis
dormiront ensemble dans notre grand lit

Toi tu rêves la nuit
moi j'ai de l'insomnie
je te vois rêver
ça me fait pleurer

Voilà le jour et soudain tu t'éveilles
et c'est à moi que tu souris
tu souris avec le soleil
et je ne pense plus à la nuit
tu dis les mots toujours pareils
« As-tu passé une bonne nuit »
et je réponds comme la veille
« Oui mon chéri j'ai bien dormi
et j'ai rêvé de toi comme chaque nuit. »

Histoires, © Éd. Gallimard.

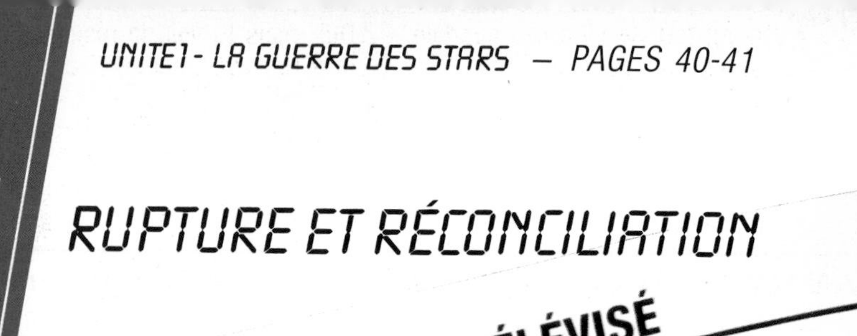

LEÇONS

RUPTURE ET RÉCONCILIATION

A

SCANDALE AU JOURNAL TÉLÉVISÉ

Patrice Dubourg accuse le comte de Chavigny du vol des lions du jardin des Plantes et des incendies de la région de Rouen.

Télé-Jeunes retransmettait hier après-midi le mariage d'Hubert de Chavigny et de Bernadette Duval depuis le château de Neuville.

Patrice Dubourg présentait l'événement. Mais il a moins commenté que critiqué. Ses remarques ironiques ressemblaient à des accusations.

Il a parlé de la personnalité étrange du comte. Ce dernier aime mieux les animaux que ses amis, il va souvent au zoo du jardin des Plantes pour ses travaux scientifiques, il écrit dans ses livres et ses articles qu'il faut repeupler les forêts de France avec des animaux sauvages.

D'après Patrice Dubourg, le comte cache un zoo dans un endroit isolé de son immense parc. Et on a retrouvé sur les terres du comte, une partie des troupeaux disparus dans la région.

Ces révélations sont-elles vraies ou fausses ? Patrice dit-il la vérité ou a-t-il voulu faire une mauva plaisanterie ?

Une chose est sûre, monsieur Dubourg a trop ou pas assez.

B

Édith et Patrice sont à Montmartre. C'est la fin d'un après-midi d'hiver. La nuit tombe lentement.

J'ai eu tort de faire ce scandale. J'ai agi stupidement.
Non, tu as eu raison. Hubert de Chavigny était coupable. Je t'approuve totalement.
Oui, mais tu vois le résultat? Joseph Vernet m'a renvoyé et je serai bientôt sans argent.
Oublie tout cela! Admire plutôt Paris. Tu te souviens de la dernière scène du *Père Goriot* de Balzac. Rastignac regarde longuement Paris et il lui lance un défi.
« Maintenant, à nous deux! » Tu vois, j'ai une bonne mémoire. Mais je me rappelle aussi la suite de l'histoire et les échecs de Rastignac dans les *Illusions perdues*.
Tu as de l'ambition, Patrice. Je suis sûre que tu réussiras.
C
Plus tard, au restaurant...
Maintenant à nous deux, monsieur Dubourg! Vous savez que vous m'avez déçue?
Je ne l'ai pas fait exprès, croyez-moi!
Je suis parti sans réfléchir, sur un coup de tête. Maintenant, je le regrette.
Oublions cela, je vous pardonne! J'ai fait la même chose moi aussi quand je travaillais à *Radio-France*.
J'ai quelque chose à vous proposer.
Écoute bien! C'est la chance de ta vie!
Madame, Monsieur...
ANTENNE 4
Bonsoir!

VOCABULAIRE ET GRAMMAIRE

■ LA VÉRITÉ – LE MENSONGE

- *c'est vrai – c'est juste – c'est exact/c'est faux*
  dire la vérité/mentir – un mensonge
  un menteur
- *cacher la vérité*
  découvrir la vérité (une découverte)
  révéler – faire une révélation
  deviner – une devinette

mentir (menti)
je mens *il ment* *nous mentons* *ils mentent*

découvrir (découvert)
je découvre *nous découvrons* *ils découvrent*

■ JUGER – ACCUSER – PARDONNER

- ***Le bien/le mal***
  agir bien/mal – faire (commettre) une faute – une erreur
  se tromper

  avoir raison/avoir tort
  être innocent/être coupable (de)

agir (agi)
j' agis *nous agissons* *ils agissent*

- ***La responsabilité***

  être responsable de...
  c'est (de) sa faute – il l'a fait exprès

- ***Accuser*** *– une accusation*
- ***Approuver – désapprouver – critiquer*** *(une critique)*
- ***Demander pardon***

  « Je vous demande pardon.
  Pardonnez-moi !
  Je le regrette.
  Je vous prie de m'excuser. Excusez-moi ! »

- ***Pardonner – le pardon***

  « Je vous excuse.
  Je vous pardonne.
  Ce n'est rien...
  Ça ne fait rien.
  Ce n'est pas grave. »

■ LA PLAISANTERIE

- *une plaisanterie – plaisanter – faire une plaisanterie*
  une blague – une bonne/mauvaise plaisanterie
- *l'humour – avoir de l'humour – faire de l'humour*
  un sous-entendu – un mot d'esprit – un bon mot
  une histoire drôle
- *l'ironie – des paroles ironiques*
  rire de quelqu'un – se moquer de quelqu'un
  taquiner
- *rire – sourire – s'amuser*

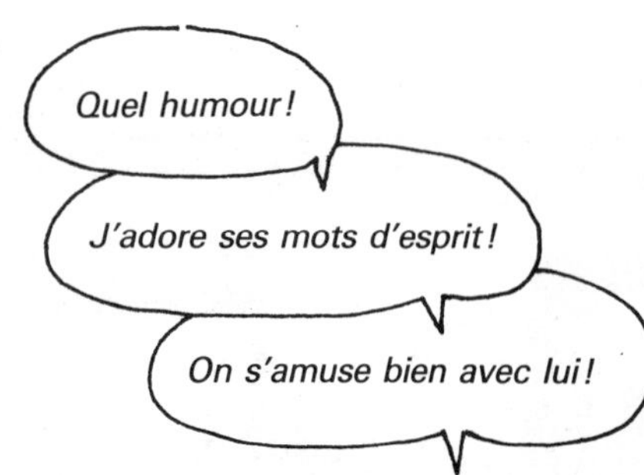

Quel humour !
J'adore ses mots d'esprit !
On s'amuse bien avec lui !

LE SOUVENIR – L'OUBLI

- *la mémoire – un souvenir*
  avoir une bonne/mauvaise mémoire
  retenir une leçon
  apprendre/savoir une leçon par cœur
- *se souvenir de quelque chose*
  se rappeler quelque chose
- *oublier quelque chose,*
  de faire quelque chose
  un oubli
  être distrait(e) – étourdi(e) – négligent(e)

se souvenir (souvenu)	
je me souviens *il se souvient*	*de ma jeunesse*
nous nous souvenons *ils se souviennent*	*de notre voyage*

se rappeler (rappelé)	
je me rappelle	*ma jeunesse*
nous nous rappelons	*notre voyage*

CARACTÉRISER LES ACTIONS

1. Les adverbes

a. *Elle travaille bien, mal, vite*

b. adverbes formés avec l'adjectif

- *adjectif au féminin + ment : correcte → correctement – joyeux → joyeusement*
- *adjectif en i, ai, é, u, au masculin + ment : joli → joliment – gai → gaîment*
- *adjectif en ant, ent → amment, emment : patient → patiemment*

c. formes adverbiales
- *préposition + infinitif : Il parle sans bouger.*
- *préposition + nom : Il parle avec calme, sans méchanceté.*

2. Comparaison des actions

- *Il mange* ***un peu – peu – beaucoup***
  assez – trop *– il* ***ne*** *mange* ***pas assez.***
- *Il mange* ***plus*** *que moi.*
  autant *que toi.*
  moins *que lui.*
- *Il parle* ***plus*** *vite et* ***mieux*** *que moi.*
  aussi *vite et* ***aussi bien*** *que toi.*
  moins *vite et* ***moins bien*** *que lui.*

André travaille ***plus*** *vite que Pierre mais il travaille* ***moins*** *bien.*

CONSTRUCTIONS NÉGATIVES ET INTERROGATIVES

- *Est-ce que Pierre est parti ?*
  Pierre est-il parti ?
  Non, il ***n'****est* ***pas*** *parti.*
- *Est-ce que vous l'avez appelé ?*
  L'avez-vous appelé ?
  Non, je ***ne*** *l'ai* ***pas*** *appelé.*
- *Est-ce que vous lui avez parlé ?*
  Lui avez-vous parlé ?
  Non, je ***ne*** *lui ai* ***pas*** *parlé.*

ACTIVITÉS

  MÉCANISMES

- **Pierre travaille autant que Jacques ?/Plus.**
  Oui, et même il travaille plus.
- **Pierre dort autant que Jacques ?/Moins.**
  Non, il dort moins.
- **Vous dormez assez ?/Oui.**
  Oui, et même, je dors trop.
- **Vous mangez assez au petit déjeuner ?/Non.**
  Non, je ne mange pas assez.

1. COMPAREZ-LES

Exemple : *Michèle est paresseuse. Agnès est travailleuse. Michèle ...* ***(travailler).*** → ***Michèle travaille moins qu'Agnès.***

- *Alain est bavard. Paul est timide → Alain ...* ***(parler).***
- *Marie est triste. Jacqueline est gaie → Marie ...* ***(s'amuser).***
- *Pierre est riche. André est pauvre → André ...* ***(dépenser – gagner).***
- *Jacques et Philippe sont agriculteurs. Ils font la même récolte → Jacques ...* ***(produire).***
- *Jacques est agriculteur. Alain est pilote d'avion → Alain ...* ***(voyager).***
- *Michèle et Dominique travaillent toutes les deux de 8 h à 17 h → Michèle ...* ***(travailler).***

2. CARACTÉRISEZ les personnages suivants en utilisant les adverbes de quantité (beaucoup – peu – trop – pas assez – plus – autant – moins)

- *Daniel pèse 110 kg ...* ***Il mange beaucoup trop. Il ne fait pas assez de sport. Ses repas ne sont pas assez équilibrés, etc.***
- *Pauvre Sophie ! Elle a 20 ans. Elle est jolie. Mais elle n'a pas d'amis* ....
- *Regardez M. Dupuis ! Comme il a l'air fatigué !* ....
- *Patrick et Mireille sont mariés depuis 5 ans. Mais ils se disputent souvent* ....
- *A 35 ans, Bernard est toujours sans emploi* ....
- *Patrice Dubourg a beaucoup d'amis. Mais il a aussi beaucoup d'ennemis* ....

3. JOUEZ LES SCÈNES. On leur demande des explications. Ils mentent

a. *Elle devait rentrer avant minuit.*

b. *Il a vidé le compte en banque.*

Il reste seulement 400 F sur notre compte en banque !
BANQUE

4. RÉPONDEZ-LEUR en imaginant de fausses excuses

a. Vous n'avez pas envie d'aller à ce dîner. Vous pensez que vous allez vous y ennuyer.

M. et Mme Jean Baudin
vous prient de leur faire l'honneur
de venir dîner
le 25 novembre à 20 h.
R.S.V.P.

b. Vous n'avez pas envie de le/la revoir.

Je voudrais bien qu'on se revoie.
Voudrais-tu dîner avec moi
un de ces jours ou aller voir
un film ?

5. CONNAISSEZ-VOUS des gens bizarres, étranges, extravagants ou un peu fous ?

Décrivez leur personnalité

←**Salvador Dali (1904-1989).** *Peintre surréaliste espagnol. Il avait le goût des productions spectaculaires, de la provocation et du scandale. Son comportement et ses déclarations étaient souvent excentriques. Pour lui, la gare de Perpignan était le centre du monde !*

Ferdinand Cheval *(dit le Facteur Cheval, 1836-1924). Ce facteur de la région de Grenoble a passé sa vie à ramasser des cailloux le long des chemins pour construire son palais de rêve.*→

6. CONNAISSEZ-VOUS des histoires drôles ? Aimez-vous faire des blagues ?

- **Histoire absurde**

Un maçon tombe du premier étage d'une maison. Les gens s'attroupent autour de lui. Un agent de police écarte la foule et dit : « Qu'est-ce qui se passe ? »
Alors le maçon ouvre un œil et répond : « Je ne sais pas. J'arrive... »

- **Une coutume chez les étudiants en médecine et en architecture : le bizutage.**

Les étudiants forcent les nouveaux à faire des choses extravagantes.

Existe-t-il des coutumes semblables dans votre pays ?

Scène de bizutage chez les étudiants

7. QU'EST-CE QUI FAIT l'originalité de ce chauffeur de taxi?

DES **GENS**, DES **FAITS**, D

Robert le taxi, le Zorro du voyageur

Tout va mal, certains jours : migraine, boutons décousus, pli à poster en urgence et manque de timbre... Pour couronner le tout, vous allez être en retard à votre rendez-vous à l'autre bout de Paris ! Le bonheur c'est, ce jour-là, de rencontrer le taxi de Robert Izoird.

Ancien photographe, organiste et saxophoniste, Robert vous conduira à destination. Jusque-là, rien d'extraordinaire pour un taxi. La première chose qui étonne dans sa voiture, c'est le dos des sièges-avant placardés de coupures de presse. Des photocopies des articles sont même à la disposition des clients. Puis s'habituant à la surprise, le regard saute du *Pariscope* de la semaine à des jeux de patience destinés au prochain embouteillage. En cas de besoin, Robert Izoird dévoile sa botte secrète : sa « mallette des petits services rendus. » Parmi les trésors, l'agrafeuse, l'aiguille, l'essence de térébenthine ou l'aspirine salvatrice. Tous les petits objets dont l'absence est cause de mille tracas quotidien, sont disponibles sur simple sourire. On irait jusqu'à soupçonner Robert de détenir aussi du papier cadeau dans son coffre. Pour le savoir, rendez-vous dans son taxi... aux prochaines fêtes. ■

Quel que soit votre souci du moment, du bouton décousu à la lettre à timbrer, sans oublier les migraines; Robert a vraiment réponse à tout!

Imaginez ce que pourrait être ...

- *un train original,*
- *chez le médecin ou chez le dentiste, une salle d'attente originale,*
- *un café ou un restaurant original.*

FEMME ACTUELLE, n° 195.

A MÉCANISMES

- ***Pierre a autant travaillé que Jacques? Plus. Il a plus travaillé.***
- ***Pierre a autant dormi que Jacques? Moins. Il a moins dormi.***
- ***Vous avez assez dormi? Oui. Oui, et même, j'ai trop dormi.***
- ***Vous avez assez mangé? Non. Non, je n'ai pas assez mangé.***

8. REMPLACEZ les mots soulignés par un adverbe en « ment »

Exemple : *Il marche dans la rue* ***sans se dépêcher.*** *Il marche* ***lentement.***

- *Il a critiqué le film* ***avec ironie.***
- *Nous avons fêté la nouvelle année* ***dans la joie.***
- *Il a expliqué la situation* ***sans s'énerver.***
- *Elle a répondu aux questions* ***sans faire d'erreur.***
- *Ils se sont battus* ***comme des animaux sauvages.***
- *Elle s'habille* ***d'une manière étrange.***

C MÉCANISMES

- ***Vous m'avez appelé(e)?***
  M'avez-vous appelé(e)?
- ***Vous lui avez téléphoné?***
  Lui avez-vous téléphoné?
- ***Est-ce que vous avez écrit à vos amis?***
  Leur avez-vous écrit?
- ***Est-ce que vous avez invité Marie?***
  L'avez-vous invitée?

9. ÉCOUTEZ! L'un accuse. L'autre se défend. Complétez le tableau

Personnages	**Cause de l'accusation**	**Preuves de l'accusation**	**Arguments de défense**
1. Une mère et son fils	*Vol d'une tablette de chocolat*	....	....
2. Un père et sa fille	....	....	....

10. JOUEZ LES SCÈNES. A. accuse – B. s'explique et s'excuse

a/ Ils ont cassé un carreau.

b/ On l'a renvoyé.

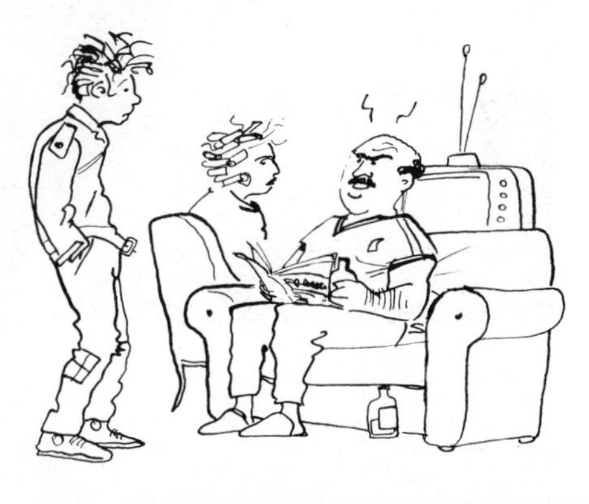

11. LES DERNIÈRES LIGNES DU ROMAN DE BALZAC, Le Père Goriot

Le Père Goriot, un riche commerçant a beaucoup aidé ses filles. Il a réussi à les marier à des jeunes gens de l'aristocratie parisienne.
Mais ses filles ne s'occupent plus de lui. Elles vont le voir seulement pour lui demander de l'argent. Elles ont honte de leur père parce qu'il y a maintenant entre lui et elles une différence de classe sociale.
Quand le Père Goriot meurt, elles n'assistent pas à son enterrement. C'est Rastignac, un jeune étudiant qui vit dans la même pension que le Père Goriot, qui paie la cérémonie.
Rastignac déteste l'aristocratie immorale, mais en même temps il est fasciné par elle.
L'enterrement du Père Goriot vient d'avoir lieu. Rastignac reste seul dans le cimetière du « Père Lachaise » qui se trouve sur une colline de Paris.

Rastignac, resté seul, fit quelques pas vers le haut du cimetière et vit Paris tortueusement couché le long des deux rives de la Seine, où commençaient à briller les lumières. Ses yeux s'attachèrent presque avidement entre la colonne de la place Vendôme et le dôme des Invalides, là où vivait ce beau monde dans lequel il avait voulu pénétrer. Il lança sur cette ruche bourdonnante un regard qui semblait par avance en pomper le miel, et dit ces mots grandioses : – À nous deux maintenant !
Et pour premier acte de défi qu'il portait à la société, Rastignac alla dîner chez Mme de Nucingen.

Notes : 1. *Certains verbes sont au passé simple : fit (faire) – vit (voir) – s'attachèrent (s'attacher) – lança (lancer) – dit (dire).* **2.** *Mme de Nucingen : une des filles du Père Goriot.*

En quoi cette scène se rapproche-t-elle de celle du dialogue A?

■ SYMBOLES

Le coq
Le choix de ce symbole est dû à un jeu de mot latin :
gallus = coq
gallus = gaulois
Il symbolise la fierté du peuple français. C'est aussi un symbole chrétien. On le trouve sur les clochers des églises.

Le buste de Marianne
Il symbolise la République. Brigitte Bardot, puis Catherine Deneuve ont servi de modèle aux sculpteurs de ce buste.

Le drapeau bleu, blanc, rouge
Le choix des couleurs date de la Révolution de 1789. Le bleu et le rouge étaient les couleurs de Paris. Le blanc était la couleur du roi.

L'hexagone
Les contours de la carte de France font penser à un hexagone. Le mot est quelquefois utilisé comme synonyme de France.

→ ***Trouvez d'autres symboles pour la France.***
Quels sont les symboles de votre pays, des pays que vous connaissez ?

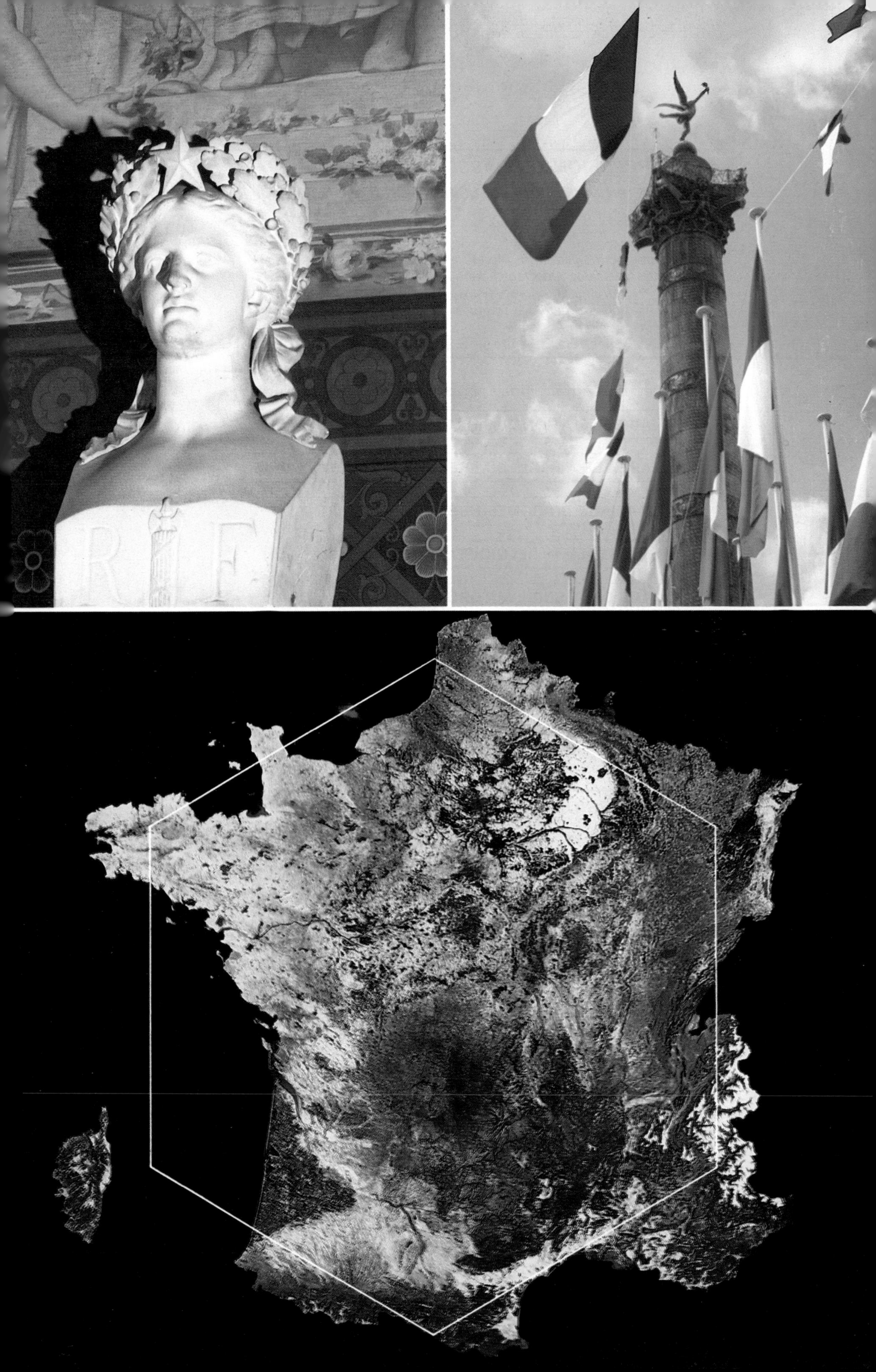
R F

■ 1. EXPRESSION DU PASSÉ

■ Joseph Vernet raconte ses souvenirs. Rédigez-les à l'aide des indications ci-dessous

Âge : *27 ans*
Profession : *journaliste au « Monde »*
Activités : *fait des reportages dans les pays étrangers, adore voyager*
Loisirs : *chasse dans les forêts de la région parisienne*
spectacles (théâtre – opéra)

« Quand j'avais 27 ans, ... »

■ Rédigez une phrase pour chacun de ces titres de presse

Hier ...

AUGMENTATION DU PRIX DU PÉTROLE → *Hier, le prix du pétrole a augmenté ...*

ARRIVÉE À PARIS DU PRÉSIDENT DES ÉTATS-UNIS

MARIAGE DU COMTE HUBERT DE CHAVIGNY

FOOTBALL – BELGIQUE : 2 - FRANCE : 1

ACCIDENT SUR L'AUTOROUTE DU SUD

INCENDIE DANS UNE FERME NORMANDE

■ Patrice Dubourg raconte son safari dans la réserve africaine. Rédigez son récit à l'aide des indications suivantes

Hier, visite d'une réserve d'animaux sauvages. – Beau temps, pas très chaud. – Rencontre d'un personnage intéressant et curieux : le comte de Chavigny. – Il connaît bien la réserve et étudie les lions. – Il me raconte des histoires de chasse passionnantes.

■ 2. EXPRESSION DU FUTUR

■ Mettez les verbes entre parenthèses au temps qui convient

Demain je ***(revoir)*** *Mireille. Elle m'****(attendre)*** *à 9 heures au Café des Arts. Nous* ***(aller)*** *dans la maison de campagne des Dubois. Ils nous* ***(emmener)*** *visiter la région. Nous* ***(passer)*** *toute la journée avec eux.*

■ 3. UTILISATION DES PRONOMS

■ Remplacez les mots en gras par un pronom pour éviter des répétitions

Quand il était en Afrique, Patrice Dubourg est allé, avec son équipe, faire un reportage dans un village. On a présenté ***Patrice et son équipe*** *au chef du village. Il a offert le thé* ***aux journalistes.*** *Patrice a demandé* ***au chef du village*** *l'autorisation de filmer et il a interrogé* ***le chef du village*** *sur les coutumes et les traditions du pays. Puis, le chef du village a montré* ***aux journalistes*** *les différentes activités du village : l'artisanat, l'agriculture, l'élevage et il a remercié* ***les journalistes*** *de leur visite.*

■ Répondez en utilisant le pronom qui convient

Est-ce que Patrice Dubourg a écrit à Édith avant de partir en Afrique ? – Est-ce que Patrice a rencontré le comte de Chavigny ? – Est-ce qu'il a fini ses reportages en Afrique ? – Est-ce que Joseph Vernet a apprécié le reportage de Patrice sur le mariage du comte ? – Est-ce que Claire Martin a pardonné à Patrice ?

■ 4. COMPARAISON ET CARACTÉRISATION

■ Comparez la consommation de poisson et de lait dans les différents pays

Consommation annuelle par pays	
poisson (en kg par habitant)	**lait** (en litre par habitant)
Grande-Bretagne : 127	Islande : 200
Norvège : 50	Espagne : 110
Japon : 36	France : 80
France : 9	Italie : 80

• ***Comparez la consommation de poisson :***
→ *en Grande-Bretagne et en France*
→ *au Japon et en Norvège*

• ***Comparez la consommation de lait :***
→ *en Islande et en Espagne*
→ *en France et en Espagne*
→ *en France et en Italie*

■ Complétez avec « plus », « aussi », « moins », « trop », « assez »

Michel ne réussira jamais à son examen, il est ... paresseux. – La nouvelle de la catastrophe d'Arménie est ... importante que le mariage du comte de Chavigny. – Un chien est ... dangereux qu'un tigre. – Je suis sûr que Michèle est ... intelligente pour comprendre cette explication. – Pierre et André ont couru le 100 mètres en 13 secondes; Pierre court ... vite qu'André.

■ 5. VOCABULAIRE

■ Donnez le contraire des phrases suivantes

Il dit la vérité. – La population a augmenté. – Elle a critiqué le film. – Je me souviens de cette histoire. – Cette région est restée la même.

■ Complétez ces phrases

Dans le désert du Sahel, l'eau ... souvent. – Les déserts ont un climat ... – Le climat ... est chaud et humide. – Le manque de nourriture cause des ... – Les pays ... ont besoin de l'aide des pays riches.

■ De quelle catastrophe s'agit-il?

- *Il y avait 1,50 m d'eau dans les rues de la ville → C'était une ...*
- *L'hôtel a complètement brûlé → C'était ...*
- *Les orages et le vent violent ont détruit les villages → C'était ...*
- *La terre a tremblé à Mexico → C'était ...*
- *Une bombe a fait trois victimes dans la capitale → C'était ...*

■ Donnez le contraire des adjectifs suivants

Un homme ***prétentieux*** *– Une information* ***essentielle*** *– Une explication* ***compliquée*** *– Un journaliste* ***compétent*** *– Un enfant* ***distrait.***

■ 6. JEUX DE RÔLES

■ Rédigez les dialogues et jouez les scènes

a. *Joseph Vernet vient de voir le reportage de Patrice sur le mariage du comte de Chavigny. Il appelle Patrice, l'accuse, le critique ...*

b. *Patrice explique à Édith :*
– *les causes de son départ d'*Antenne 4,
– *les raisons de son renvoi de* Télé-Jeunes.

c. *Édith va voir Claire Martin pour la convaincre de reprendre Patrice à* Antenne 4.

d. *Continuez la conversation entre Claire Martin, Patrice Dubourg et Édith au restaurant* *p. 41.*

PORTRAITS

• Le Français moyen

Lui : taille : 1,72 m. **Poids :** 72 kg.
Elle : taille : 1,60 m. **Poids :** 60 kg.
Leurs yeux : noirs ou marron à 55 %
bleus ou gris à 45 %
Leurs cheveux : plutôt bruns (les blonds sont en diminution).

→ **Décrivez ces personnes.**
Existe-t-il pour vous un type physique français ?

CARACTÈRE

Le Français ? Un être qui est avant tout le contraire de ce que vous croyez.
Pierre Daninos (Les Carnets du Major Thompson).

Un Français parle autant avec ses mains et son corps qu'avec sa langue.
Un touriste anglais.

En France, le premier jour est pour l'engouement,
le second pour la critique,
le troisième pour l'indifférence.
J.-F. de La Harpe (XVIIIe siècle).

La France a 36 millions de sujets sans compter les sujets de mécontentement.
Henri Rochefort (XIXe siècle).

Les Français sont charmants et sociables mais aussi prétentieux et désinvoltes.
Un Allemand.

Impossible n'est pas français.
Dicton populaire.

La France, c'est le pays du vin et de la mode.
Un Américain.

Les Français parlent vite et agissent lentement.
Voltaire.

De tous les pays du monde, la France est peut-être celui où il est le plus simple d'avoir une vie compliquée et le plus compliqué d'avoir une vie simple.
P. Daninos.

→ **À quels qualificatifs, à quels comportements pensez-vous quand on vous parle des Français, des Italiens, des Anglais, etc. ?**

■ LIEUX

Le café (le bistrot, la brasserie) est en France une institution. Il y a 12 000 cafés à Paris. C'est un lieu de rencontre, de rendez-vous, un lieu où l'on attend, lit, écrit, mange, rêve, joue aux cartes ou refait le monde.

« Ah... m'asseoir sur un banc
Cinq minutes avec toi
Et regarder les gens ...
Te parler du bon temps
qu'est mort ou qui r'viendra... »

Chanson de Renaud.

« J'aime flâner sur les grands boulevards. »

Chanson d'Yves Montand.

« La rue,
ruisseau des solitudes . »

A.P. de Mandiargues.

→ ***Les cafés, les jardins publics, les rues de tous les pays du monde se ressemblent-ils ? Qu'est-ce qui caractérise ces lieux français ?***
Imaginez les pensées ou les conversations des gens que vous voyez sur ces photos.

SCÈNES DE FAMILLE

Leçon 1 - Agitation dans la ville

Leçon 2 - Un père autoritaire

Leçon 3 - Des artistes en province

Leçon 4 - Lettres d'amour

Leçon 5 - La ville bouge

GRAMMAIRE

Pronoms relatifs, interrogatifs, démonstratifs, possessifs – Forme passive – Subjonctif – Pronoms "en" et "y" – Formes impersonnelles.

COMMUNICATION

Revendiquer et réclamer – Reprocher – Se justifier – Rapporter un événement, un débat – Exprimer des sentiments – Juger – Rassurer.

CIVILISATION

Vie quotidienne, politique, économique et culturelle dans une petite ville de province – Fonctionnement des institutions nationales et locales.

AGITATION DANS LA VILLE

A

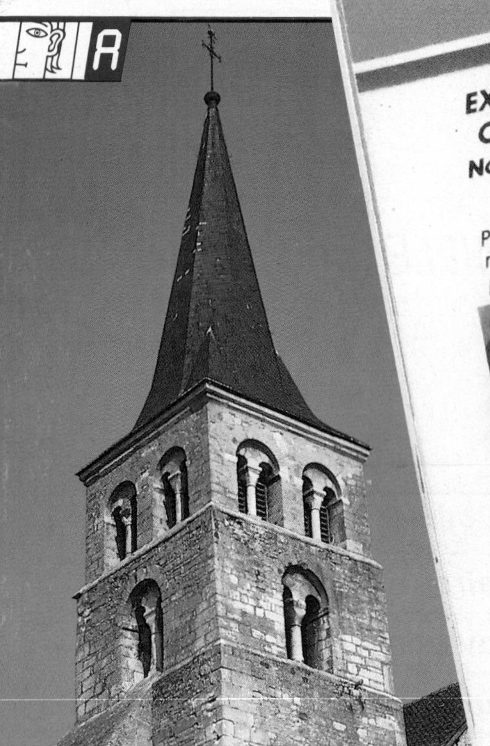

LE SPORT

EXCELLENT MATCH AU STADE PIERRE-DE-COUBERTIN OÙ LE DYNAMO A BATTU MARSEILLE PAR 2 BUTS A 1.

Notre équipe est maintenant deuxième au classement général.

Les 3 000 spectateurs qui, malgré le froid, remplissaient hier le stade Pierre-de-Coubertin ont assisté à un grand match. Les Marseillais ont montré de grandes qualités. Mais nos joueurs, qui ont attaqué dès la première minute du match, ont été les meilleurs.

C'est Barada qui a marqué le premier but pour le Dynamo à la vingtième minute grâce à une superbe passe de Bergaud.

Malheureusement pour nous, cinq minutes avant la fin de la première mi-temps, Marseill a égalisé.

La deuxième mi-temps a été très spectaculaire et les attaquants marseillais s sont souvent montrés dangereux.

Heureusement, à dix minutes de la fin du m Bergaud, que les défenseurs marseillais surveillaient de très près, a réussi à tromp adversaires et a marqué le but de la vict

Nous sommes dans une petite ville tranquille du Nord-Est de la France, une ville que les touriste oublient souvent de visiter mais qui est fière de sa cathédrale du XIIe siècle, de son jardin botani de ses spécialités gastronomiques et surtout de son équipe de football : le Dynamo.

Mais la joie des supporters n'est pas totale. Conduits par Louis Bouvet, commerçant bien connu et président du club de football, ils manifestent devant la mairie de la ville.

COMITE POUR LA CONSTRUCTION D'UN NOUVEAU STADE
****

Appréciée de tous, notre équipe de football est considérée comme une des meilleures de France. Mais notre ville ne possède pas un stade digne de sa grande équipe. Les matchs ont lieu au stade Pierre-de-Coubertin, trop pet mal éclairé, sans parking.

Pourtant, depuis 5 ans, trois piscines, vingt courts de tennis, deux terrains de handball, un terrain de rugby ont été réalisés par la municipalité. Pourquoi le football a-t-il été oublié ?

Nous savons que la municipalité prépare actuellement le budget des sports et de la culture pour l'année prochaine. Nous savons aussi qu'elle projette de construire une nouvelle salle de spectacle. (Est-ce vraiment nécessaire ?)

Les amateurs de football seront-ils encore oubliés ?

Nous réclamons un stade digne de notre ville et des succès de son équipe.

Deux jours après, des manifestants distribuent d'autres tracts devant la mairie. Conduits par Chantal Dunand, directrice du théâtre, ils réclament une nouvelle salle de spectacle.

C ***La tranquillité de la petite ville cache donc de terribles conflits et Louis Bouvet considère Chantal Dunand comme sa pire ennemie. Cependant, à 400 km de là, un groupe de lycéens fait du ski. Dans ce groupe, il y a Raphaëlla Dunand et Sébastien Bouvet.***

Je peux t'aider?
Merci, c'est gentil. Jamais je n'arriverai à descendre cette piste. Elle est trop dure pour moi.
C'est la première fois que tu fais du ski?
Presque. J'en ai fait dix jours l'an dernier. C'est tout.
Alors il faut prendre une piste plus facile. J'en connais une à travers la forêt. Tu me suis?
D'accord, mais va lentement! Je n'ai pas envie de commencer l'année à l'hôpital.
N'oublie pas qu'on réveillonne ce soir... et qu'il y a du champagne.
J'en voudrais bien un verre maintenant pour me donner du courage!

LEÇON 1 VOCABULAIRE ET GRAMMAIRE

■ LES SPORTS

Il est haltérophile.
Il s'entraîne toute la journ

faire du ski, de la natation, du tennis
pratiquer le ski, la natation, le tennis
jouer au tennis, au football
s'entraîner au saut, à la course

• *Les sports d'équipe*

le football – le handball – le volley-ball
le rugby – le tennis – le tennis de table
un ballon (de football)
une balle (de tennis) – une raquette
lancer – frapper – attraper – manquer
→ un match – une rencontre – une partie (de tennis)
la mi-temps
une équipe – un attaquant (attaquer)
un défenseur (défendre) – un adversaire – l'arbitre
→ surveiller – tromper l'adversaire
tirer – marquer un but – le score – le résultat
égaliser – battre – gagner – perdre – faire match nul

défendre (défendu)
je défends *il défend* *nous défendons* *ils défendent*

battre (battu)
je bats *il bat* *nous battons*

• *L'athlétisme*

la marche (marcher) – la course (courir) – le saut en hauteur/en longueur (sauter) – la natation (nager)
une épreuve – battre un record – une compétition – un championnat – un champion

• *Le ski*

le ski alpin – le ski de fond – skier – un skieur
une station de sports d'hiver – un téleski – un téléphérique

• *Pour garder la forme*

le jogging, la gymnastique, la relaxation, l'aérobic, le stretching, etc.
• être sportif, fort, résistant
adroit, habile, souple

■ LES PROPOSITIONS RELATIVES

1. Pour présenter, pour mettre en valeur
L'équipe de Bordeaux** a gagné **un match** dans **ce stade

***a.** sujet* ***b.** complément direct* ***c.** complément de lieu*

***a.** C'est l'équipe de Bordeaux **qui** a gagné le match.*
***b.** C'est le match **que** l'équipe de Bordeaux a gagné.*
***c.** C'est le stade **où** l'équipe de Bordeaux a gagné.*

2. Pour caractériser un nom

qui : *Barada,* ***qui est très adroit,*** *a marqué un but.*
La compétition a lieu dans le stade ***qui est à côté de chez moi.***

que : *Le coureur* ***que vous avez vu*** *est champion du monde.*
L'arbitre n'a pas accepté le but ***que Ferrero a marqué.***

où : *Courchevel est une station de sports d'hiver* ***où j'aime beaucoup skier.***

C'est la voiture que je t'ai prêtée?

■ LE PASSIF

1. Le participe passé peut servir à caractériser

Elle porte une robe achetée chez Chanel.
Levé à 6 h du matin, douché, rasé, habillé, M. Dupuis prend son petit déjeuner à 7 h précises.

2. La forme passive

a/ La transformation passive
L'entreprise Delage construit le nouveau stade.
→ Le nouveau stade est construit par l'entreprise Delage.

b/ Construction passive avec complément
Présent *→ Cette symphonie de Beethoven est souvent jouée par l'Orchestre national.*
Passé *→ Cette symphonie de Beethoven a été jouée le mois dernier à Marseille.*
Futur *→ Elle sera jouée le mois prochain à Lyon.*

c/ Construction passive sans complément
Un enfant de 10 ans a été enlevé.

N.B. : ***Ne pas confondre :***
- *le présent à la forme passive :* *le train est retardé (par un accident).*
- *le passé composé formé avec « être » :* *le train est arrivé en retard.*

■ LE PRONOM « EN »

- *Il remplace un complément introduit par un mot de quantité.*

→ ***de, du, de la, de l', des :*** *Vous prenez du thé? – Oui, j'en prends.*
Vous avez des frères? – J'en ai deux.
→ ***un, une*** *Vous avez une voiture? – J'en ai une.*

→ ***beaucoup de, peu de, assez de, trop de,*** *etc.*
J'ai visité tous les musées de Paris. Il y en a beaucoup.

- *Il remplace aussi un nom de chose introduit par « de » (sans idée de quantité).*
Vous avez besoin de repos? – J'en ai besoin.

ACTIVITÉS

MÉCANISMES

- ***Vous préférez le football ou le rugby?***
  C'est le rugby que je préfère.
- ***Il joue au golf ou au tennis?***
  C'est au tennis qu'il joue.
- ***Barada a égalisé. Applaudissez-le!***
  Applaudissez Barada qui a égalisé.
- ***J'ai acheté des skis. Regardez-les!***
  Regardez les skis que j'ai achetés.

1. COMPLÉTEZ avec « qui », « que », « où »

J'ai des amis ... adorent jouer au football. Le samedi après-midi, ils viennent souvent s'entraîner dans le stade ... est à côté de chez moi. C'est un très grand stade ... viennent jouer de grandes équipes. Le football est un sport ... je n'aime pas beaucoup pratiquer mais ... j'aime bien regarder. Alors, quelquefois, je vais voir jouer mes amis. François surtout ... est un très bon joueur. C'est toujours lui ... marque les buts.
Samedi dernier, leur gardien de but était absent. C'est moi ... ai dû le remplacer. Quelle catastrophe! Nous avons pris cinq buts.

2. RELIEZ LES DEUX PHRASES en employant un pronom relatif

- *Le ski est un sport agréable. On peut le pratiquer à tous les âges.*
- *Envoie-moi le ballon. Il est sous la voiture.*
- *La piscine Deligny est une piscine d'été. J'y vais souvent en août.*
- *Florence Gioletti est une championne de course à pied. Elle a battu le record de France du 1 000 m.*
- *J'ai fait un tennis avec Florence. Je l'ai trouvée excellente.*
- *L'Américain Lewis a couru le 100 m en 9 secondes 99. Je l'ai vu aux Jeux Olympiques de Los Angeles.*

3. À L'AIDE des indications ci-dessous, rédigez un bref reportage du match Strasbourg-Toulon

EN BREF

STRASBOURG - 2	**TOULON - 1**
Pita (7e)	Testa (40e)
Reichert (58e)	

Spectateurs : 6 000 **Temps :** pluvieux

Toulon domine pendant la première mi-temps malgré le but de Pita (but de pénalité accordé par l'arbitre sur une faute d'un attaquant de Toulon). On assiste à un football rapide et efficace. Toulon est récompensé de ses efforts à la 40e minute. Le rythme baisse en deuxième mi-temps. Le jeu est très approximatif.

4. QUELS SPORTS pratiquent-ils ? Aimez-vous regarder, pratiquer ces sports ?

Vous partez avec votre groupe dans un centre de vacances. Choisissez avec l'ensemble du groupe les dix activités que ce centre devrait offrir.

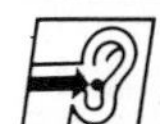

5. ÉCOUTEZ ! Un médecin parle des avantages et des inconvénients de certains sports.

Complétez le tableau

Sport	Avantages	Inconvénients	Précautions à prendre
1. la marche .	....	....	....
2.	....	....	....
3.	....	....	....
4.	....	....	....

MÉCANISMES

- **Barada marque le but de la victoire.**
  Le but de la victoire est marqué par Barada.
- **Le patron accueille les clients.**
  Les clients sont accueillis par le patron.
- **On a construit un nouveau stade.**
  Un nouveau stade a été construit.
- **On a augmenté les impôts.**
  Les impôts ont été augmentés.

6. REFORMULEZ ces titres de presse comme dans l'exemple

- *Remise du « Ballon d'or » à un joueur italien* → ***Le « Ballon d'or » a été remis à un joueur italien.***
- *Applaudissements chaleureux hier au Zénith, pour le chanteur Johnny Halliday.*
- *Destruction d'un village des Philippines par un ouragan.*
- *Enlèvement d'un reporter d'Antenne 4, hier soir, en plein Paris.*
- *Victoire de l'équipe d'Espagne sur l'équipe de France.*
- *Inauguration de l'exposition « Paul Gauguin » par le ministre de la Culture.*

7. RÉÉCRIVEZ ce texte en utilisant le passif

Cette ville de l'Est de la France s'est beaucoup développée depuis quelques années. Au début des années 80, ***on a construit*** *de nouvelles installations sportives et* ***on a aménagé*** *un magnifique jardin public. Puis,* ***on a réalisé*** *de grands projets immobiliers et* ***on n'a pas oublié*** *les logements sociaux. En 1989,* ***on a développé*** *trois chaînes locales de télévision et la municipalité* ***a augmenté*** *le nombre des parkings. Malheureusement* ***on n'a pas considéré*** *comme nécessaire la construction d'un nouveau stade.*

« Au début des années 80, de nouvelles installations sportives ont été construites... ».

8. RÉDIGEZ un texte de présentation du château de Versailles en vous appuyant sur les indications ci-dessous et en employant des passifs

LE CHÂTEAU DE VERSAILLES

Situation : *à quelques kilomètres de Paris.*
Construction : *l'architecte Mansart pour le roi de France Louis XIV.*
Décoration : *l'artiste Le Brun.* ***Aménagement des jardins et des parcs :*** *Le Nôtre.*
Un des plus beaux châteaux de France. Le plus grand – Louis XIV l'habite à partir de 1663. 4 millions de visiteurs par an. ***À voir :*** *la galerie des Glaces – l'appartement du roi – l'appartement de la reine – la chapelle – l'opéra.*

« Situé à quelques kilomètres de Paris, le château de Versailles est un des plus beaux châteaux de France... ».

9. IMAGINEZ le tract distribué par Chantal Dunand et les manifestants qui réclament la construction d'un nouveau théâtre

(Imitez le tract des supporters du Dynamo.)

C MÉCANISMES

- ***Il prend du thé ?***
  Oui, il en prend.
- ***Il met beaucoup de sucre dans son thé ?***
  Oui, il en met beaucoup.
- ***Vous voulez du café ?***
  Non merci, je n'en veux pas.
- ***Vous buvez du lait ?***
  Non, je n'en bois pas.

10. COMPLÉTEZ ce dialogue avec le pronom qui convient

Départ aux sports d'hiver

La mère : *Tu as fait ta valise?*
Le fils : *Oui, je ... ai faite.*
La mère : *Tu n'as pas oublié tes chaussettes de laine?*
Le fils : *Non, j'... ai emporté trois paires.*
La mère : *Tu es sûr qu'il y aura de la neige aux Arcs?*
Le fils : *J'... suis sûr. Il ... est tombé un mètre la semaine dernière.*
La mère : *Tu as de l'argent?*
Le fils : *Heu! ... Je n'... ai pas beaucoup.*
La mère : *Attends! Je vais t'... donner. Voilà 500 F. Tu ... as assez?*
Le fils : *Oh, oui. C'est parfait. Merci.*
La mère : *Et tes skis? Où sont-ils?*
Le fils : *Je ... ai expédiés ce matin à la gare. Je ne veux pas ... avoir avec moi dans le train.*
La mère : *Alors, bon séjour, mon chéri, et sois prudent!*

11. JOUEZ LES SCÈNES. Ils sont en difficulté. On leur propose de l'aide

Imitez le dialogue C.

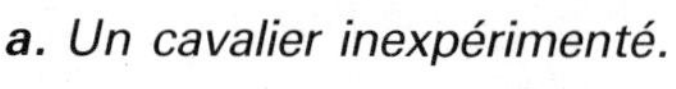

a. *Un cavalier inexpérimenté.*

b. *Une situation difficile.*

12. UN POÈME DE JACQUES PRÉVERT

LE MESSAGE

La porte que quelqu'un a ouverte
La porte que quelqu'un a refermée
La chaise où quelqu'un s'est assis
Le chat que quelqu'un a caressé
Le fruit que quelqu'un a mordu
La lettre que quelqu'un a lue
La chaise que quelqu'un a renversée
La porte que quelqu'un a ouverte
La route où quelqu'un court encore
Le bois que quelqu'un traverse
La rivière où quelqu'un se jette
L'hôpital où quelqu'un est mort.

in *Paroles,* © Éd. Gallimard.

a. Mimez chaque vers de ce poème – b. Racontez l'histoire
c. Imaginez un poème construit sur le même schéma. (Vous pouvez utiliser d'autres pronoms relatifs.) « La femme qui est entrée/L'homme qui l'a regardée ... »

UN PÈRE AUTORITAIRE

… pour que tu ne sois pas boulanger ou épicier comme nous. Et toi tu t'amuses !
coute, papa ! Je vais passer une eure ou deux au Rocky Club.

Avec la fille qui est en photo dans ta chambre, c'est ça ? Je t'ai vu avec elle, hier, à la Brasserie Moderne. Qui est cette fille ?
C'est une amie du lycée. Elle fait de la musique avec un groupe de copains.

Je n'aime pas que mon fils fréquente des gens qui s'habillent comme des clochards, qui se colorent les cheveux et que tout le monde regarde dans la rue.
Raphaëlla n'est pas la fille d'un clochard !

C'est la fille de madame Dunand, la directrice du théâtre.
Ça, c'est le comble !

C

TE RENDU DE LA SEANCE DU CONSEIL MUNICIPAL DU 16 JANVIER
****

aire ouvre la séance à 21h. Il explique que le budget des sports
la culture est limité. La municipalité ne peut donc pas financer
fois un stade et une salle de spectacle. Il présente ensuite
vantages et les inconvénients des deux projets. Il précise que le
e coûte beaucoup plus cher que la salle de spectacle.

posé du maire est suivi d'un débat. M. Louis Bouvet et Mme Durand,
seillers municipaux, prennent longuement la parole.

passe ensuite au vote. Par 11 voix contre 8, le conseil choisit le
jet de salle de spectacle.

Bouvet demande ce que la municipalité a l'intention de faire pour
Dynamo. Il propose que le stade de Coubertin soit agrandi et aménagé.
maire répond que c'est impossible, mais il promet que le nouveau
ade sera construit avant les prochaines élections municipales.

VOCABULAIRE ET GRAMMAIRE

LES TÂCHES DE LA VIE QUOTIDIENNE

• Le ménage
faire le lit
laver – nettoyer – frotter – cirer
balayer – passer l'aspirateur.

• Les repas
faire la cuisine – cuisiner
mettre le couvert – débarrasser la table
faire la vaisselle.

• Les courses
faire les courses – aller chez le boulanger (une boulangerie) – le boucher (une boucherie, une charcuterie) – l'épicier (une épicerie).
un marché – un supermarché.

• Le lavage
laver le linge – faire la lessive (le lavage) – une machine à laver
repasser (le repassage) – un fer à repasser – une planche à repasser.

nettoyer	
je nettoie *tu nettoies* *il nettoie* *nous nettoyons* *vous nettoyez* *ils nettoient*	*Conjugaison semblable pour les verbes en yer* **payer** *(je paie)* – **balayer** *(je balaie)* **envoyer** *(j'envoie)*

LE SUBJONCTIF

1. Forme : terminaisons **e – es – e – ions – iez – ent** pour presque tous les verbes.

• Verbes en er

parler
... que je parle *... que tu parles* *... qu'il/elle parle* *... que nous parlions* *... que vous parliez* *... qu'ils/elles parlent*

• Autres verbes

finir : ... que je finisse
aller : ... que j'aille
venir : ... que je vienne
partir : ... que je parte
sortir : ... que je sorte
savoir : ... que je sache
prendre : ... que je prenne
vouloir : ... que je veuille
pouvoir : ... que je puisse
faire : ... que je fasse

• Cas de être et avoir

avoir : *... que j'aie, que tu aies, qu'il ait, que nous ayons, que vous ayez, qu'ils aient*
être : *... que je sois, que tu sois, qu'il soit, que nous soyons, que vous soyez, qu'ils soient*
→ *Voir tableau des conjugaisons, p. 206.*

2. Emploi

Le subjonctif s'emploie après certains verbes, formes verbales ou expressions que nous étudierons progressivement en fonction de leur sens.

MATERNITÉ
Je voudrais que ce soit une fille.

a. La volonté et l'obligation
Je veux que tu partes.
Il faut que vous alliez chez le médecin.
J'ordonne que vous sortiez !

b. Le souhait
Je souhaite que tu réussisses à ton examen.
Il voudrait que j'aille avec lui au cinéma.

c. Les goûts et les préférences

Après les verbes aimer, adorer, préférer, détester, etc.

On va à l'opéra?
Je préfère qu'on aille au théâtre. Je déteste aller à l'opéra.

Attention! *On n'emploie pas le subjonctif lorsque les deux verbes de la phrase ont le même sujet.*
***Je** souhaite qu'**il** parte.*
***Je** souhaite rester.*

■ LA CAUSE ET LE BUT

• ***Puisque** – **étant donné que** – **comme***

« Puisque mon histoire n'intéresse personne, je me tais. »

• ***Pour** – **pour que** + **subjonctif***

Nous travaillons { pour assurer un avenir à nos enfants.
{ pour que nos enfants aient une bonne situation.

■ LA PAROLE

une conversation (participer à...)
une réunion
un débat
une conférence
un colloque
un discours (faire un ...)

dire – demander
répondre – affirmer – nier
expliquer – répéter – préciser
résumer – traduire – bavarder
raconter – prendre la parole
donner la parole à quelqu'un – ne rien dire – rester muet

se taire (tu)
je me tais
nous nous taisons
ils se taisent

■ RAPPORTER UN DISCOURS

J'ai soif.	→ *Il dit **qu'**il a soif.*
Apportez-moi un jus d'orange!	→ *Il me demande / Il me dit } **de** lui apporter un jus d'orange.*
Voulez-vous un jus d'orange?	→ *Il me demande **si** je veux un jus d'orange.*
Qui êtes-vous? Que faites-vous? Où allez-vous?	→ *Il me demande **qui** je suis, **ce que** je fais, **où** je vais.*

■ VOTER

• *une élection – voter pour/contre ...*
élire le président de la République (les élections présidentielles)
les députés (les élections législatives)
les conseillers municipaux (les élections municipales)

• *un électeur – une voix*
un candidat – un élu

• *le maire – la mairie – la municipalité – le Conseil municipal*

élire (élu)
j' élis
nous élisons
ils élisent

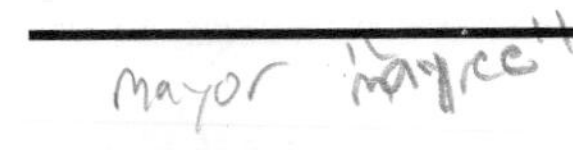

ACTIVITÉS

A MÉCANISMES

- **Je dois aller chez le dentiste.**
  Il faut que j'aille chez le dentiste.
- **Il doit m'arracher une dent.**
  Il faut qu'il m'arrache une dent.
- **Tu dois venir demain.**
  Je veux que tu viennes demain.
- **Nous devons travailler ensemble.**
  Je veux que nous travaillions ensemble.

1. METTEZ LES VERBES à la forme qui convient

Dialogue entre truands.

Le chef : Loulou, il faut que tu (faire) un long voyage.
Loulou : C'est formidable ça. Pour aller où ?
Le chef : À Chicago.
Loulou : Il faut que j'(aller) à Chicago ? Et pour quoi faire ?
Le chef : Je veux que tu (rencontrer) le grand patron.
Loulou : Je dois (aller) voir le grand patron, moi ! Et qu'est-ce que tu veux que je lui (dire) ?
Le chef : Tu lui (demander) un délai de paiement. Il faut qu'il (comprendre) que nous avons des problèmes en ce moment.
Loulou : Tu es fou ! Tu veux qu'il me (tuer), ou quoi ?
Le chef : Débrouille-toi Loulou ! Il faut que nous (avoir) ce délai.

2. ILS DONNENT DES ORDRES ou prennent des décisions.
Rédigez les dialogues et jouez les scènes

a/ La comtesse de Chavigny prépare une réception.

Marie, il faut que vous ...

b/ Dédé veut devenir un champion.

c/ Il prend de grandes décisions.

Il faut que je ...

3. M. ET MME DUBOIS sont partis en vacances sans avoir le temps de ranger la maison. Le soir avant leur départ, ils ont donné une grande réception. Mme Dubois laisse un message à sa femme de ménage. Rédigez ce message.

> Agnès,
> Pourriez-vous ....
> Il faut que ....

B *MÉCANISMES*

- ***Il va au café du Commerce. Je n'aime pas ça.***
  Je n'aime pas qu'il aille au café du Commerce.
- ***Elle travaille. Je préfère ça.***
  Je préfère qu'elle travaille.
- ***Je t'appellerai. Tu viendras.***
  Je t'appellerai pour que tu viennes.
- ***Je lui donnerai 5 F. Il achètera le journal.***
  Je lui donnerai 5 F pour qu'il achète le journal.

4. OBSERVEZ ces deux tableaux

La condition féminine a-t-elle évolué depuis le XIXe siècle?

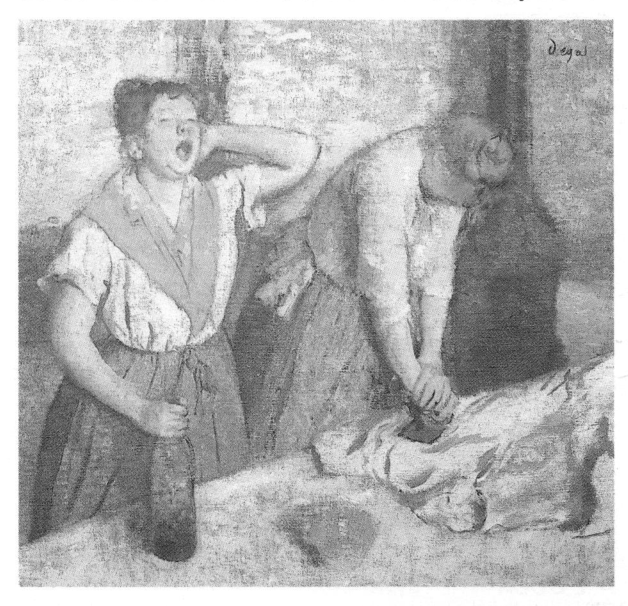

Edgar DEGAS (1834-1917) :
Les Repasseuses

Imaginez ce que pensent, ce que disent les personnages de cette scène de famille.

Jean-Baptiste GREUZE (1725-1805) :
Le Fils ingrat

5. IMAGINEZ...

a/ Les causes

- *Puisque . . ., nous ne partirons pas en week-end à la campagne.*
- *Puisque . . ., c'est moi qui vais réparer la voiture.*
- *Puisque . . ., je ne l'inviterai pas à mon anniversaire.*
- *Puisque . . ., faites un autre métier!*

Exemple : Puisqu'il ne fait pas beau... puisque je dois travailler samedi... puisque notre fils a un examen lundi... nous ne partirons pas en week-end...

b/ Le but

- *M. et Mme Bouvet ont fait de grands sacrifices pour que ...*
- *Je dois faire le ménage pour que ...*
- *Ce nageur doit s'entraîner sérieusement pour que ...*
- *Les supporters du Dynamo manifestent devant la mairie pour que ...*

6. FORMULEZ des souhaits

DIDIER ET MARTINE SE MARIENT AUJOURD'HUI. ILS DISENT « OUI » DEVANT MONSIEUR LE MAIRE.

→ ***Imaginez le discours du maire.***
« Je souhaite ...
Je voudrais que ... »
→ ***Écrivez-leur une carte de vœux.***

LOULOU (DIT « TÊTE DURE ») SORT DE PRISON OÙ IL A PASSÉ 5 ANS.

→ ***Imaginez ce que lui dit le directeur de la prison, ce que lui disent ses compagnons de cellule.***
→ ***Imaginez la lettre que sa vieille mère lui a écrite.***

GÉRARD DUPUIS, P.-D.G. DE L'ENTREPRISE FRANTEXPORT, PRÉSENTE SES VŒUX À SON PERSONNEL À L'OCCASION DE LA NOUVELLE ANNÉE.

→ ***Imaginez son discours.***
→ ***Imaginez le discours du responsable syndical.***

MÉCANISMES

- ***« Je suis malade. »***
  Il me dit qu'il est malade.
- ***« Venez me voir. »***
  Il me demande de venir le voir.
- ***« Vous allez au cinéma ce soir? »***
  Il me demande si je vais au cinéma ce soir.
- ***« Où habitez-vous? »***
  Il me demande où j'habite.

7. RAPPORTEZ ces paroles en utilisant un des verbes de la rubrique « La parole », p. 67

« Un jour, je me promenais sur les Champs-Élysées, quand tout à coup ... »
→ ***Il raconte qu'un jour ...***

- *« Non, non et non! Je n'étais pas à la Brasserie Moderne, hier soir. »*
- *« Vous connaissez Madame Dunand? »*
- *« Pour la dixième fois, je vous dis que le budget est insuffisant! »*
- *« C'est à cause de la grève du métro que je suis en retard. »*
- *« ... alors une grosse voiture est arrivée. Elle était grise. C'était une marque étrangère ... »*

8. ÉCOUTEZ! Faites le compte rendu de cette séance du Conseil municipal

Précisez quel est l'objet de la réunion.
Résumez en une phrase les interventions de chaque participant au débat.

9. OBSERVEZ ces titres de presse. De quelle élection s'agit-il? Quels sont les résultats?

10. UN EXTRAIT DE *L'Amant* de Marguerite Duras

L'Amant *est un récit autobiographique qui se passe au Viêt-nam dans les années 30. Marguerite Duras raconte sa rencontre avec un jeune Chinois très riche qui vient l'attendre à la sortie des cours.*

L'homme élégant est descendu de la limousine(1), il fume une cigarette anglaise. Il regarde la jeune fille au feutre(2) d'homme et aux chaussures d'or. Il vient vers elle lentement. C'est visible, il est intimidé. Il ne sourit pas tout d'abord. Tout d'abord il lui offre une cigarette. Sa main tremble...
Elle lui dit qu'elle ne fume pas, non merci. Elle ne dit rien d'autre, elle ne lui dit pas laissez-moi tranquille. Alors il a moins peur. Alors il lui dit qu'il croit rêver. Elle ne répond pas. Ce n'est pas la peine qu'elle réponde, que répondrait-elle. Elle attend. Alors il le lui demande : mais d'où venez-vous? Elle dit qu'elle est la fille de l'institutrice de l'école de filles de Sadec. Il réfléchit et puis il dit qu'il a entendu parler de cette dame, sa mère, de son manque de chance avec cette concession qu'elle aurait achetée au Cambodge, c'est bien ça n'est-ce pas? Oui c'est ça.
Il répète que c'est tout à fait extraordinaire de la voir sur ce bac(3)...
Il lui dit que le chapeau lui va bien, très bien même, que c'est... original... un chapeau d'homme, pourquoi pas? elle est si jolie, elle peut tout se permettre.
Elle le regarde. Elle lui demande qui il est. Il dit qu'il revient de Paris où il a fait ses études, qu'il habite Sadec lui aussi, justement sur le fleuve, la grande maison avec les grandes terrasses aux balustrades de céramique bleue. Elle lui demande ce qu'il est. Il dit qu'il est chinois, que sa famille vient de la Chine du Nord, de Fou-Chouen. Voulez-vous me permettre de vous ramener chez vous à Saigon? Elle est d'accord. Il dit au chauffeur de prendre les bagages de la jeune fille dans le car et de les mettre dans l'auto noire.

Notes :
(1) limousine : grande voiture de luxe – (2) feutre : chapeau de feutre – (3) bac : bateau qui permet de traverser une rivière.

Vous devez faire un film de cette scène.
- ***Écrivez le dialogue entre les deux personnages.***
- ***Choisissez les décors et les costumes.***
- ***Donnez des conseils aux acteurs pour jouer chaque personnage.***

DES ARTISTES EN PROVINCE

A
Chantal Dunand prépare le programme de la prochaine saison théâtrale. Elle examine les propositions des théâtres parisiens et des troupes de province.
Lesquelles tu choisis?
Des pièces de boulevard et quelques classiques. Sinon, la salle sera vide.
Pourquoi pas celle-ci? C'est la dernière pièce d'Arrabal.
Dans notre ville, ceux qui s'intéressent au théâtre moderne sont rares.
Et celle-là? C'est une création de Jérôme Savary, d'après un roman d'Alexandre Dumas. C'est avec Christophe Malavoy.
Celui qui jouait dans La Femme de ma vie?
Exactement. Lui, il attirera les jeunes.
C'est une bonne idée. La mise en scène est peut-être un peu audacieuse mais il faut prendre des risques.
MOGADOR
D'ARTAGNAN
B
Raphaëlla, Mathieu et Jacques font partie d'un groupe de rock. Ils viennent de répéter pour leur prochain spectacle.
Comment tu trouves les trois derniers morceaux? Ça va?
SAMEDI 28 JANVIER
CONCERT DE ROCK avec
Le groupe ÉLECTRODE
CHANTEUSE: RAPHAËLLA
BATTERIE: MATHIEU CONSTA
GUITARE 1: JACQUES RENA
GUITARE 2: PATRICK PER
BASSE: JEAN-MICHEL RI
Salle des fêtes: 20h3

Pas vraiment. Les solos ne sont pas au point. Celui de Jacques est trop lent et le tien, André, manque de rythme.
Une répétition de deux heures ne suffira pas. Il faudra travailler très tard ce soir.
Jamais mes parents ne seront d'accord. Ils veulent que je rentre à onze heures.
Les miens aussi.
Mais enfin ! Vous avez plus de 18 ans. Moi, je n'ai pas de problèmes avec mes parents.
Les tiens sont modernes. Les nôtres sont sympa mais un peu rétro. Il ne faut pas bousculer leurs principes.
C
Quinze jours après...
Sébastien, j'ai pris une décision importante.
ne veux plus voir ?
Si, rassure-toi ! Ce n'est pas toi que je veux quitter, c'est cette ville. Ici, on étouffe. Les gens ne pensent qu'à leurs problèmes quotidiens... A notre dernier concert, il y avait seulement quarante personnes.
is. Il n'y avait que les copains.
Pour réussir dans la chanson, il faut que j'aille à Paris.
Là-bas les choses bougent. On s'intéressera à ce que je fais... Mais ne t'en fais pas ! Je ne t'oublierai pas.
Tes parents sont d'accord ?
Avec eux, je fais ce qui me plaît.

VOCABULAIRE ET GRAMMAIRE

On va écouter un disque.
Lequel tu préfères ?

■ ADJECTIFS ET PRONOMS INTERROGATIFS

- *Quel disque / Quelle chanson / Quels instruments / Quelles chanteuses* } *préfères-tu ?*
- *Lequel / Laquelle / Lesquels / Lesquelles* } *préfères-tu ?*

■ LES PRONOMS DÉMONSTRATIFS

« J'ai deux disques de Jacques Brel sur celui-ci, il y a ses premières chansons. Celui-là, c'est son dernier disque. »

	masculin	**féminin**	**neutre**
singulier	*celui-ci* *celui-là*	*celle-ci* *celle-là*	*ceci* *cela* *ça*
pluriel	*ceux-ci* *ceux-là*	*celles-ci* *celles-là*	

- **Construction avec les propositions relatives**

celui / celle / ceux / celles } *qui ... / que ... / où ...*

« La maison de Madame Durand, c'est laquelle ? »
*– C'est **celle qui** est au bout de la rue. »*

ce que – ce qui

« Qu'est-ce que vous voulez boire ? Du jus de fruit ? De la bière ?
*– **Ce que** vous voulez. »*
*« Les parents de Raphaëlla sont très tolérants. Elle fait **ce qui** lui plaît. »*

- **Construction avec « de »**

« Au bout de la rue, vous verrez deux maisons. Celle de droite, c'est celle de Mme Durand. Celle de gauche, c'est celle du docteur Victor. »

■ LES PRONOMS POSSESSIFS

*C'est **mon** livre → c'est **le mien**.*

Adjectifs	**Pronoms**			
mon, ma, mes	*le mien*	*la mienne*	*les miens*	*les miennes*
ton, ta, tes	*le tien*	*la tienne*	*les tiens*	*les tiennes*
son, sa, ses	*le sien*	*la sienne*	*les siens*	*les siennes*
notre, nos	*le nôtre*	*la nôtre*	*les nôtres*	
votre, vos	*le vôtre*	*la vôtre*	*les vôtres*	
leur, leurs	*le leur*	*la leur*	*les leurs*	

■ LE THÉÂTRE

• ***Une pièce de théâtre*** – *une comédie – une pièce de boulevard – une tragédie*
un drame
le théâtre classique/moderne – un auteur
une représentation – un acte – l'entracte – une scène

• ***Un théâtre*** – *la salle – la scène – le rideau – les projecteurs*

• ***La mise en scène*** – *un metteur en scène (mettre en scène) – le décor – l'éclairage*
le jeu des acteurs – jouer le rôle de ... – un costume – un maquillage – se maquiller
une répétition (répéter un rôle)
une mise en scène : moderne, audacieuse, étonnante, classique, sans intérêt

• ***Le public*** – *enthousiaste – applaudir – crier « bravo! »*
un triomphe – un échec
mécontent (siffler) – s'ennuyer

applaudir (applaudi)
j' applaudis *nous applaudissons*

■ LA MUSIQUE

• ***Un instrument de musique*** *: un piano, un violon, un violoncelle, une guitare, une flûte, une trompette, un saxophone, un tambour, une batterie, un orgue*
jouer du piano, de la trompette, etc.

• ***Un orchestre*** – *un chef d'orchestre – un musicien – diriger un orchestre – un groupe de rock*

• ***Un morceau de musique*** *(une symphonie, un concerto, une sonate) – jouer – interpréter*
la mélodie – le rythme
une note de musique – faire une fausse note
répéter un morceau – s'améliorer – faire des progrès – mettre au point – être au point

■ LA QUANTITÉ RÉDUITE – LE MANQUE

• *Il me reste 3 francs.*
*J'ai **seulement** 3 francs.*
*Je **n**'ai **que** 3 francs.*
Il me manque 2 francs pour acheter le journal.

• ***Suffire***
3 F, ça ne suffit pas pour acheter le journal.
À midi, je ne mange qu'un sandwich. Ça me suffit.

■ RASSURER

Rassurez-vous!
Je vous rassure. Il n'y a pas de danger.
Ne vous inquiétez pas! Ne vous en faites pas!
N'ayez pas peur!

Ne vous en faites pas!
On arrive.

■ QUELQUES EXPRESSIONS VERBALES AVEC « EN »

• ***S'en aller :*** *« Je m'**en** vais demain. »*
• ***En avoir assez :*** *« Ce bruit est insupportable! J'**en** ai assez! »*
• ***En vouloir à quelqu'un :*** *« Ne m'**en** veux pas. Ce n'est pas de ma faute. »*
• ***S'en faire :*** *« Ne t'**en** fais pas! Je suis sûr que tu réussiras. »*

LEÇON 3 ACTIVITÉS

A MÉCANISMES

- *Je vais acheter une nouvelle voiture.*
  Laquelle allez-vous acheter?
- *Elle va emprunter un livre à la bibliothèque.*
  Lequel va-t-elle emprunter?
- *Cet acteur joue au théâtre de l'Odéon.*
  C'est celui qui joue au théâtre de l'Odéon.
- *Cette pièce est mise en scène par Jérôme Savary.*
  C'est celle qui est mise en scène par Jérôme Savary.

1. DEUX MISES EN SCÈNE DU « CID » DE CORNEILLE

- ***Lisez le résumé de la pièce et imaginez la fin.***

Le Cid, *drame de Pierre Corneille (1636).*
Rodrigue et Chimène sont les enfants de deux grands seigneurs du royaume d'Espagne au XIe siècle. Ils s'aiment et vont se marier. Mais le père de Chimène insulte celui de Rodrigue, un vieil homme qui ne peut pas se défendre.
Pour venger son père, Rodrigue provoque en duel le père de Chimène et le tue. La jeune Chimène est alors partagée entre son devoir de vengeance et son amour pour Rodrigue.

- ***Décrivez les photos (décors, costumes, attitudes) et donnez votre avis sur les mises en scène.***
- ***Quelles pièces préférez-vous? Quelles mises en scène? Quels(les) comédiens (iennes)?***
- ***Interrogez votre voisin(e) sur ses goûts en matière de théâtre.***

Mise en scène : Francis Huster

Le Cid, gravure du XVIIIe s.

Mise en scène : Gérard Desarthe

2. ÉCOUTEZ! *Béatrice et Paul sont allés voir* Le Cid. *Ils en parlent*

Notez leurs remarques sur :

- *la mise en scène*
- *le décor*
- *les costumes*
- *l'éclairage*
- *l'interprète de* Rodrigue
- *l'interprète de* Chimène

3. DEMANDEZ *des précisions comme dans l'exemple*

Je vais te faire écouter une symphonie de Beethoven – Laquelle?

- *J'ai vu une pièce d'Arrabal – ...*
- *Dans cette pièce, il y a deux scènes que je trouve superbes – ...*
- *Et il y a un acteur extraordinaire – ...*
- *Il y a quelques bons restaurants dans cette ville – ...*
- *J'ai invité quelques amis que tu connais – ...*

4. COMPLÉTEZ *avec « celui qui/que/où », « celle qui/que/où », etc.*

– *J'ai vu le film* Les Enfants du Paradis *dimanche soir.*
– *À la télé?*
– *Non, au cinéma Vox, tu sais, ... passe de vieux films. J'ai trouvé qu'Arletty était vraiment une grande actrice.*
– *Arletty?*
– *Eh oui ... tu aimes bien, ... jouait dans* Hôtel du Nord *avec Louis Jouvet.*
– *Ah oui, je vois.*
– *Je suis allé voir ce film avec les amis de François, ... ont ouvert un restaurant dans la rue de la République. Tu connais ce restaurant!*
– *... nous avons déjeuné le mois dernier?*
– *Exactement. Eh bien, ils sont très sympathiques.*

MÉCANISMES

- ***Ce sont ses livres?***
  Oui, ce sont les siens.
- ***C'est sa voiture?***
  Oui, c'est la sienne.
- ***Ce sac est à vous?***
  Oui, c'est le mien.
- ***Cette écharpe est à vous?***
  Oui, c'est la mienne.

5. COMPLÉTEZ avec un pronom possessif

• Dans un cocktail

Chantal : *Tu as une robe magnifique.*
Agnès : *... est très belle aussi. D'où est-ce qu'elle vient?*
Chantal : *De chez « Nouveautés ». Martine y a aussi acheté ... Ils ont de très belles choses. Mais à quels prix!*
Agnès : *Eh bien, moi, ..., je l'ai achetée en solde.*

• Deux familles partent ensemble en week-end

Pierre : *Est-ce qu'on prend notre voiture ou ...?*
André : *Est-ce qu'on sera nombreux? Nous, on emmène nos enfants. Est-ce que vous emmenez ...?*
Pierre : *Non, ... resteront avec leurs grands-parents.*

6. LISEZ CET ARTICLE

La Fête de la Musique a lieu chaque année au printemps dans toutes les villes de France.

MUSIQUES DANS LA VILLE

Une orgie de sons dans les gares, les églises et les palaces, des danseurs dans les rues, des décibels sur la Seine... Le 21 juin, les Parisiens en entendront de toutes les couleurs.

Cette année, la Fête de la Musique investit les lieux les plus saugrenus. Ainsi, cent bureaux de poste parisiens organisent des podiums de musique variée. Les comités d'entreprise de la Thomson et des Allocations familiales (seize bureaux) en font autant, ainsi que certains hôtels de luxe (Prince de Galles, Royal-Madeleine), les écoles, les universités, la plus grande partie des hôpitaux de l'Assistance publique, les grands magasins, les gares (journée ininterrompue), les églises, les prisons... Une péniche circulera sur la Seine de 22 heures à l'aube, avec dix escales qui permettront aux orchestres d'embarquer. Quant aux squares, ils ne seront pas en reste.

LE NOUVEL OBSERVATEUR, 17/6/88.

• Faites la liste des endroits inattendus où l'on pourra écouter de la musique.
• Imaginez un programme pour une fête de la musique dans votre ville.
Choisissez les lieux et un type de musique (ou une œuvre) appropriée à chaque lieu.

7. JOUEZ LES SCÈNES

Figure-toi que la mienne...

Conversation d'hommes
Ils parlent de leur femme, de leurs enfants, de leur voiture, de leur maison.

Vous savez que les miens sont...

Conversation de femmes
Elles parlent de leurs enfants, de leur mari ...

8. COMPLÉTEZ avec un pronom démonstratif ou un pronom possessif

- – *Madame! Vous oubliez votre parapluie!*
  – *Ah, non. Ce n'est pas ... Je crois que c'est ... de ce monsieur là-bas.*
- – *Ces enfants sont insupportables!*
  – *Ne m'en parlez pas! Ce sont ... des locataires du troisième. J'interdis aux ... de jouer avec eux.*
- – *Maman! Je n'arrive pas à mettre mes chaussures de ski.*
  – *Que tu es bête! Ce ne sont pas ... Tu vois bien qu'elles sont trop petites pour toi. Ce sont ... de ta sœur.*

MÉCANISMES

- ***Elle a seulement un enfant.***
  Elle n'a qu'un enfant.
- ***Il possède seulement un petit appartement.***
  Il ne possède qu'un petit appartement.
- ***Il aime voyager?***
  Oui, c'est ce qu'il aime.
- ***Elle veut partir à l'étranger?***
  Oui, c'est ce qu'elle veut.

9. IMAGINEZ une réponse restrictive comme dans l'exemple

- *Il s'intéresse à toutes les sortes de musique? –* ***Non, il ne s'intéresse qu'au jazz.***
- *Ça coûte 500 F. Tu as assez d'argent? – Non, ...*
- *L'orchestre répète tous les soirs? – Non, ...*
- *Vous aimez tous les fruits? – Non, ...*
- *Elle boit du café après tous les repas? – Non, ...*
- *Il va au cinéma toutes les semaines? – Non, ...*

10. LA CHANSON FRANÇAISE la plus célèbre de tous les temps (composée vers 1760)

Paroles : Florian (écrivain, auteur de « Fables »).
Musique : Martini (compositeur d'origine allemande).

PLAISIR D'AMOUR

Plaisir d'amour ne dure qu'un moment,
Chagrin d'amour dure toute la vie

J'ai tout quitté pour l'ingrate Sylvie.
Elle me quitte et prend un autre amant.

Plaisir d'amour ne dure qu'un moment,
Chagrin d'amour dure toute la vie

Tant que cette eau coulera doucement
Vers ce ruisseau qui borde la prairie,
Je t'aimerai, me répétait Sylvie,
L'eau coule encore, elle a changé pourtant.

Plaisir d'amour ne dure qu'un moment,
Chagrin d'amour dure toute la vie

- ***Imaginez : – les promesses faites par Sylvie à l'auteur de la chanson,***
  – la scène de rupture.

- ***Êtes-vous d'accord avec la morale de la chanson?***

LEÇON 4 LETTRES D'AMOUR

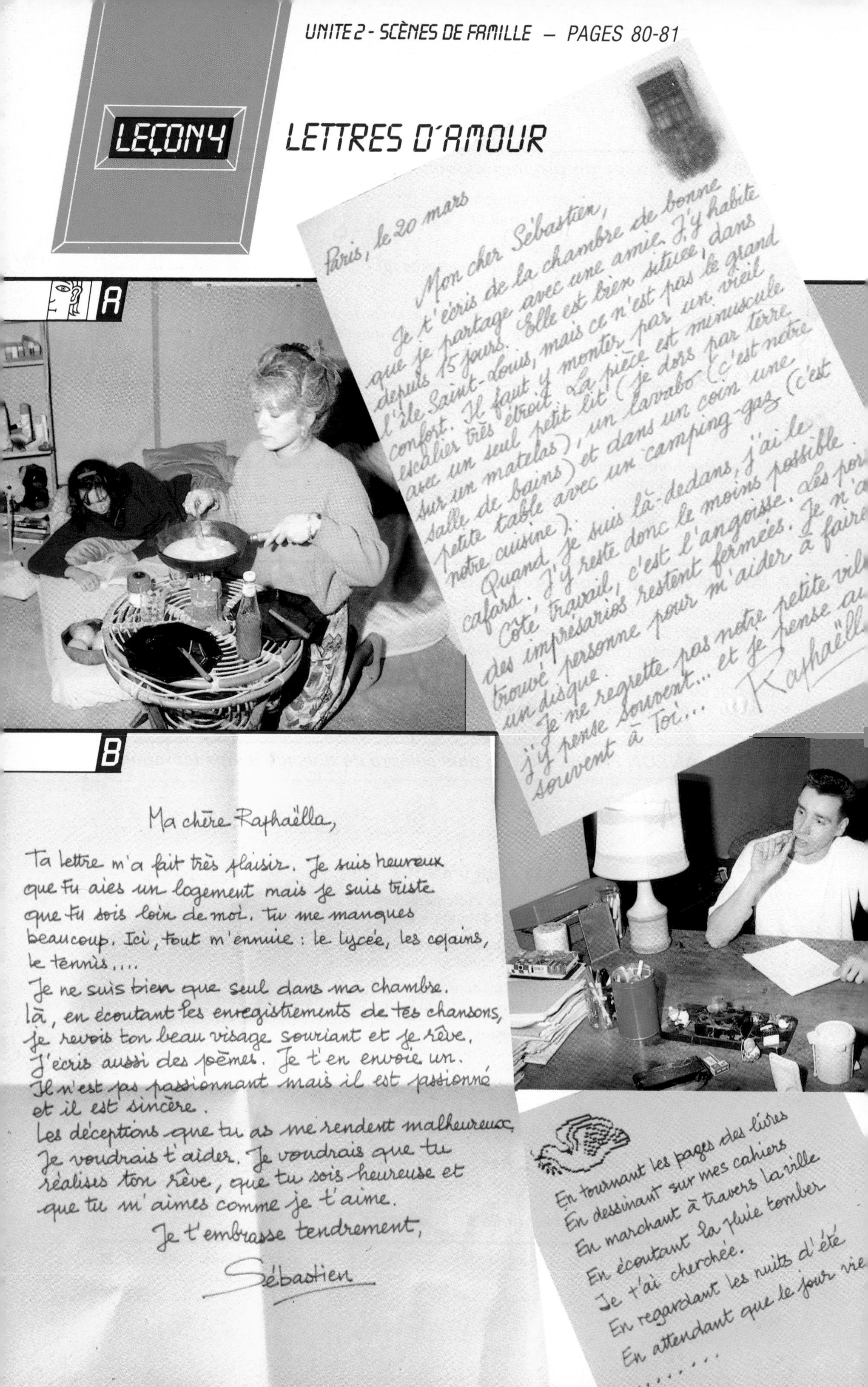

A

Paris, le 20 mars

Mon cher Sébastien,

Je t'écris de la chambre de bonne que je partage avec une amie. J'y habite depuis 15 jours. Elle est bien située, dans l'île Saint-Louis, mais ce n'est pas le grand confort. Il faut y monter par un vieil escalier très étroit. La pièce est minuscule avec un seul petit lit (je dors par terre sur un matelas), un lavabo (c'est notre salle de bains) et dans un coin une petite table avec un camping-gaz (c'est notre cuisine).

Quand je suis là-dedans, j'ai le cafard. J'y reste donc le moins possible.

Côté travail, c'est l'angoisse. Les portes des imprésarios restent fermées. Je n'ai trouvé personne pour m'aider à faire un disque.

Je ne regrette pas notre petite ville. J'y pense souvent... et je pense aussi souvent à toi...

Raphaëlla

B

Ma chère Raphaëlla,

Ta lettre m'a fait très plaisir. Je suis heureux que tu aies un logement mais je suis triste que tu sois loin de moi. Tu me manques beaucoup. Ici, tout m'ennuie : le lycée, les copains, le tennis....

Je ne suis bien que seul dans ma chambre. Là, en écoutant les enregistrements de tes chansons, je revois ton beau visage souriant et je rêve. J'écris aussi des poèmes. Je t'en envoie un. Il n'est pas passionnant mais il est passionné et il est sincère.

Les déceptions que tu as me rendent malheureux. Je voudrais t'aider. Je voudrais que tu réalises ton rêve, que tu sois heureuse et que tu m'aimes comme je t'aime.

Je t'embrasse tendrement,

Sébastien

En tournant les pages des livres
En dessinant sur mes cahiers
En marchant à travers la ville
En écoutant la pluie tomber
Je t'ai cherchée.
En regardant les nuits d'été
En attendant que le jour vie[nne]
....

C
Dans le bureau du maire de la ville...
Monsieur le Maire, je vous apporte une information très confidentielle.
Parlez! Vous pouvez compter sur ma discrétion.
Paul Bert
Vous savez que la Coupe du monde de football aura lieu en France dans deux ans.
Six villes vont être choisies pour accueillir les matchs... Eh bien, il est possible que la nôtre soit sélectionnée.
C'est formidable! Ça veut dire des centaines de milliers de spectateurs, les télévisions du monde entier, une publicité énorme pour notre ville!
Oui, mais il y a un problème. Pour que notre ville soit retenue, il est nécessaire que nous ayons un grand stade.
J'ai compris. Je n'hésiterai pas une seconde. Faites-moi confiance! Vous aurez votre stade. Je vais convoquer le conseil municipal pour revoir la question.

VOCABULAIRE ET GRAMMAIRE

■ LE LOGEMENT

- ***Un logement*** *– se loger*
  une maison – un immeuble
  un appartement – un studio
  une chambre (de bonne)

- ***Louer*** *– signer un bail – emménager*
  s'installer – déménager
  le locataire – le propriétaire

qualités	**défauts**
grand, spacieux	*petit, minuscule*
confortable	*inconfortable, sans confort*
commode, pratique	*incommode, pas pratique*
bien situé	*mal situé*
ensoleillé	*sombre*
propre	*sale*

- ***Les meubles***
  dans la chambre : *l'armoire, la commode, le lit (un matelas, un drap, un oreiller, une couverture, etc.)*

  dans la cuisine : *les ustensiles (voir p. 139), le placard (une étagère), l'évier (un robinet), le réfrigérateur, le lave-vaisselle, le buffet*

  dans le salon : *un fauteuil, un canapé, une table basse, une lampe, un lampadaire, un tapis, etc.*

■ LE PRONOM « Y »

1. Il remplace un lieu

Tu vas souvent ***au théâtre****?* *J'****y*** *vais souvent*

2. Il remplace aussi un complément introduit par la préposition « à » (chose)

Vous pensez ***à la proposition de M. Dupuis****?* *J'****y*** *pense souvent*

Attention ! *« y » ne remplace pas une personne*

J'aime bien ***mes parents*** *Je pense souvent à* ***eux***

■ LE BONHEUR ET LE MALHEUR

- ***Sentiments positifs***
  le bonheur (être heureux)
  le plaisir (avoir du plaisir à ...)
  la gaieté (être gai, content)
  la satisfaction (être satisfait)

- ***Sentiment négatifs***
  le malheur (être malheureux)
  le désespoir (être désespéré)
  la tristesse (être triste)
  la dépression (être déprimé – avoir le cafard)

- *avoir / éprouver } du bonheur, de la peine, etc.*
  Cette nouvelle me fait de la peine.
  Elle me rend triste.

LE SUBJONCTIF APRÈS LES VERBES DE SENTIMENT

- *Nous sommes contents* ***que tu viennes*** *à notre soirée.*
  Je suis désolé ***que Marie ne vienne pas.***

Je suis contente
qu'elle te plaise.

LE GÉRONDIF ET LE PARTICIPE PRÉSENT

1. Formation : radical du verbe + ant

Formez le gérondif et le participe présent à partir de la 1re personne du pluriel du présent.

Exemple : *prendre – nous prenons →* ***prenant***

parler → ***parlant*** *aller →* ***allant*** *voir →* ***voyant*** *faire →* ***faisant***

Attention ! *savoir →* ***sachant*** *avoir →* ***ayant*** *être →* ***étant***

2. Emploi

- ***précédé de « en », le gérondif indique une circonstance***
  Elle écoute la radio ***en lisant*** *le journal (idée de simultanéité)*
  En travaillant *beaucoup, on réussit toujours (idée de cause).*

- ***Le participe présent peut être l'élément principal d'un groupe de mots***
  Le ciel ***étant*** *beau aujourd'hui, nous irons faire une promenade.*

LA CONFIANCE – LA MÉFIANCE

- *avoir confiance (en quelqu'un)*
  faire confiance (à quelqu'un)
  compter sur quelqu'un
- *se méfier de ...*

Je lui ai prêté 1 000 F.
Méfie-toi de lui !
On ne peut pas avoir confiance en lui.

LES FORMES IMPERSONNELLES

- ***Il faut*** *partir* ***il pleut – il neige – il gèle – il fait beau – il fait soleil***
  il semble que – il se peut que – il paraît que

- ***Formes à sens passif*** *il est arrivé un accident = un accident est arrivé*
  il manque un élève = un élève manque

- ***Formes avec adjectif***
  – *Est-il nécessaire d'être à l'heure ?*
  – *Il n'est pas nécessaire que tu sois à l'heure.*
  – *Il est inutile que tu viennes.*

  N.B. : ***ces formes sont souvent suivies du subjonctif.***

Il pleut.
Il est nécessaire que nous prenions un parapluie.

ACTIVITÉS

MÉCANISMES

- *Elle habite à Paris?*
  Oui, elle y habite.
- *Il va souvent à Paris?*
  Oui, il y va souvent.
- *Il travaille chez lui?*
  Non, il n'y travaille pas.
- *Vous allez souvent à l'opéra?*
  Non, je n'y vais pas souvent.

1. COMPLÉTEZ en utilisant le pronom « y »

- *Il raconte qu'il est monté au sommet du Mont-Blanc en trois heures. Tu crois à cette histoire?*
- *– Non, je ... (croire). Je pense qu'il ... (monter) mais qu'il a mis plus de trois heures.*
- *Tu as pensé à louer les places pour « Carmen »?*
- *– Oui, j'... (penser).*
- *– Quand est-ce que tu ... (aller)?*
- *– Hier matin. Il y avait la queue au guichet. J'... (rester) deux heures.*

2. RÉPONDEZ

- *Est-ce que Raphaëlla vit à Paris?*
- *Est-ce qu'elle pense beaucoup à Sébastien?*
- *Est-ce qu'elle croit à son avenir de chanteuse?*
- *Est-ce que vous habitez dans la capitale de votre pays?*
- *Est-ce que vous êtes allé(e) en France?*
- *Est-ce que vous aimez vivre dans les grandes villes?*

3. DÉCRIVEZ CES LOGEMENTS.
Imaginez les personnes qui y vivent

Coin d'appartement par Claude MONET (1840-1926), peintre impressionniste français.
Il traduit les effets de la lumière sur les formes et les couleurs.

La Chambre par Vincent VAN GOGH (1853-1890), peintre hollandais qui a passé la fin de sa vie en France. Il utilise la couleur pour exprimer des sentiments très forts.

4. IMAGINEZ *l'endroit où ils vivent. Rédigez une courte description de cet endroit en indiquant :*

- *le type de logement (quartier – immeuble ou maison – nombre de pièces)*
- *la décoration (peintures, rideaux, etc.)*
- *l'ameublement d'une pièce représentative.*

B MÉCANISMES

- ***Il prend une douche. Il chante.***
  Il prend une douche en chantant.
- ***Elle se promène. Elle rêve.***
  Elle se promène en rêvant.
- ***Tu as un logement. J'en suis heureux.***
  Je suis heureux que tu aies un logement.
- ***Il est très malade. J'en suis triste.***
  Je suis triste qu'il soit très malade.

5. REFORMULEZ les phrases suivantes en utilisant un gérondif

- *J'allais travailler. J'ai rencontré Sébastien.*
  → ***En allant travailler, j'ai rencontré Sébastien.***
- *Je suis monté au grenier. J'ai vu que le toit était endommagé.*
- *Il a retrouvé son stylo quand il a rangé sa chambre.*
- *La bombe a explosé. Elle a fait huit victimes.*
- *Il peut très bien travailler à ses dossiers et regarder en même temps la télévision.*
- *Si vous faites deux heures de gymnastique tous les jours, vous allez perdre du poids.*
- *Je me promenais dans la campagne. J'ai trouvé des champignons.*

6. CONTINUEZ le poème de Sébastien en imaginant des vers ayant la même structure

En me promenant dans les rues
En ...
En ...
Je t'ai trouvée.

7. DONNEZ une définition des expressions suivantes

Une fille souriante → C'est une fille qui sourit souvent.

un sport fatigant
un livre passionnant
un professeur brillant
un événement attristant
une nouvelle rassurante
un résultat surprenant

8. QUELS SENTIMENTS expriment les personnages de ces photographies de Cartier-Bresson (célèbre photographe contemporain)?

Imaginez leurs joies ou leurs peines.

9. ROMÉO ET JULIETTE sont sans doute les amoureux les plus célèbres de tous les temps

- ***Connaissez-vous d'autres couples d'amoureux célèbres?***
- ***Imaginez une histoire d'amour tragique.***

→ le lieu
→ l'époque
→ les personnages (âge – profession – famille...)
→ événements défavorables (opposition des familles – guerre – accident – trahison, etc.).

MÉCANISMES

- ***Tu dois être à l'heure.***
  Il est nécessaire que tu sois à l'heure.
- ***Il doit se méfier.***
  Il est nécessaire qu'il se méfie.
- ***Un accident est arrivé.***
  Il est arrivé un accident.
- ***Trois personnes sont venues.***
  Il est venu trois personnes.

10. *RÉPONDEZ-LEUR pour les rassurer ou pour les mettre en garde*

a/ Vous êtes chef d'entreprise. Un ami, directeur d'une autre entreprise, vous écrit :

Mon cher François,

Monsieur Frédéric Margaux a posé sa candidature pour un poste de comptable dans mon entreprise. Il me dit qu'il a travaillé chez toi l'année dernière. Peut-on avoir confiance en lui?

b/ Une amie propriétaire d'un appartement qu'elle loue vous écrit :

Chère Florence,

Je vais peut-être louer mon appartement de la rue Racine à Corinne et Jean-François Ferrier.
Je crois que tu les connais bien.
Est-ce que je peux avoir confiance en eux ?

11. *ÉCOUTEZ les commérages de la petite ville de province!*

Qu'apprenez-vous sur chacun des personnages de l'histoire?

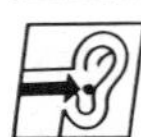

12. *UN POÈME DE PAUL FORT (1872-1960)*

LE BONHEUR

Le bonheur est dans le pré. Cours-y vite, cours-y vite. Le bonheur est dans le pré. Cours-y vite. Il va filer[1].
Si tu veux le rattraper, cours-y vite, cours-y vite. Si tu veux le rattraper, cours-y vite. Il va filer.

Dans l'ache[2] et le serpolet[3], cours-y vite, cours-y vite, dans l'ache et le serpolet, cours-y vite. Il va filer.

Sur les cornes du bélier, cours-y vite, cours-y vite, sur les cornes du bélier, cours-y vite. Il va filer.

Sur le flot du sourcelet[4], cours-y vite, cours-y vite, sur le flot du sourcelet, cours-y vite. Il va filer.

De pommier en cerisier, cours-y vite, cours-y vite, de pommier en cerisier, cours-y vite. Il va filer.

Saute par-dessus la haie, cours-y vite, cours-y vite. Saute par-dessus la haie, cours-y vite! il a filé!

Notes :
(1) ***filer :*** *courir vite – (2)* ***l'ache :*** *sorte de céleri (mot rare) – (3)* ***le serpolet :*** *sorte de thym – (4)* ***sourcelet :*** *petite source*

- ***Faites la liste des lieux où l'on peut trouver le bonheur.***
- ***Expliquez la fin du poème.***
- ***Imaginez un poème semblable commençant par :***

« Le bonheur est dans la maison ... » ou « Le bonheur est dans la rue ... »

Révélation du festival de Bourges
Raphaëlla obtient le disque d'or de la chanson française

Elle appartient à la nouvelle génération du rock. Ce n'est pas encore une vedette mais c'est déjà une artiste de talent. Elle s'appelle Raphaëlla. Elle a 18 ans. C'est la dernière découverte du festival de Bourges. Elle vient de sortir son premier disque et sa chanson «Je t'ai cherché» est déjà un succès qu'on entend sur toutes les radios.

Mince silhouette dans sa longue robe noire, gestes lents et élégants, Raphaëlla possède une présence scénique extraordinaire. Sa voix est juste, profonde ou aiguë selon qu'elle exprime l'amour, la joie ou la détresse des jeunes adolescents dans les banlieues des grandes villes...

VIVEMENT
Le Printemps
B Un an après, dans le bureau du maire.
Monsieur le Maire, nous avons un projet à vous proposer.
Ne me reparlez pas de la salle de spectacle! Nous n'avons plus d'argent.
Si, justement, nous allons en reparler. Ma fille et moi avons l'intention de fond une association pour sa construction.
Ma fille apportera un capital importan grâce aux recette de ses disques et d ses concerts.
J'ai parlé de cette association à quelques entreprises de la région. Elles sont d'accord pour en faire partie.
Continuez! Vous m'intéressez.
Cette association ne s'occupera pas seulement de la construction du nouveau théâtre, elle gérera aussi les programmes culturels...

… et nous projetons de créer un grand festival de musique et de théâtre l'été prochain.
Vous croyez à l'avenir culturel de la région?

Oui, j'y crois.

C ***Un an plus tard, le stade est terminé. Raphaëlla y donne un grand concert.***

mes, Mesdemoiselles, Messieurs, nsais inaugurer ce stade avec grande manifestation sportive. avec un concert que je le fais.

Mais j'en suis doublement heureux. D'abord, parce que nous allons célébrer le mariage du sport et de la culture…

… les anciens Grecs ne disaient-ils pas « un esprit sain dans un corps sain » ?…

suite, parce que nous allons applaudir fant de notre ville…

Tu l'entends! Quel hypocrite!
Il m'amuse. Je l'aime bien quand même.

VOCABULAIRE ET GRAMMAIRE

■ LE CHANT – LA CHANSON

- *un chanteur lyrique (d'opéra) – un chanteur de variétés*
  un chœur – une chorale – un soliste – un solo – un duo
  un interprète (interpréter) – un compositeur (composer)
  chanter juste/faux – accompagner un chanteur au piano
  il chante en s'accompagnant à la guitare
  une voix profonde, grave/aiguë – forte/faible
  dure/douce – claire/enrouée

  un électrophone – un tourne-disque : un 45 tours, un 33 tours
  une platine laser : un disque compact
  une chaîne hi-fi
  un magnétophone : une bande magnétique
  un lecteur de cassettes : une cassette
  un amplificateur : des enceintes (des haut-parleurs)

■ LE DÉROULEMENT DE L'ACTION

- ***Commencer à ...*** ***se mettre à ...***
  continuer à ... ***être en train de ...***
  s'arrêter de ... ***finir de ...***

Il est en train d'écrire un roman.
Il s'est mis à travailler le 1er janvier.
Il finira le 31.

- ***Encore – toujours/ne ... plus (idée de continuité)***

  Il est 10 heures du matin; Paul dort ***encore****?*
  – Non, il est réveillé. Il ***ne*** *dort* ***plus****. Il lit.*
  Il est 11 heures du matin. Paul est ***toujours*** *couché? – Non, il* ***n'****est* ***plus*** *couché. Il est dans la salle de bains.*

- ***Encore/ne ... plus (idée de répétition)***

  Il m'a encore téléphoné pour son projet.
  C'est la quatrième fois.
  J'espère qu'il ne me téléphonera plus.

- ***Déjà/ne ... pas encore***

  – Ça y est! J'ai fini mon exercice.
  – Tu as déjà fini! Moi, je n'en ai pas encore fait la moitié.

■ L'APPARTENANCE

- ***Avoir*** *: j'ai une voiture* — *c'est* ***ma*** *voiture*
  posséder *: je possède une voiture* — *elle est* ***à moi***
  appartenir *: cette voiture m'appartient* — *c'est* ***la mienne***

- *donner*, *offrir*, *faire cadeau*, *attribuer* | *recevoir*, *obtenir*, *bénéficier de ...*

offrir (offert)	obtenir (obtenu)
j'offre *nous offrons*	*j'obtiens* *nous obtenons*

■ L'ENTREPRISE

- ***Une entreprise** : une société – une compagnie privé(e)/nationalisé(e)*
  une usine – une fabrique (fabriquer)
  fonder, créer une société – une association
  une grande entreprise – les P.M.E. (petites et moyennes entreprises)
- ***Le personnel :** un P.-D.G. – un patron – un chef de service – un ouvrier – un employé*
  diriger – gérer (la gestion) – s'occuper de ...
- ***Le marché** : l'offre – la demande*
  un client – une commande
  passer une commande – la concurrence
- ***La production** : produire – un produit*
  projeter – un projet

■ « LE », « EN » ET « Y » PEUVENT REMPLACER UNE PROPOSITION

Vous savez la nouvelle? Raphaëlla et Sébastien se marient le mois prochain.
Je le savais.
J'en étais sûre.
J'y pensais, sans y croire.

■ LES MANIFESTATIONS

- ***Une manifestation culturelle***
  un festival de théâtre, de chansons, etc.
  une exposition – un vernissage
- ***La critique***
  louer – vanter les mérites de ...
  commenter – analyser
  critiquer – démolir
- ***Une manifestation scientifique***
  un colloque – un séminaire – une conférence – un congrès
- ***Une manifestation commerciale***
  une foire – une exposition

Pour informer le public on distribue ...
un programme – un catalogue – une brochure
un dépliant – un prospectus

- ***Une inauguration (inaugurer)***
  inaugurer un bâtiment public, une statue
  un monument, etc.

■ QUAND MÊME

Je lui ai dit de ne pas prendre cette piste ... *... Il l'a prise quand même!*

ACTIVITÉS

MÉCANISMES

- Le directeur est déjà arrivé ?
  Non, il n'est pas encore arrivé.
- Vous avez déjà mangé ?
  Non, je n'ai pas encore mangé.
- Il est déjà allé à Paris ?
  Non, il n'y est jamais allé.
- Vous avez déjà fait du ski ?
  Non, je n'en ai jamais fait.

1. RACONTEZ le déroulement

a/ de sa journée de travail

b/ de sa carrière artistique

May Duparc

À 18 ans : premier cours de chant.
Cours de chant jusqu'à l'âge de 25 ans.

À 22 ans : premier concert.
Elle donnera des concerts jusqu'à l'âge de 30 ans.

À 26 ans : *elle interprète son premier rôle au cinéma.*

À 35 ans : *fin de sa carrière cinématographique.*

« Patrick Raimond commence sa semaine le mardi. Il se met à travailler à ... »

2. IMAGINEZ des situations où les phrases suivantes peuvent être prononcées.

Racontez ou jouez la scène.

Il est déjà parti !

Vous avez déjà commencé !

Tu as déjà fini !

Tu es déjà là !

Tu as déjà 30 ans !

3. RECONSTRUISEZ les phrases suivantes en utilisant l'un des verbes du tableau

appartenir
attribuer
bénéficier
posséder
obtenir

- Cette voiture est à moi.
- Il est propriétaire d'un château du XVIIe siècle.
- Elle a passé sa maîtrise.
- L'année prochaine elle aura une bourse de doctorat.
- Marguerite Duras a eu le prix Goncourt en 1984.
- Ils ont élevé dix enfants. On leur a donné la médaille d'or de la Famille.

4. *QU'APPRENEZ-VOUS sur la carrière et sur la vie privée de ce chanteur?*

- ***Connaissez-vous des détails sur la carrière ou la vie privée de certaines stars*** *(chanteur ou chanteuse - acteur ou actrice - danseur ou danseuse, etc.)?*
- ***Quel chanteur, quelle chanteuse admirez-vous le plus? Rédigez un article pour le (la) présenter*** *(physique - attitude en scène - voix - texte des chansons - mélodie - accompagnement)*

**JEAN-JACQUES GOLDMAN
SES ENFANTS RÊVENT
D'UN PAPA... POMPIER!**

À 38 ans, il règne en maître incontesté sur la génération des 13-18 ans. Le moindre de ses couplets se transforme en tube. De là à imaginer qu'il mène la vie somptueuse des stars, il n'y a évidemment qu'un pas. Eh bien non! Même s'il est effectivement milliardaire, Jean-Jacques Goldman continue à vivre comme avant, lorsqu'il vendait des chaussures dans le magasin de sport de ses parents. « À cette époque, se souvient-il, lorsque je demandais : "Voulez-vous du 38 ou du 39" à une cliente, elle ne me disait pas : "Mon Dieu, comme vous avez une belle voix!" C'est depuis que je suis célèbre qu'on me trouve soudainement beau, grand, intelligent... »
Cette distance qu'il sait s'imposer par rapport à son succès a permis à Jean-Jacques de ne rien bouleverser dans sa vie : une vieille voiture pour se déplacer, toujours le même pavillon à Montrouge, quinze jours de ski en hiver avec femme et enfants, une villa « sympa » louée dans l'arrière-pays niçois en été, ce sont là ses seuls luxes. Il est resté vraiment modeste et refuse de croire que son succès de chanteur l'autorise à parler de tout en spécialiste : « Ce n'est pas parce qu'on chante *Quand la musique est bonne, bonne, bonne...* qu'on a le droit de dire aux gens pour qui ils doivent voter », aime-t-il à remarquer en souriant.
D'ailleurs, si d'aventure il attrapait la grosse tête, ses trois enfants la lui dégonfleraient bien vite : eux, leur rêve, c'était d'avoir un papa pompier... pour l'uniforme!

L'Almanach 1989 de TF1.

MÉCANISMES

- ***Est-ce qu'il a envie de venir?***
  Il en a envie.
- ***Est-ce qu'elle a besoin de dormir?***
  Elle en a besoin.
- ***Est-ce qu'elle croit à l'astrologie?***
  Elle y croit.
- ***Est-ce que vous avez pensé à faire le plein d'essence?***
  J'y ai pensé.

5. *DONNEZ VOTRE OPINION. Répondez en utilisant le pronom qui convient*

- *Croyez-vous que le projet de Mme Dunand et de sa fille réussira?*
- *Êtes-vous sûr(e) que le maire les aidera?*
- *D'après vous, le maire croit-il à l'avenir culturel de sa ville?*
- *Pensez-vous que le caractère de Raphaëlla va changer?*
- *D'après vous, pense-t-elle toujours à Sébastien?*
- *Croyez-vous que Sébastien va devenir un personnage important?*

6. LE HIT-PARADE des secteurs créateurs d'emplois en 1988

- **Quels sont les secteurs qui ont créé le plus d'emplois en 1988 ? Ceux qui en ont créé le moins ? Pouvez-vous dire pourquoi ?**
- **Quels sont les secteurs de l'économie qui marchent bien dans votre pays ?**

LE HIT-PARADE DES SECTEURS CRÉATEURS D'EMPLOIS EN 1988

Les champions

RANG	SECTEURS	TOTAL RECRU-TEMENTS	EFFECTIFS SALARIÉS	RECRUTEMENT CADRE /1 000 SALARIÉS
1	Services informatiques	15 600	116 498	134
2	Ingénierie	4 400	136 404	32
3	Autres études - Conseil	11 000	402 607	27
4	Pharmacie	1 650	74 337	22
5	Mat. bureau et d'inform.	1 300	60 872	21
6	Autres services collect.	5 600	373 743	15
7	Presse-Édition	1 400	95 393	15
8	Matériel électronique	3 300	245 203	13
9	Construct. aéronaut.	1 500	112 416	13

Les lanternes rouges

RANG	SECTEURS	TOTAL RECRU-TEMENTS	EFFECTIFS SALARIÉS	RECRUTEMENT CADRE /1 000 SALARIÉS
34	Textile	900	224 735	4
35	Constuction auto.	1 300	362 965	4
36	Commerce traditionnel	5 050	1 588 158	3
37	Hôtellerie-restauration	1 450	496 082	3
38	Sidérurgie	510	177 387	3
39	Cuir-chaussure	220	81 757	3
40	Action sanit. et sociale	2 950	1 102 099	3
41	Construction navale	40	22 570	2
42	Distribution moderne	610	392 849	2

Source : classement Le Point *d'après les chiffres APEC sur le volume de recrutements cadres par rapport à l'ensemble des salariés (*Le Point, *30/01/89).*

7. ÉCOUTEZ ce débat politique et économique !

Pierre est favorable aux nationalisations d'entreprises. Brigitte est pour les privatisations. Relevez leurs arguments.

NATIONALISATIONS		PRIVATISATIONS	
Arguments pour	Arguments contre	Arguments pour	Arguments contre
•			

MÉCANISMES

- **Il est fatigué, mais il se promène.**
  Il est fatigué. Il se promène quand même.
- **Elle est malade, mais elle sort.**
  Elle est malade. Elle sort quand même.
- **Jacques est chanteur ?**
  N'est-il pas chanteur ?
- **Jacques a chanté à l'Olympia ?**
  N'a-t-il pas chanté à l'Olympia ?

8. ILS DÉSOBÉISSENT. Imaginez la suite de la phrase

- **Le médecin lui a interdit de fumer. Mais elle fume quand même.**
- *Elle ne doit pas faire de sport...*
- *Elle ne veut pas que je lui téléphone...*
- *Il ne faut pas que je dépense trop d'argent...*
- *Cette rue est en sens interdit...*
- *Je lui ai dit d'arrêter de me taquiner...*

9. QUE SE PASSE-T-IL dans ces manifestations ?

Imaginez une manifestation insolite (festival, congrès, colloque, etc.) et réalisez son affiche publicitaire.

10. UNE CHANSON DE DANIEL BALAVOINE

LE CHANTEUR

Je m'présente, je m'appelle Henri
J'voudrais bien réussir ma vie
Être aimé, être beau, gagner de l'argent
Puis surtout être intelligent,
Mais pour tout ça
Il faudrait que j'bosse à plein temps.

J'suis chanteur, je chante pour mes copains
J'veux faire des tubes et que ça tourne bien,
J'veux écrire une chanson dans le vent
Un air gai chic et entraînant
Pour faire danser
Dans les soirées de Monsieur Durand.

Et partout dans la rue
J'veux qu'on parle de moi
Que les filles soient nues
Qu'elles se jettent sur moi
Qu'elles m'admirent, qu'elles me tuent
Qu'elles s'arrachent ma vertu.

Paroles et musique
Daniel BALAVOINE, 1978
© Warnel Chappell Music France.

- **Quels sont les espoirs du chanteur et les difficultés qu'il rencontre ?**
- **Imaginez une chanson semblable écrite par quelqu'un d'une autre profession.**

– *l'ouvrier de l'usine*
– *le professeur*
– *le P.-D.G.*
– *le boulanger*

« Je m'présente, je m'appelle Oscar, je suis P.-D.G., J'voudrais être aimé de mes employés... »

LES LIEUX DU POUVOIR

Le pouvoir exécutif

• **Le Président de la République.**
Il est élu pour 7 ans au suffrage universel. Il nomme le Premier ministre *qui forme le* gouvernement.
Il peut dissoudre l'Assemblée nationale et consulter directement le peuple par référendum.
Derniers présidents : Charles de Gaulle (1959-1969). Georges Pompidou (1969-1974). Valéry Giscard d'Estaing (1974-1981). François Mitterrand, élu en 1981, réélu en 1988.

• **Le gouvernement.**
Formé par le Premier ministre et composé de ministres et de secrétaires d'État en nombre variable. Il conduit la politique de la nation et propose des lois à l'Assemblée nationale.

• **L'Administration.**
La France possède un corps très important de fonctionnaires (2 500 000 fonctionnaires de l'État et 1 000 000 de fonctionnaires des collectivités publiques).

Le pouvoir législatif

• **L'Assemblée nationale** *ou Chambre des députés.*
Environ 580 députés élus pour 5 ans dans les départements par tous les électeurs.
Elle vote les lois proposées par le gouvernement mais elle peut aussi proposer des lois et les amender.

• **Le Sénat.**
Environ 320 sénateurs élus par les députés, les conseillers généraux, et les délégués des conseillers municipaux. Ces sénateurs sont élus pour 9 ans.
Le Sénat a presque les mêmes pouvoirs que l'Assemblée nationale. Il exerce donc un deuxième contrôle sur les lois.

Les pouvoirs régionaux

La France est administrativement divisée en :

• **22 régions** *administrées par un* Conseil régional.
Les conseillers régionaux *sont élus au suffrage universel (élections régionales).*

• **96 départements** *(dont 6 pour Paris et la région parisienne).*
Il existe aussi 5 départements d'outre-mer : les îles de La Martinique et de La Guadeloupe (dans les Antilles), l'île de La Réunion (dans l'Océan Indien), la Guyane (Amérique du Sud), Saint-Pierre-et-Miquelon (près du Canada) ainsi que des territoires d'outre-mer (Nouvelle Calédonie, etc.).
Le département est géré par le Conseil général.
Les conseillers généraux *sont élus au suffrage universel (élections cantonales).*
Le préfet est le représentant gouvernemental à la tête du département.

• **36 000 communes.** *Elles sont d'importance variable (quelques-unes ont moins de 10 habitants – il y a 37 communes de plus de 100 000 habitants).*
La commune est administrée par le conseil municipal *présidé par* le maire.
Les conseillers municipaux *sont élus au suffrage universel par les électeurs de la commune pour 6 ans (élections municipales).*

Le Palais du Luxembourg, siège du Sénat

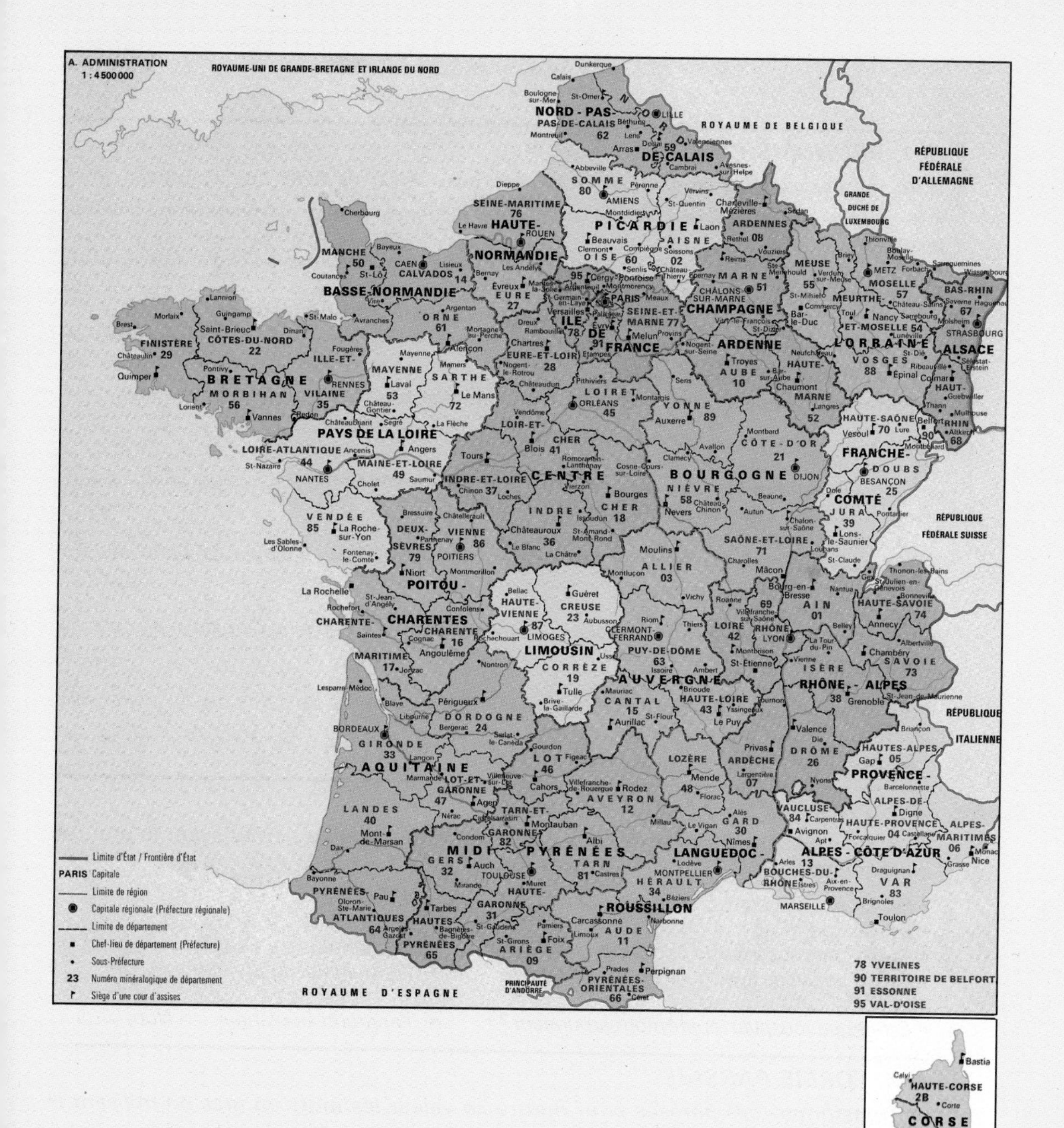

Le Palais de l'Élysée, résidence du Président de la République

Le Palais Bourbon, siège de l'Assemblée nationale (Chambre des députés)

■ 1. PRONOMS POSSESSIFS

■ Remplacez les mots en gras par un pronom possessif pour éviter une répétition.

- *M. et Mme Bouvet ont un superbe jardin.* ***Mon jardin*** *est beaucoup moins grand que* ***leur jardin.***
- *Tous les matins, les enfants de François emmènent* ***nos enfants*** *à l'école.* ***Les enfants de Jacques*** *vont au lycée La Fontaine.*
- *Je vais peut-être louer un appartement juste à côté de* ***ton appartement.***

■ 2. PRONOMS RELATIFS

■ Faites une seule phrase avec les trois courtes phrases qui sont proposées.

- *Il y a un homme dans la cour. Il porte un costume sombre. Je le connais.*
« Il y a, dans la cour, un homme... »
- *Raphaëlla a interprété une chanson. C'est une chanson de Serge Gainsbourg. Serge Gainsbourg a composé des chansons pour Isabelle Adjani.*
« La chanson ... »
- *J'ai acheté un appartement. Cet appartement a été loué par un boucher. Le boucher a son magasin au-dessous.*
« L'appartement... »
- *Vous avez invité Mme Dunand. Nous l'avons rencontrée la semaine dernière à un cocktail. Elle est très sympathique.*
« Nous avons invité... »
- *J'ai acheté cette robe dans un petit magasin. Ce magasin est dans une rue du centre ville. M. Bouvet habite dans cette rue.*
« Le petit magasin... »

■ 3. PRONOMS « EN » ET « Y »

■ À qui s'adressent ces questions ? Complétez les réponses en utilisant le pronom qui convient.

- *Est-ce que vous avez chanté à l'Olympia ?*
- *Est-ce que tu as mis du sel dans la pâte ?*
- *Est-ce que vous avez un bon gardien de but ?*
- *Est-ce que vous avez de la bonne viande de bœuf ?*
- *Est-ce que vous avez réparé mon carburateur ?*

- *le boucher : « Oui, ... »*
- *le garagiste : « Non, ... »*
- *le chanteur : « Oui, ... »*
- *l'entraîneur du Dynamo : « Oui, ... »*
- *l'apprenti boulanger : « Non, ... »*

■ 4. FORME PASSIVE

■ Transformez ces phrases pour mettre en valeur les mots en gras en utilisant la forme passive

- *Raphaëlla chante* ***« Je t'ai cherché »*** → *« Je t'ai cherché » est ...*
- *Ce soir l'orchestre de Marseille interprétera* Les Quatre Saisons *de Vivaldi.*
- *Le concert de Raphaëlla* ***m'a*** *intéressé(e).*
- *Trois mille spectateurs ont applaudi* ***la vedette.***
- *Deux hommes bizarres* ***nous*** *suivent.*

■ 5. GÉRONDIF

■ Imaginez ce qu'ils peuvent faire en même temps et les circonstances de ces actions (utilisez le gérondif)

Exemple : Je ne peux pas parler ... en écoutant la radio, en travaillant, en mangeant, etc.

- *Il prend son bain ...*
- *Elle est sortie ...*
- *Elle m'a regardé(e) ...*
- *Ce musicien s'est beaucoup amélioré ...*
- *Vous pourrez perdre du poids...*

■ 6. SUBJONCTIF

■ Mettez les verbes à la forme qui convient

• *J'espère que tu* **(venir)** *samedi à la soirée que je donne pour mon anniversaire. Mais je ne souhaite pas que Martine* **(venir)**. *Ne lui en parle pas!*
• *Tu n'as pas l'air en forme. Il faut que tu* **(faire)** *un peu de sport. Tu dois aussi* **(sortir)** *plus souvent.*
• *Il est possible que j'***(avoir)** *des places pour le ballet de Patrick Dupond. Est-ce que tu veux qu'on y* **(aller)** *ou est-ce que tu préfères* **(rester)** *chez toi?*
• *Ne va pas chez lui maintenant! Il déteste qu'on* **(venir)** *le déranger quand il fait la sieste.*
• *Je suis fâché que Jacques* **(être)** *en retard. Pour que nous* **(arriver)** *à l'heure au théâtre, il nous faudra prendre un taxi.*

■ Rédigez ce qu'ils disent

a/ *le père qui a de grandes ambitions pour son fils.*

b/ *La bonne fée et la mauvaise fée se penchent sur le berceau du nouveau-né.*

c/ *Ils sont aux sports d'hiver.*
Elle adore skier. Il déteste skier.

d/ *Son fils a échoué au baccalauréat.*

■ 7. VOCABULAIRE

■ Complétez avec le vocabulaire nécessaire

a/ • *En mars 1988, les Français ont ... pour élire le président de la République. C'est François Mitterrand qui a été ...*
• *Au cours d'une élection législative on élit les ...*
• *La municipalité d'une ville est composée de ... présidés par ...*
b/ • *Ce soir, au Théâtre des Champs-Élysées, on ... le concerto pour flûte de Mozart. C'est le chef Lorin Maazel qui ... l'orchestre. Le flûtiste Jean-Pierre Rampal sera le ...*
Les musiciens ... cette œuvre pendant trois jours. Lorin Maazel et Jean-Pierre Rampal en donnent une ... pleine de sensibilité.

■ Trouvez le contraire des mots en gras

une voix **aiguë** – *un appartement* **ensoleillé** – *une pièce* **spacieuse** – *une mise en scène* **audacieuse** – *du linge* **sale** – *un joueur* **maladroit** – *Martine* **a le cafard** – *La pièce a été* **un échec** – *Les spectateurs* **ont sifflé** *les acteurs* – **Méfie-toi** *de lui!*

■ Reformulez les phrases suivantes en utilisant le verbe correspondant aux mots en gras

• *Nous avons eu une bonne* **production** *de blé* → **Nous avons produit beaucoup de blé.**
• *Sa* **gestion** *de la société a été bonne.*
• *Les joueurs ont suivi un* **entraînement** *intensif.*
• *Elle a fait du* **repassage** *tout l'après-midi.*
• *Il y a eu une nette* **amélioration** *dans son travail.*
• **L'éclairage** *de la scène était insuffisant.*

■ L'IDENTITÉ DES RÉGIONS

■ *Depuis toujours, l'histoire de la France a été caractérisée par deux tendances :*

• ***une tendance au centralisme parisien.*** *La région parisienne, qui regroupe 20 % de la population française, reste le centre politique, administratif, commercial et culturel de la France;*

• ***une tendance des régions à affirmer leur identité à revendiquer davantage d'autonomie par rapport à la capitale.*** *Depuis la fin des années 50, les gouvernements successifs ont mis en place une politique de développement des régions. La loi de 1982 a donné des pouvoirs importants aux assemblées élues régionales.*

■ *Dans la deuxième moitié du XXe siècle, les mouvements de population et les médias ont uniformisé les régions mais celles-ci ont tout de même conservé certaines particularités :*

• ***historiques :*** *les régions actuelles correspondent à peu près aux anciennes provinces;*

• ***linguistiques :*** *il y a seulement une soixantaine d'années, les langues régionales étaient très employées (langues d'oc dans le Sud, breton, basque, etc.).*
L'accent et certaines expressions régionales permettent encore souvent d'identifier l'origine d'un Français;

• ***architecturales :*** *les maisons modernes sont souvent construites dans un style régional;*

• ***folkloriques :*** *les régions ont conservé leurs fêtes, leurs chansons et leurs danses.*

• ***gastronomiques :*** *les habitudes alimentaires sont différentes selon les régions (par exemple : cuisine au beurre dans le Nord, cuisine à l'huile dans le Sud).*
La presse régionale, les radios et les télévisions locales contribuent à préserver cette identité.

■ *Les régions recherchent aussi une nouvelle identité fondée sur le progrès et sur leur capacité à s'intégrer dans l'Europe de demain.*

Fête folklorique à Douai (Nord).
Les nouveaux logements de la cité Antigone à Montpellier.
Toulouse est un grand centre de construction d'avions.
Le Futuroscope de Poitiers.
Un Pardon en Bretagne.

L'INCONNU DU SUD-OUEST

Leçon 1 - Deux célibataires

Leçon 2 - Rencontre

Leçon 3 - Incidents

Leçon 4 - Suspicions

Leçon 5 - Dénouement

GRAMMAIRE

Adjectifs et pronoms indéfinis — Futur antérieur — Plus-que-parfait — Expression de la durée — Prépositions et adverbes de lieu — Expression de la conséquence.

COMMUNICATION

Se plaindre — Exprimer la crainte — Exprimer l'indifférence — Conseiller.

CIVILISATION

Le Sud-Ouest et le Nord-Est de la France — Le tourisme.

DEUX CÉLIBATAIRES

A

***Grenoble. Une rue du centre ville. Immobile au milieu du trottoir, Geneviève Lamy hésite devant les destinations séduisantes affichées dans la vitrine d'une agence de voyages : Bangkok, Mexico, Calcutta...
Tout à coup, un groupe d'enfants la bouscule et la jeune femme lâche son sac à main qui s'ouvre sur le trottoir. Certains passants se retournent mais pas un ne s'arrête.***

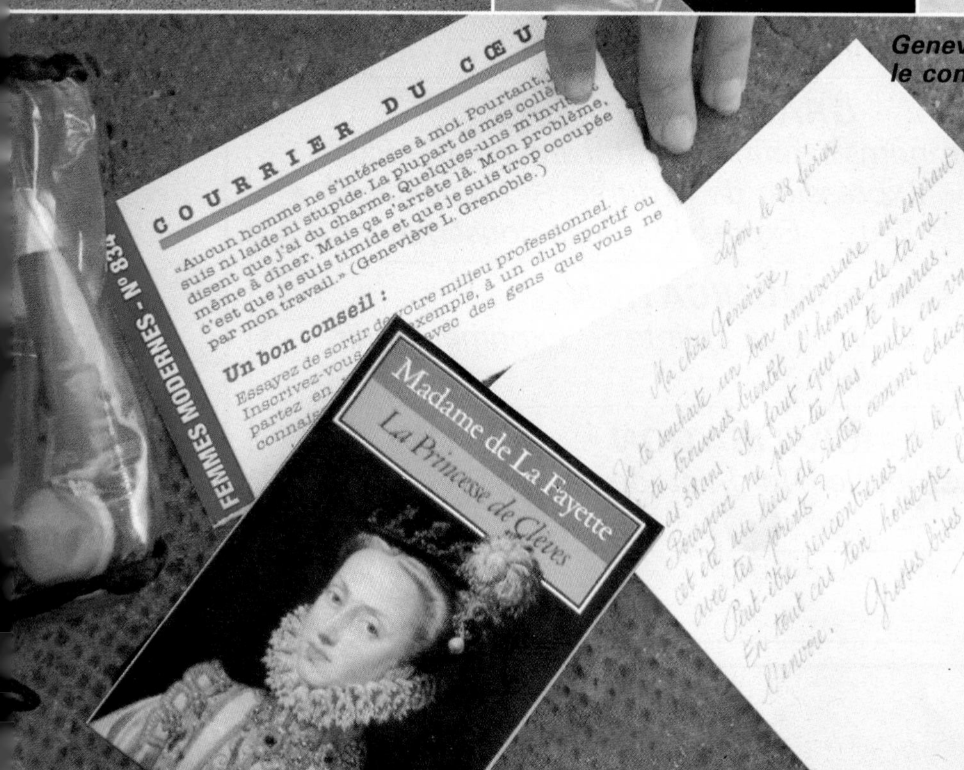

FEMMES MODERNES - N° 834

COURRIER DU CŒU

« Aucun homme ne s'intéresse à moi. Pourtant, je suis ni laide ni stupide. La plupart de mes collè disent que j'ai du charme. Quelques-uns m'invi même à dîner. Mais ça s'arrête là. Mon problème, c'est que je suis timide et que je suis trop occupée par mon travail. » (Geneviève L. Grenoble.)

Un bon conseil :

Essayez de sortir de votre milieu professionnel. Inscrivez-vous exemple, à un club sportif ou partez en avec des gens que vous ne connais

Madame de La Fayette
La Princesse de Clèves

Lyon, le 28 février

Ma chère Geneviève,

Je te souhaite un bon anniversaire en espérant tu trouveras bientôt l'homme de ta vie. as 38 ans. Il faut que tu te maries. Pourquoi ne pars-tu pas seule en vacances cet été au lieu de rester comme chaque année avec tes parents ? Peut-être rencontreras-tu le prince charmant... En tout cas ton horoscope l'affirme. Je te l'envoie. Grosses bises,

Ta copine Juliette

POISSO

■ Caractère : observateur, timide, indépe et fier.
■ Avenir : vous aurez d professionne vous ferez u rencontre in l'été procha

Geneviève ramasse rapidement le contenu de son sac : un roma une lettre, un article déc dans un magazine...

B Dans l'agence de voyages.
Je vous recommande ce circuit. Tout est organisé. Vous n'avez aucun souci à vous faire.
t à l'hôtel, chacun a sa chambre?
Normalement, ce sont des chambres doubles
ous ne voulez pas partager
hambre, vous pouvez choisir
rmule « chambre individuelle »
supplément, bien sûr.
CIRCUIT SUD-OUEST DE LA FRANCE (21 jours)
Périgord - Pyrénées - Côtes de l'Atlantique.
6 500 F
Voyage organisé en autocar climatisé.
Le prix comprend :
■ l'hébergement en chambre double dans des hôtels deux étoiles (supplément de 500 F pour chambre individuelle)
■ les trois repas
■ l'entrée des musées et des monuments
■ un accompagnateur
3 juillet : Grenoble - Aurillac - Déjeuner au Puy et visite de la vil
C A Lille, Paul Delarue, célibataire de 40 ans, représentant pour la fabrique de boîtes de conserves « Casse-croûte », se rend à un dîner d'affaires avec un collègue.
Tu viens habillé comme ça?
Et alors? Ça n'a aucune importance.
Tu sais qu'il y aura le directeur général? Ce n'est pas n'importe qui.
Qu'est-ce que tu veux que ça me fasse? Je m'en moque totalement. Moi, je suis déjà en vacances. Je pars après-demain.
Où est-ce que tu vas?
Je n'en sais rien. Je monte dans ma voiture et je pars à l'aventure. C'est l'avantage d'être célibataire.
On peut aller n'importe où, s'arrêter n'importe quand, faire n'importe quoi, on est libre!

LEÇON 1 VOCABULAIRE ET GRAMMAIRE

■ ADJECTIFS ET PRONOMS INDÉFINIS

Adjectifs		Pronoms	
Affirmation	**Négation**	**Affirmation**	**Négation**
quelques ami(e)s *certains hommes* *certaines femmes* *plusieurs élèves* *la plupart des gens*	*aucun homme ... ne* *aucune femme ... ne* *pas un élève ... ne* *pas une femme ... ne*	*quelques-uns* *quelques-unes* *certains - certaines* *plusieurs* *la plupart*	*aucun ... ne* *aucune ... ne* *pas un ... ne* *pas une ... ne*
tout..., toute... *tous..., toutes...*		*tout* *tous - toutes*	
chaque élève		*chacun - chacune*	

■ LA NÉGATION

1. ni

*Il ne boit **pas** de vin **ni** d'alcool. – Il **ne** boit **ni** vin **ni** alcool. – **Ni** lui **ni** moi n'aimons le thé.*

2. négation de l'infinitif

*Je préfère **ne pas** sortir. – Je reste chez moi pour **ne pas** prendre froid.*

3. construction des termes négatifs

→ *sujet :* ***Personne n'**est venu. – **Aucun** ami **n'**a appelé. – **Pas une** lettre **n'**est arrivée.*

→ *complément :* *Je **n'**ai vu **personne.** – Je **n'**ai reçu **aucun** ami. – Je **n'**ai **pas** trouvé **une** seule lettre.*

■ LE CARACTÈRE

• *Avec les autres personnes*

timide / courageux
prudent / imprudent
naïf / rusé
franc / sournois
honnête / malhonnête
sincère / hypocrite
désintéressé / égoïste

• *Dans le travail :*

travailleur / courageux
réfléchi / étourdi
observateur / indifférent

Le féminin des adjectifs

• *Règle générale : un joli garçon → une jolie fille*

• *finale*	***x → s***	*heureux → heureuse*
• *finale*	***er → ère***	*cher → chère*
• *finale*	***on → onne***	*bon → bonne*
	en → enne	*ancien → ancienne*
• *finale*	***f → ve***	*naïf → naïve*
• *finale*	***c → che***	*franc → franche*
	que	*public → publique*
• *finale*	***eur → euse***	*menteur → menteuse*
• *finale*	***teur → trice***	*observateur → observatrice*
• *finale*	***g → gue***	*long → longue*

N.B. : *ces règles comportent des exceptions.*

LES VOYAGES

partir en voyage
faire un voyage
prendre des vacances

un voyage d'affaires
un voyage organisé - un circuit
un accompagnateur - un guide

• *Se renseigner*

un office de tourisme
une agence de voyages
un bureau de renseignements

s'informer (une information)
se renseigner (un renseignement)

• *Préparatifs*

réserver (faire une réservation)
confirmer
annuler
} *un billet - une place* / *une chambre d'hôtel*

1re/2e classe (train)
classe affaires/ économique (avion)

• *Le départ - l'arrivée*

la destination / la provenance
l'embarquement / le débarquement
l'enregistrement des bagages / le retrait des bagages

la salle d'attente
la consigne à bagages

• *Les formalités*

→ la douane
passer la frontière - passer à la douane
un douanier - fouiller les bagages
déclarer - payer les droits de douane

→ la police
présenter les papiers d'identité
un passeport - un visa - une carte d'identité
remplir une fiche - un formulaire

CONSEILLER

conseiller / déconseiller
un conseil
un conseiller
demander (un) conseil à...
donner un conseil

Je vous conseille de
Je vous recommande de
Vous avez intérêt à
N'hésitez pas à
} *partir tôt.*

L'INDIFFÉRENCE

- *être indifférent - insouciant*
  soucieux de - prévoyant
  préoccupé par...
- ***n'importe***
  n'importe lequel / laquelle / lesquels / lesquelles
  n'importe quoi
  n'importe qui
  n'importe où
  n'importe quand
  n'importe comment

- *Ça n'a pas d'importance.*
  Ça n'a aucune importance.
  Je m'en moque.
  Ça m'est égal - Ça ne me fait rien.
  Ça me laisse froid.

Je vais n'importe où.
Je m'arrête n'importe quand.
Ça n'a aucune importance.
Lequel préférez-vous?
Ça m'est égal.
Donnez-moi n'importe lequel!

LEÇON 1 ACTIVITÉS

MÉCANISMES

- ***Vous avez quelques amis dans cette ville ?***
  Oui, j'en ai quelques-uns.
- ***Vous connaissez la plupart de mes amis ?***
  Oui, j'en connais la plupart.
- ***Vous avez quelques amis dans cette ville ?***
  Non, je n'en ai aucun.
- ***Vous connaissez quelques-uns de mes amis ?***
  Non, je n'en connais aucun.

1. COMMENTEZ ces statistiques en utilisant des pronoms indéfinis

Pensez-vous que pour être heureux, il faut :	
vivre en couple	83 %
vivre seul	3 %
sans opinion	14 %

Pour conquérir l'homme ou la femme que vous aimez, seriez-vous prêt à :	
quitter votre région	70 %
abandonner votre métier	10 %
abandonner tout ce que vous possédez	3 %
commettre un acte illégal grave	0 %

« La plupart des gens pensent que, pour être heureux, il faut vivre en couple... ».

2. RÉÉCRIVEZ le texte suivant en remplaçant les chiffres par un pronom indéfini (voir p. 106)

*J'ai invité 80 personnes à mon anniversaire. **76** sont venues. **4** étaient à l'étranger. **76** m'ont fait un cadeau. **35** m'ont offert un magnifique cadeau. **60** ont dansé toute la nuit et **12** se sont baignées dans la piscine. **74** se sont bien amusées et **2** ont été malades.*
*« J'ai invité **80** personnes à mon anniversaire. La plupart sont venues... »*

3. CHARLES DURAND était assis sur un banc devant le n° 5 de la rue Balzac quand un cambriolage a eu lieu au 2e étage de l'immeuble. La police interroge Charles Durand au commissariat. Complétez.

- *Vous attendiez quelqu'un ?*
  – Non, ...
- *Quelqu'un vous a parlé ?*
  – Non, ...
- *Quelque chose vous a surpris dans la rue, dans le comportement des passants ?*
  – Non, ...
- *Certains passants se sont arrêtés devant la maison ?*
  – Non, ...
- *Un passant a levé la tête vers le deuxième étage ?*
  – Non, ...
- *Avez-vous remarqué quelque chose d'anormal ?*
  – Non, ...

4. RECONSTRUISEZ les phrases en utilisant la négation « ni » ou « ne »

- *Elle ne joue pas de la guitare. Elle ne joue pas du piano.*
- *Il n'aime pas le cinéma. Il n'aime pas le théâtre.*
- *Pierre n'aime pas danser. Jacques n'aime pas danser.*
- *Les dessins animés ne m'intéressent pas. Les bandes dessinées non plus.*
- *Martine n'est pas très gaie. Elle ne chante pas. Elle ne danse pas.*

5. RECONSTRUISEZ les phrases selon le modèle

- *Je ne veux pas être en retard. Je me dépêche.* → ***« Je me dépêche pour ne pas être en retard. »***
- *Je ne pars pas en week-end cette semaine. Je préfère. → « Je préfère ... »*
- *« Ne lui écris pas! ». Je te le demande. → « Je te demande de ... »*
- *Nous devons aller le voir. Le contraire est impossible. → « Il est impossible de ... »*
- *Il pense qu'il ne va pas travailler demain. → « Il a envie de ... »*

6. REGARDEZ ce détail de tableau. Imaginez le caractère de ces personnages

Jean BÉRAUD (1849-1936) *La Madeleine chez les Pharisiens*

7. VOICI DES LETTRES adressées à la rubrique « Courrier du cœur » de certains magazines français (Intimité, Nous Deux). Analysez les problèmes de ces personnes. Répondez-leur pour leur donner des conseils.

dix-sept ans, je suis plutôt mignonne. Mais j'ai un gros problème : les garçons me egardent, me font des sourires, mais aucun ne m'invite à sortir avec lui. Pourtant, j'ai un caractère assez facile et je suis sympa avec tout le monde. De plus, je n'arrive pas à les aborder, ayant toujours peur de gaffer. Faut-il que j'attende le Prince Charmant sans rien faire ?

Je suis amoureux d'une fille ravissante et je voudrais bien l'épouser. Nous avons dix-neuf ans tous les deux. Elle s'appelle Sylvia ; elle partage mes sentiments, j'en suis certain, mais nous ne sommes pas du même milieu. Mes parents sont d'origine très modeste alors que son père a une belle situation. Je me sens très complexé et j'ai peur en songeant qu'ils vont se rencontrer. J'adore mes parents, mais, aujourd'hui, je voudrais qu'ils soient différents. Comment m'y prendre pour me faire accepter ?

NOUS DEUX 31/12/88

J'ai un ami de longue date avec lequel je corresponds régulièrement. Il est devenu mon confident et m'a toujours réconfortée. Nous habitons assez loin l'un de l'autre, mais nous avons eu une liaison. Depuis, il ne veut plus me voir ni m'écrire. Il m'a expliqué qu'il était « ours », et qu'il ne s'attacherait pas. Je voudrais conserver son amitié. Comment m'y prendre ?

INTIMITÉ 02/02/89

J'ai seize ans, il en a vingt et a une petite amie. Nous nous connaissons de vue depuis un an. Il me sourit dès qu'il m'aperçoit, mais nous ne nous sommes jamais parlé. Je ne sais pas si je dois l'aborder et comment. Je crois vivre un conte de fées, mais j'ai si peur de tout détruire. Venez à mon aide !

MÉCANISMES

- ***Tous les jours il déjeune au restaurant.***
  Chaque jour il déjeune au restaurant.
- ***Il a nettoyé tous les outils.***
  Il a nettoyé chaque outil.
- ***Tous les employés doivent être à l'heure.***
  Chacun doit être à l'heure.
- ***Toutes les infirmières doivent s'occuper des malades.***
  Chacune doit s'occuper des malades.

8. LE CÉLÈBRE SHERLOCK HOLMES (personnage des romans policiers de Conan Doyle) peut, en observant un objet appartenant à une personne, déduire le caractère de cette personne et même quelquefois deviner certains détails de son emploi du temps.

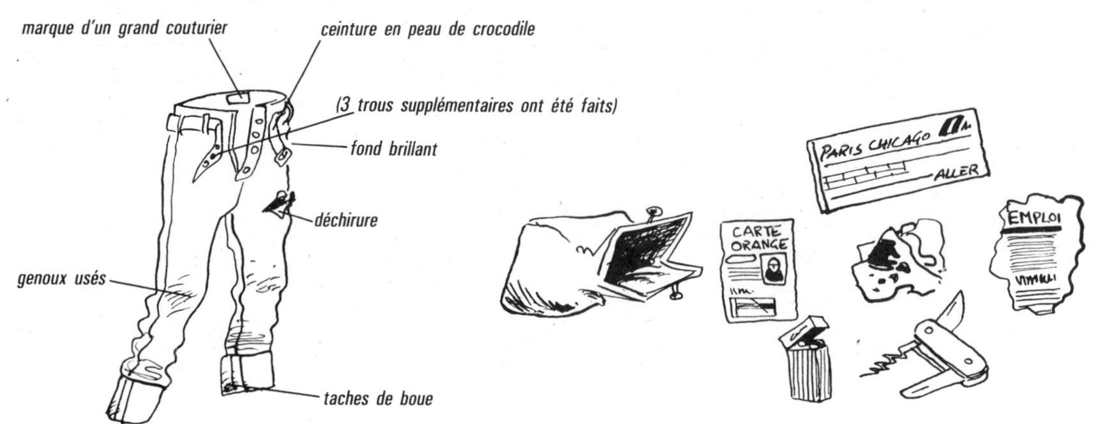

Jouez à Sherlock Holmes et faites des déductions. À quel genre de personnes appartiennent ces objets? Qu'est-ce qu'elles ont fait?

Imaginez des objets à indices. Demandez à votre voisin(e) de faire des déductions.

9. ÉCOUTEZ les scènes suivantes! Retrouvez le moment du voyage où ces scènes ont été enregistrées

1. *Demande de renseignements dans une agence.*

2. *Préparatifs de départ.*

3. *Enregistrement des bagages.*

4. *Dans l'avion.*

5. *Passage à la police*

6. *Passage à la douane.*

7. *A l'hôtel.*

8. *Devant un monument.*

Scène A → 4.

MÉCANISMES

- ***Quel journal voulez-vous?***
  N'importe lequel.
- ***Dans quelle ville voulez-vous aller?***
  N'importe laquelle.
- ***Il a un emploi?***
  Non, il n'en a aucun.
- ***Elle a beaucoup d'amis?***
  Non, elle n'en a aucun.

10. ANDRÉ ET PAUL décident de partir ensemble en week-end. André est prévoyant. Paul est insouciant. Voici les questions d'André. Imaginez les réponses de Paul

André : *Quel jour partons-nous? Le vendredi ou le samedi?* **Paul : N'importe lequel.**

André : *Quelle voiture prenons-nous? La tienne ou la mienne?* **Paul** : . . . .

André : *Où allons-nous?* **Paul** : . . . .

André : *Qu'est-ce que nous emportons?* **Paul** : . . . .

André : *Quand revenons-nous?* **Paul** : . . . .

André : *Quelles valises emportons-nous?* **Paul** : . . . .

11. RÉDIGEZ LA RÉPONSE

Paul est en vacances au bord de la mer. Il a prêté son appartement parisien à l'un de ses amis. Un jour, il reçoit la lettre suivante... Mais Paul est insouciant.

Mon cher Paul,

Excuse-moi de te déranger pendant tes vacances. Mais je dois absolument te raconter ce qui se passe ici. D'abord, l'autre jour, ton appartement a été cambriolé. Les voleurs ont emporté la télé, ...

12. IMAGINEZ la suite de l'histoire « L'inconnu du Sud-Ouest ».

Paul et Geneviève vont-ils se rencontrer? Dans quelles circonstances?

13. UN POÈME DES FLEURS DU MAL DE CHARLES BAUDELAIRE

L'INVITATION AU VOYAGE

Mon enfant, ma sœur,
Songe à la douceur
D'aller là-bas vivre ensemble!
Aimer à loisir,
Aimer et mourir
Au pays qui te ressemble!
Les soleils mouillés
De ces ciels brouillés
Pour mon esprit ont les charmes
Si mystérieux
De tes traîtres yeux,
Brillant à travers leurs larmes.

Là, tout n'est qu'ordre et beauté,
Luxe, calme et volupté.

[...]

- ***Comment le poète appelle-t-il la femme aimée?***
- ***Montrez qu'il y a une confusion entre le pays et la femme aimée.***
- ***Quel pays (ou quel paysage) correspond le mieux à l'homme (ou à la femme) que vous aimez?***

RENCONTRE

A

La rencontre entre Geneviève Lamy et Paul Delarue s'est produite le 4 juillet à 15 heures à l'entrée de Savignac-en-Auvergne, quand un troupeau de vaches a traversé la route, bloquant brusquement la circulation. Une heure après, dans l'unique garage du village.

constat d'accident

12. circonstances

Mettre une croix (x) dans chacune des cases utiles pour préciser le croquis.

A		B
1	en stationnement	1
2	quittait un stationnement	2
3	prenait un stationnement	3
4	sortait d'un parking, d'un lieu privé, d'un chemin de terre	4
5	s'engageait dans un parking, un lieu privé, un chemin de terre	5
6	s'engageait sur une place à sens giratoire	6
7	roulait sur une place à sens giratoire	7
8	heurtait l'arrière de l'autre véhicule qui roulait dans le même sens et sur la même file	8 X
9	roulait dans le même sens et sur une file différente	9
10	changeait de file	10
11	doublait	11
12	virait à droite	12
13	virait à gauche	13
14	reculait	14
15	empiétait sur la partie de chaussée réservée à la circulation en sens inverse	15
16	venait de droite (dans un carrefour)	16
17	n'avait pas observé un signal de priorité	17

Circonstances de l'accident : Je roulais à 30 km/h derrière l'autocar quand celui-ci s'est arrêté brusquement sans raison. J'ai freiné mais la route était glissante et je n'ai pas pu m'arrêter... J'ai alors donné u coup de volant à droite pour évi le choc, mais l'avant gauche de m véhicule a accroché l'arrière dr de l'autocar. D'autre part, l' droit de ma voiture a heurté poteau électrique qui se trou sur le bord de la route.

Dégâts : Tout l'avant de m véhicule est abîmé. Les pn déchirés. Le moteur a ét endommagé.

Heureusement pour nous, ce n'est pas grave. Notre car sera réparé dans une heure.

Pour moi, ce n'est pas la même chose. Le garagiste doit commander des pièces.

Il les aura d'ici trois ou quatre jours. Après il y aura du travail pour encore deux ou trois jours. Mes vacances sont fichues.

Qu'est-ce que vous allez faire jusqu'à ce que votre voiture soit réparée?
Je n'en sais rien.

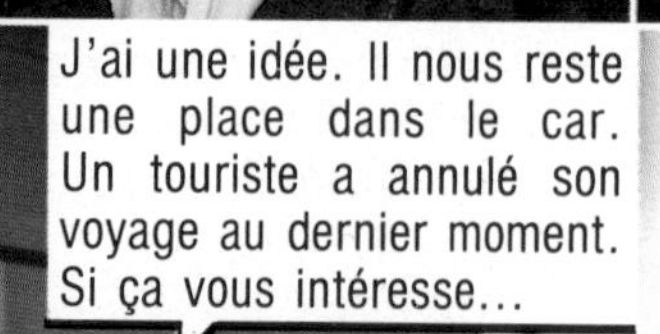

J'ai une idée. Il nous reste une place dans le car. Un touriste a annulé son voyage au dernier moment. Si ça vous intéresse...

Ben... pourquoi pas?
Alors, mettez vos bagages dans le car! Nous partons dans deux heures.

B En fin d'après-midi, dans un hôtel d'Aurillac...
Téléphone
Nom d'un chien! Ce n'est pas un téléphone. C'est une machine à sous!
Monsieur, ça fait dix minutes que vous tapez comme un sauvage sur cet appareil et que vous l'insultez.
Vous croyez que c'est la solution?
Il y a un quart d'heure que j'essaie d'appeler ma compagnie d'assurances à Lille.
Je tombe chaque fois sur une coopérative laitière et je perds un franc.
Téléphone
Vous avez bien suivi les instructions? Vous savez qu'il ne faut pas composer le 16 pour la province?
Vous me prenez pour un idiot? J'utilise le téléphone depuis 30 ans, monsieur! Votre appareil ne fonctionne pas. C'est tout. Je vais me plaindre à la réception.
C A la réception de l'hôtel.
Attendez un instant, monsieur! Cette dame est avant vous. Qu'est-ce qu'il y a pour votre service, madame?
Monsieur, votre téléphone...
Je suis désolée de vous déranger, mais dans ma chambre, il n'y a ni draps ni couvertures.
Nous vous en apportons tout de suite, madame.
Et puis, je n'arrive pas à fermer la fenêtre.
Le garçon va monter vous la fermer. Je vais le lui dire.
ôle d'hôtel! Tout le monde se plaint, ici.
Et enfin, il n'y a pas d'eau chaude.
Là, nous n'y pouvons rien. La chaudière est tombée en panne.
Mais c'est un scandale! Venez, madame, nous allons voir le directeur.
Oh non! Ce n'est pas la peine.

VOCABULAIRE ET GRAMMAIRE

■ LA VOITURE

une voiture – une auto(mobile)
la carrosserie – l'aile – le toit – le pare-chocs
la roue – le pneu – la roue de secours
le moteur – le capot
la portière – la vitre – le pare-brise
l'essuie-glace
le siège – le volant – le rétroviseur
l'éclairage – le phare
la plaque d'immatriculation

• *La conduite*
un conducteur – un chauffeur – conduire
démarrer – avancer/reculer – accélérer
tourner à droite/à gauche
faire demi-tour – rouler – croiser un camion
dépasser, doubler une autre voiture
freiner – s'arrêter – se garer
stationner (un parking)

• *La panne*
tomber en panne – être en panne
réparer – une réparation
dépanner – un dépannage
un garage – un garagiste
une station-service
un poste d'essence
un pompiste
le réservoir est vide – faire le plein (d'essenc
la roue est à plat – crever – gonfler le pneu
vérifier la pression des pneus, le niveau d'hui

• *L'infraction*
faire un excès de vitesse – avoir une amende
une contravention – brûler un feu rouge
(prendre) un PV (un procès-verbal)

conduire (conduit)
je conduis *nous conduisons*

• *L'accident*
heurter un arbre – rentrer dans... éviter un accident
accrocher une autre voiture
renverser un cycliste
écraser un chien

casser
abîmer
endommag

■ L'HÔTEL

• *un hôtel – un grand hôtel – un palace*
une auberge – une auberge de jeunesse
} *renommé (e) – bien connu (e) propre bien tenu(e)*

• *la direction – la réception*
un garçon (d'hôtel) – une femme de chambre
• *une chambre à un lit – une chambre double*
les toilettes – c'est libre/occupé.
• *se plaindre du bruit, du service, de la chambre, de la note*
« Je vous signale qu'il n'y a pas d'eau chaude.
Il y a un problème ... »

se plaindre (plaint)
je me plains *il se plaint* *nous nous plaignons* *ils se plaignent*

■ LE TÉLÉPHONE

téléphoner à ... appeler quelqu'un
donner / recevoir } *un appel – un coup de téléphone – un coup de fil / une communication*
chercher un numéro dans l'annuaire – composer le ... –
la tonalité
décrocher/raccrocher
une cabine téléphonique – fonctionner – marcher/être en dérangement

recevoir (reçu)
je reçois *nous recevons*

■ L'EXPRESSION DE LA DURÉE

1. Sans point de repère

pendant *J'ai dormi **pendant** le trajet en car.*

en *Il a écrit son livre*
Il écrit ses livres } ***en** deux mois.*
Il écrira son livre

pour *Je pars en vacances **pour** trois semaines.*

2. Par rapport au moment où l'on parle

• vers le futur

Il est 8 h. Elle arrivera { ***dans** une heure.* / ***d'ici** une heure.*

*Il l'attendra **jusqu'à** 9 heures.*
***jusqu'à ce qu'**elle arrive.*
N.B. : *jusqu'à ce que + subjonctif*

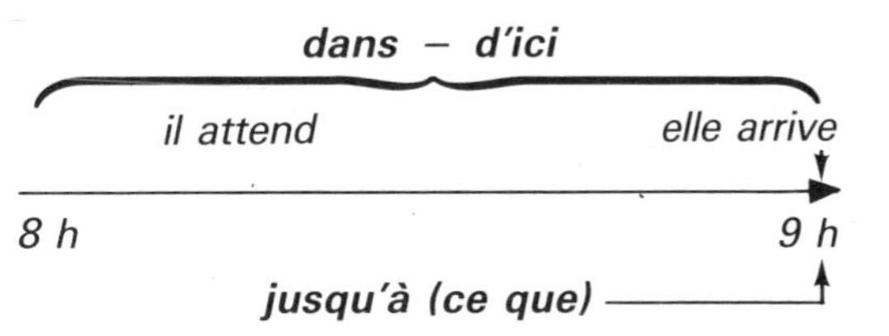

• vers le passé

*Elle est partie **depuis** 7 h du matin.*
*Elle est partie **depuis** une heure.*
*Elle est partie **il y a** une heure.*
***Il y a** une heure **qu'**elle est partie.*
***Cela fait** une heure **qu'**elle est partie.*

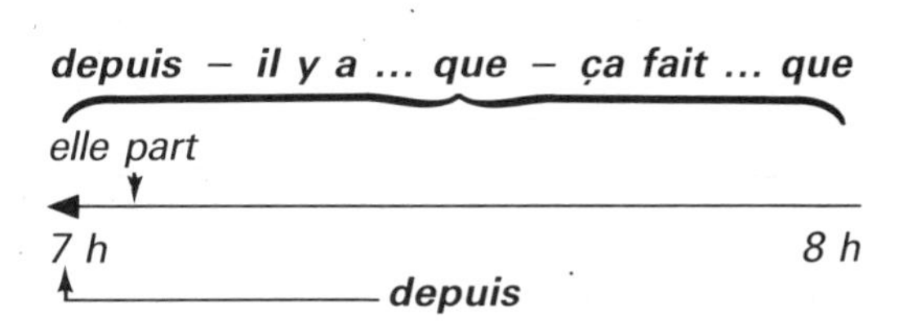

3. Par rapport à un moment passé

*Il attendait **depuis** une heure quand elle est arrivée.*

***Il y avait** une heure **qu'**il attendait quand elle est arrivée.*

*Il l'attendait à 8 h. **Au bout** d'une heure elle n'était toujours pas arrivée.*

*Il l'attendait à 8 h. Une heure **après**, elle n'était toujours pas arrivée.*

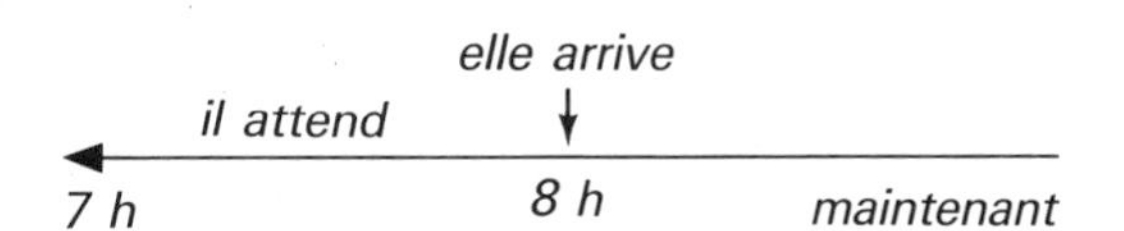

Il y a dix ans que je vous attends.

■ CONSTRUCTIONS AVEC DEUX PRONOMS

• *Ce livre...* { *tu **me le** donnes* / *je **te l'**apporte* / *tu **nous les** offres* / *je **vous le** conseille*

Attention! : *l'ordre est différent avec **lui** et **leur***

je (*le* / *la* / *les*) *lui donne*
je (*le* / *la* / *les*) *leur donne*

• *Ces fruits ...* *tu **m'en** donnes*
*je **t'en** donne*
*je **lui en** donne*
*tu **nous en** donnes*
*je **vous en** donne*
*je **leur en** donne*

ACTIVITÉS

A MÉCANISMES

- *Pierre dort. Tout à coup le téléphone sonne.*
  Pierre dormait. Tout à coup le téléphone a sonné.
- *Marie marche dans la rue. Tout à coup quelqu'un l'appelle.*
  Marie marchait dans la rue. Tout à coup quelqu'un l'a appelée.
- *Je reste jusqu'à votre départ.*
  Je reste jusqu'à ce que vous partiez.
- *Il attendra jusqu'à l'arrivée de Laurence.*
  Il attendra jusqu'à ce que Laurence arrive.

1. RACONTEZ cette histoire au passé

Je vais à Aurillac par la route départementale 108. → *J'aime bien cette petite route. Il fait beau. Il n'y a pas beaucoup de voitures. Il est 2 h de l'après-midi.*

Au bord de la route, je vois un jeune homme. — *Il fait de l'auto-stop. Il va à Toulouse.*

Je le prends. Tout à coup le moteur de ma voiture fait un bruit bizarre et s'arrête. → *Il n'y a plus d'essence. La prochaine station est à quatre kilomètres.*

Le jeune homme me dit : « Je vais chercher de l'essence. » — *Je ne crois pas qu'il va revenir.*

Je le laisse aller. → *Une demi-heure après, il est là avec un bidon d'essence.*

« Hier, j'allais à Aurillac... »

2. IMAGINEZ ce qui se passe et jouez les scènes

3. ÉCOUTEZ ! *Ils racontent des accidents. Pour chaque accident faites deux croquis*

a/ avant l'accident, en indiquant la direction des véhicules, la vitesse et le nom des rues ou des routes.
b/ après l'accident, en indiquant les points de choc.

4. FAITES LE RÉCIT *de cet accident d'après ces croquis. Donnez le maximum de détails*

a/ avant l'accident — *b/ après l'accident*

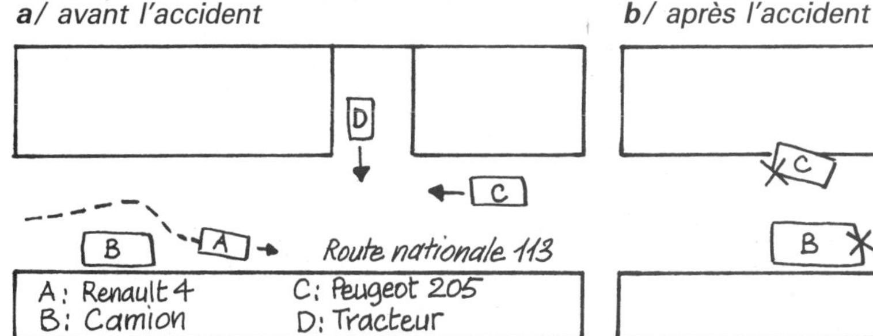

Avec le reste de la classe, partagez-vous les quatre récits d'accident; celui du chauffeur de la Renault 4, celui du chauffeur du camion, etc.

5. L'HEBDOMADAIRE TÉLÉ-POCHE *a posé cinq questions à des vedettes qui aiment la vitesse et qui ont eu un grave accident de la route*

a/ Êtes-vous pour ou contre la limitation de vitesse sur toutes les routes?
b/ Êtes-vous pour un contrôle très strict du taux d'alcool chez les conducteurs?
c/ Avez-vous déjà été arrêté(e) pour une infraction grave?
d/ Combien de temps après votre accident avez-vous reconduit?

Analysez les réponses de Mireille Darc (comédienne) et d'Herbert Léonard (chanteur). Répondez à ces questions et organisez un débat en classe.

MIREILLE DARC

Pour ou contre la limitation de vitesse ? Pour. Archi pour. Sur les routes et les autoroutes. **L'alcool au volant ?** Cautionner la conduite en état d'ivresse, c'est une incitation au crime. **Le retrait des véhicules de plus de dix ans ?** Tout dépend de la conscience des propriétaires. Une bonne voiture, bien entretenue, peut vivre plus de dix ans. Des contrôles sévères sont indispensables. **Avez-vous déjà été arrêtée pour excès de vitesse ?** Oui. C'était une bêtise. J'ai eu une amende et j'ai été sermonnée. **Combien de temps après avez-vous reconduit ?** Trois mois après. Dès ma sortie de l'hôpital. J'ai tourné autour de l'Arc de triomphe pendant une demi-heure. Je suis devenue trés prudente. Maintenant je sais.

HERBERT LÉONARD

La limitation ? Contre. C'est une atteinte à la liberté individuelle. En revanche, je suis

pour une formation plus sérieuse qui permettrait de mieux maîtriser son véhicule. **L'alcool ?** Comment accepter ce fléau. Je suis déjà contre dans la vie, alors au volant ! **Le retrait des vieux véhicules ?** Un système comme celui-çi me paraît primaire. Contrôler toutes les voitures tous les deux ans constituerait une bonne solution. **Avez-vous déjà été arrêté ?** Oui. Trois fois. Mes excés n'étaient pas trop graves. J'en ai été bon pour payer des amendes mais pas pour rendre mon permis. Je suis quand même assez sage au volant. **Combien de temps après avez-vous reconduit ?** Vite. Quinze jours après. Je suis un amoureux fervent de l'automobile.

MÉCANISMES

- *Il dort depuis huit heures.*
  Il y a huit heures qu'il dort.
- *Elle est partie depuis huit jours.*
  Il y a huit jours qu'elle est partie.
- *Il habitait la ville depuis quatre ans quand je l'ai rencontré.*
  Il y avait quatre ans qu'il habitait la ville quand je l'ai rencontré.
- *Elle dormait depuis dix heures quand je l'ai réveillée.*
  Il y avait dix heures qu'elle dormait quand je l'ai réveillée.

6. RÉPONDEZ aux questions en vous rappelant l'aventure de Patrice Dubourg

3 octobre : *Voyage Paris-Yaoundé (Cameroun).*
10 octobre : *Joseph Vernet écrit à Patrice.*
18 octobre : *Voyage Yaoundé-Abidjan (Côte-d'Ivoire).*
Patrice trouve la lettre de Joseph Vernet à son hôtel.
20 octobre : *Patrice repart pour Paris.*
22 octobre : *Patrice rencontre Joseph Vernet.*
1er novembre : *Patrice présente son premier journal à* Télé-Jeunes.
1er décembre : *Patrice est renvoyé de* Télé-Jeunes.

Nous sommes le 19 octobre.
- *Depuis combien de temps Patrice est-il en Afrique?*
- *Pendant combien de jours est-il resté au Cameroun?*
- *Il y a combien de jours qu'il est à Abidjan?*
- *Jusqu'à quand restera-t-il en Afrique?*
- *Il rencontrera Joseph Vernet dans combien de jours?*

Nous sommes le 15 décembre
- *Il y avait combien de temps que Patrice était en Afrique quand il a reçu la lettre de Joseph Vernet?*
- *Il y avait combien de temps qu'il travaillait pour* Télé-Jeunes *quand il a été renvoyé?*

7. LISEZ LES ÉPISODES de la vie de Bernard Richou. Retrouvez sa date de naissance, les dates et les événements importants de sa vie.

Quand Bernard Richou est venu habiter à Aurillac, il était au chômage depuis deux ans. Depuis sa naissance, il vivait à Mazières, un petit village du Cantal et à l'âge de 14 ans, il était engagé dans une ferme pour garder les vaches. Deux ans après, il quittait la ferme parce que ses patrons le payaient trop mal et il commençait à chercher du travail ailleurs. C'est ainsi qu'il est venu à Aurillac où à 18 ans il a fait son service militaire (durée un an).

***Aujourd'hui,** il y a six ans qu'il est dans cette ville et il vient de trouver du travail dans une fabrique de jouets.*

Il y avait quatre ans qu'il était à Aurillac quand il a rencontré une jeune fille, Marie-Jeanne Couderc. Ils se marieront l'année suivante.

« 19.. naissance de Bernard Richou » – 19.. ...

MÉCANISMES

- *Vous m'envoyez le contrat demain?*
  Oui, je vous l'envoie.
- *Vous me prêtez votre voiture?*
  Oui, je vous la prête.
- *Il offre cette bague à Mireille?*
  Oui, il la lui offre.
- *Elle raconte l'histoire à ses amies?*
  Oui, elle la leur raconte.

8. JOUEZ LES SCÈNES. Ils se plaignent

a/ Elle vient de louer une voiture.
La voiture ne marche pas.

LOCATION
DE VOITURES

LOCATION

b/ Il regrette d'être allé voir ce spectacle.

CE SOIR
L'AVARE
Dans une nouvelle mise en scène

9. ÉCRIVEZ-LEUR pour vous plaindre

A LOUER A CANET-PLAGE

Grande villa près de la plage. Vue sur la mer.
5 pièces – Tout confort – Cuisine équipée –
petit jardin – 6 000 F/mois – juillet-août
M. RAPINE – 25, allée des Arts 33000 Bordeaux

Vous avez loué cette villa par téléphone.
Le 1er juillet, quand vous la voyez, vous êtes déçu. Vous écrivez au propriétaire.

Amour – Argent – Réussite
avec
LE BRACELET MAGIQUE
en argent massif.

Portez-le ! Votre vie sera changée
Prix : 200 F – Port inclus
Écrire à :
S.N.T. Ardent-les-Bruyères – 38253

Vous avez commandé ce bracelet et vous l'avez reçu.
Mais les effets ne sont pas ceux que vous attendiez. Vous écrivez à S.N.T.

10. UNE HISTOIRE DE RAYMOND DEVOS. (Un des plus grands humoristes français actuels)

LE VISAGE EN FEU

J'arrive à un carrefour,
le feu était au rouge.
Il n'y avait pas de voitures,
je passe !
Seulement, il y avait
un agent qui faisait le guet.
Il me siffle.
Il me dit :
– Vous êtes passé au rouge !
– Oui ! Il n'y avait pas de voitures !
– Ce n'est pas une raison !
Je dis :
– Ah si ! Quelquefois, le feu est au vert...
Il y a des voitures et...
je ne peux pas passer !
Stupeur de l'agent !
Il est devenu tout rouge.
Je lui dis :
– Vous avez le visage en feu !
Il est devenu tout vert !
Alors, je suis passé !

Raymond DEVOS, *Sens dessus dessous*

Montrez que le comique de Devos est un comique de l'absurde.

INCIDENTS

A

A quelques kilomètres du site de Rocamadour se trouve un gouffre de plus de 100 mètres de profondeur : le gouffre de Padirac. Nos touristes viennent de le visiter mais Geneviève est remontée plus tard que les autres.

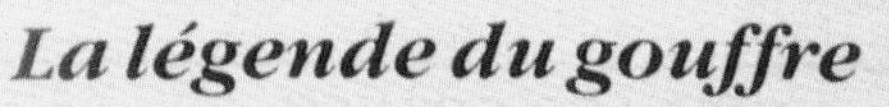

La légende du gouffre

Au Moyen Age, saint Martin parcourait les environs de Rocamadour à la recherche d'âmes à sauver. Un jour, dans un lieu désert, il se trouve face à face avec le diable. Celui-ci porte un grand sac plein d'âmes qu'il emmène aux enfers. Le diable dit à saint Martin : «Si ton âne peut sauter par-dessus le trou que je vais faire, je te donne mon sac»... Alors, un gouffre gigantesque s'ouvre dans la terre. Mais l'âne de saint Martin réussit à sauter et le diable déçu disparaît dans le gouffre. Pendant longtemps, les habitants de la région ont craint de s'approcher de cet endroit de peur d'y rencontrer le diable.

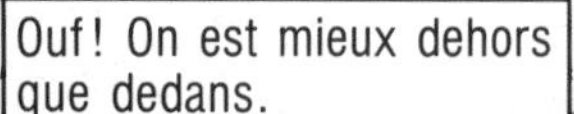

Ouf! On est mieux dehors que dedans.

Vous êtes toute pâle. Vous avez eu peur?
GOUFFRE DE PADIRAC

Je vais vous raconter. Quand vous êtes remontés, je suis restée seule au fond de la grotte. C'était impressionnant.

J'écoutais tomber les gouttes d'eau. Je regardais briller les roches à la lumière de ma lampe de poche...
GOUFFRE DE PADIRAC

Tout à coup, j'ai vu s'avancer une ombre vers moi et une voix qui semblait venir d'ailleurs m'a parlé.

C'était le diable?

Non, c'était ce monsieur là-bas. Il me demandait du feu...

B Trois jours après, les touristes visitent Carcassonne.

ous avez devant vous la cité de Carcassonne.
st une forteresse du Moyen Age. Elle est entourée
remparts et domine toute la région. »

« A votre gauche, vous pouvez voir les
les tours du château. »

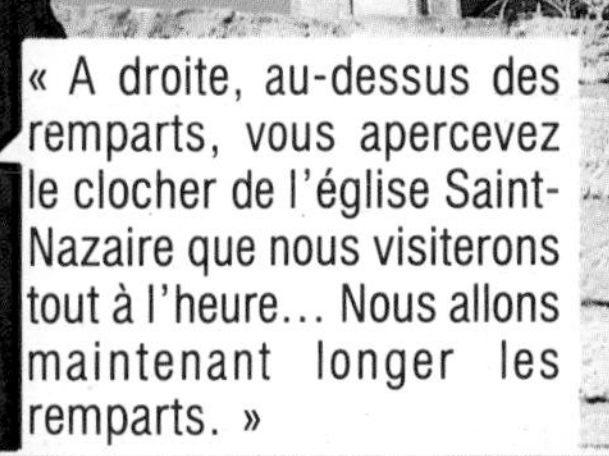

« A droite, au-dessus des remparts, vous apercevez le clocher de l'église Saint-Nazaire que nous visiterons tout à l'heure... Nous allons maintenant longer les remparts. »

Le groupe de touristes pproche du grand mur de Soudain, quelqu'un crie : Attention! Écartez-vous! pierre qui s'est détachée rempart vient de tomber tout près de Geneviève. ul lève la tête... et parmi ristes qui visitent le haut des remparts, il reconnaît quelqu'un.

Geneviève! Regardez là-haut! C'est l'homme qui vous a demandé du feu à Padirac!

Mais Geneviève ne répond pas. Elle vient de s'évanouir.

C Quelques jours avant, une vente aux enchères a eu lieu dans la ville de Carcassonne.

Voici un magnifique coffret rectangulaire du XIXe siècle. Il est en très bon état.
Il mesure 42 centimètres de long, 22 centimètres de large et sa hauteur est de 16 centimètres.
Il est en chêne, un bois très dur et très solide. Il est recouvert de cuir et ses bordures sont dorées à l'or fin.
16
Il possède deux belles serrures en cuivre. Je vous le propose à 4 000 francs...

maintenant, ce lot de très beaux livres nciens, mis à prix 5 000 francs. royez-moi, ils valent beaucoup plus. uelqu'un est-il intéressé?

16
5 500
6 000

6 000 une fois...
6 000 deux fois...
6 000 trois fois, vendu!

LEÇON 3

VOCABULAIRE ET GRAMMAIRE

■ LOCALISATION DANS L'ESPACE

1. Expressions de lieu qui peuvent se construire avec un verbe ou avec un nom.
Exemple : *à côté (de) → il habite* **à côté de** *chez moi.*
J'habite rue de Rivoli. Il habite **à côté.**

à l'intérieur (de)/à l'extérieur (de) – au milieu (de) – au fond (de) – en face (de) – au bord (de) – autour – au sommet (de) – à côté (de) – loin (de)/près (de) – au-dessus (de)/ au-dessous (de) – à droite (de) – à gauche (de) – en haut (de)/en bas (de) – devant/derrière – à travers.

2. Se construisent seulement avec un nom
dans – sur/sous – entre – parmi – par – le long de

3. Adverbes servant à montrer
ici là là-haut là-dessus là-bas là-dessous

4. Idée d'approximation
Il est allé { **vers** *la forêt.* / **du côté de** *la rivière.* / **dans les environs** *de Paris.* }

5. Idée d'imprécision
Il va habiter { **n'importe où.** / **quelque part** *en Italie.* / **ailleurs.** }
Il est allé **partout** *dans le monde.*

6. Verbes décrivant l'espace
autour → entourer en haut → dominer le long → longer à travers → traverser-parcourir
près → s'approcher-se rapprocher loin → s'éloigner-s'écarter

■ LA PEUR – L'INQUIÉTUDE

- *la peur – avoir peur (de...) – faire peur (à...)*
  être peureux – trembler de peur – s'évanouir
- *la crainte – craindre – le trac – avoir le trac*
- *l'inquiétude – être inquiet – ce bruit est inquiétant*
  s'inquiéter – ce bruit m'inquiète
- *l'angoisse – l'horreur*
  être angoissé – terrifié – épouvanté
  une chose angoissante – terrible – épouvantable – horrible
- *un fantôme – un vampire*

s'évanouir (évanoui)
je m'évanouis *nous nous évanouissons*

craindre (craint)
je crains *il craint* *nous craignons* *ils craignent*

C'est effrayant!
C'est épouvantable!

Ils sont terrorisés. Elle s'évanouit.

CONSTRUCTIONS AVEC L'INFINITIF

Après les verbes de perception ***(écouter – entendre – voir – regarder – sentir*** *– etc.)*
et les verbes ***laisser*** *et* ***faire :***

- *Elle écoute chanter les oiseaux.*
  Elle écoute les oiseaux chanter.
  Elle les écoute chanter.
- *Je regarde Paul peindre le mur.*
  Je le regarde peindre le mur.

L'ARCHITECTURE

- *un château – un château fort – les remparts – une tour – un fossé*
- *une église / une cathédrale / une abbaye / un monastère* } *un clocher – une cloche / un portail / la voûte / un vitrail (des vitraux)*
- *un temple – une colonne*
- *un monument – un arc de triomphe – un obélisque*
- *un hôtel du XVIIe siècle*
- *une décoration (décorer)*
  une sculpture (sculpter)
  une peinture (peindre)
- *un style (roman – gothique – baroque – classique – moderne)*

LA DESCRIPTION DES OBJETS

- ***Le poids***

peser – « Je viens de me peser.
Je pèse 70 kg. »
un kilo (1 000 g) – une livre (500 g) – un gramme
lourd/léger

- ***Le volume***

un mètre cube
grand – volumineux – énorme – gigantesque / petit – minuscule – microscopique

- ***La dimension – la grandeur***

mesurer – « Je viens de mesurer ce coffre.
Il mesure 1 m de long.
Il fait 1 m de long.
un mètre (1 m) – un centimètre (1 cm) – un millimètre (1 mm)
la longueur : long/court
la largeur : large/étroit
la hauteur : haut/bas
la profondeur : profond/peu profond
l'épaisseur : épais/mince

- ***La forme***

□ *carré*	▭ *rectangle*	△ *triangle*	○ *cercle*	*cube*
carré	*rectangulaire*	*triangulaire*	*rond*	*cubique*

- ***La matière***

un coffre { *en bois / de bois*

le métal – le fer – le cuivre – l'or – l'argent – le bois – le plastique – le carton – le papier – le verre – le cuir

- ***La consistance***

dur/mou (un matelas) – doux (la peau)
tendre (un steak)
solide – résistant/fragile
élastique
lisse/rugueux

Poids : léger.
Volume : inférieur à la pomme de terre.
Forme : indéfinissable.
Matière : plastique.
Consistance : dure.
ET VOUS APPELEZ ÇA UN STEAK !!!

ACTIVITÉS

MÉCANISMES

- *Tu dois monter sur la chaise.*
  Monte dessus!
- *Tu dois mettre ta voiture dans le garage.*
  Mets-la dedans!
- *Marie traverse la rue. Je la regarde.*
  Je regarde Marie traverser la rue.
- *Madonna chante. Je l'écoute.*
  J'écoute chanter Madonna.

1. COMPLÉTEZ avec une expression du tableau

- *On a posé un magnifique vase ... le buffet. ..., on a accroché un tableau.*
- *Le chemin fait le tour de la forêt. Pour aller plus vite, il est passé ... la forêt.*
- *Regarde ... On a construit un observatoire ... de la montagne.*
- *Nous sommes à l'entrée du gouffre de Padirac. ... nous, s'étend une grotte immense.*
- *Le pêcheur est assis ... de la rivière. Mais il n'a pas de chance. Les poissons restent ... l'eau.*

au fond (de)
à travers
au-dessus (de)
au-dessous (de)
là-haut
au bord (de)
sur
au sommet (de)

2. DESSINEZ le décor de la pièce de théâtre de Gilbert Cesbron Il est minuit, docteur Schweitzer

Cette pièce raconte le dévouement d'un médecin et d'un prêtre à Lambaréné, au Gabon à la veille de la guerre. La pièce est une réflexion sur le sens de la vie.

ACTE PREMIER

Le bureau du docteur Schweitzer. Une pièce de construction et de décoration rudimentaires, éclairée par trois lampes posées sur les meubles. Au fond, une double porte vitrée qui donne sur une véranda donnant elle-même sur les ténèbres. A droite, une seconde porte dont on comprendra qu'elle ouvre sur la salle d'examen du docteur Schweitzer. Entre la porte de droite et celle du fond, la table du docteur, encombrée de livres et d'objets, et une petite armoire à pharmacie.

À gauche, une bibliothèque dont il est visible qu'on l'a confectionnée à l'aide de caisses. Entre celle-ci et la porte du fond, le piano à pédalier du docteur Schweitzer. Des chaises, une ou deux gravures, un calendrier mural; à gauche, une carte d'Afrique. Un plan des trente baraques formant l'hôpital est fixé au mur, au-dessus de la table.

Quand le rideau se lève, Schweitzer est seul en scène devant son piano, et joue une fugue de Bach. Au cours de l'acte, on entendra le crissement des grillons, des cris de bêtes, des appels mystérieux. Les personnages devront, sans affectation, faire ressentir au public la chaleur, qui est accablante, malgré la nuit.

a/ Relevez tous les mots qui indiquent la localisation dans l'espace.
b/ Relevez tout ce qui concerne la pièce (le bureau de Schweitzer).
c/ Faites la liste des meubles et des objets.
d/ Faites le croquis du décor de la pièce de théâtre.

3. CONNAISSEZ-VOUS des lieux étranges et mystérieux?

Les menhirs de Carnac (Bretagne)
Ce sont d'immenses pierres dressées (certaines font 4 m de haut et pèsent 350 tonnes) et orientées selon des directions mystérieuses. Il y en a plus de 1 000. Ces vestiges d'une ancienne religion mal connue continuent à être le lieu de rassemblement de quelques sectes.

Le château de Montségur (Pyrénées)
Au XIe siècle, une hérésie religieuse se développe dans le Sud-Ouest de la France.
Les Cathares croient que le monde a été créé par le diable. L'homme doit devenir pur par la vie de l'esprit et le sacrifice.
Une croisade est organisée pour combattre les Cathares. Les derniers se réfugient dans le château de Montségur et y cachent leur trésor.

4. LISEZ CE TEXTE et rapportez chaque sensation dans une phrase

Je me suis assise sur mon balcon au milieu des fleurs. Leur parfum était doux. C'était un soir de 14 juillet. La chaleur de la journée était tombée et un vent frais caressait ma peau. En bas, dans la cour, des enfants jouaient en poussant des cris aigus. A 100 m de là, sur la petite place, le bal du 14 juillet commençait et des couples tournaient sur la piste.

« Je voyais des enfants jouer dans la cour. Je regardais... J'entendais... J'écoutais... Je sentais... »

5. ÉCOUTEZ! Il s'est passé des événements étranges dans leur maison pendant la nuit

Notez tous les événements bizarres et essayez de trouver pour chacun une explication logique et naturelle.

Phénomènes étranges	Explications
• *Coups frappés à la porte*	*Porte mal fermée que le vent fait battre*
....	....
....	....

6 FAITES LE RÉCIT d'un moment de peur (personnel ou imaginaire). Précisez

a/ toutes les circonstances favorables à la peur (lieu, temps, solitude, etc.)
b/ les événements qui ont déclenché la peur
c/ ce que vous vous êtes imaginé

Faites collectivement le scénario d'un film d'épouvante en utilisant les récits de chacun.

MÉCANISMES

- ***Est-ce qu'il vous envoie des cartes postales? Oui, il m'en envoie.***
- ***Est-ce que vous me parlerez de votre voyage? Oui, je vous en parlerai.***
- ***Est-ce que ses parents lui donnent de l'argent? Oui, ils lui en donnent.***
- ***Est-ce que vous offrez du thé à vos visiteurs? Oui, je leur en offre.***

7. REFORMULEZ ces phrases en utilisant un verbe descriptif ou un verbe de mouvement à la place de la préposition de lieu

- *Il est allé **près de** la maison → Il **s'est approché** de la maison.*
- ***Autour de** la maison, il y a la forêt.*
- *Pour aller au château, il faut passer **à travers** la vieille ville.*
- *Nous avons marché **le long de** la rivière.*
- ***Du haut du** château de Montségur on peut voir la vallée de l'Aude.*
- ***En face du** cinéma, il y a le théâtre.*

8. TROUVEZ l'extrait du guide touristique qui correspond à chacune de ces constructions

***L'hôtel de Cluny (à Paris)** construit à la fin du XVe siècle est une demeure privée où l'on peut admirer de nombreux détails d'architecture médiévale (créneaux, tourelles, fenêtres, etc.)*

b

a

***La forteresse de Salses (près de Perpignan)** est un magnifique spécimen de l'architecture militaire espagnole de la fin du XVe siècle. Les bâtiments forment un rectangle et entourent une cour centrale. Le château possède également des tours et un donjon en partie détruit.*

c

Le château d'Azay-le-Rideau (près de Tours) *est situé dans un joli paysage d'eau et de verdure. Il a été construit au début du XVIe siècle. Ses lignes et ses dimensions donnent une impression d'harmonie et d'élégance.*

Décrivez le château (ou l'hôtel particulier) où vous aimeriez vivre.

9. RÉDIGEZ l'article paru dans le quotidien Sud-Ouest

Un journaliste fait un bref article sur l'accident qui a failli coûter la vie à Geneviève Lamy.

MÉCANISMES

- ***Est-ce que vous avez envoyé la lettre à Jacques?***
  Oui, je la lui ai envoyée.
- ***Est-ce qu'elle a demandé l'autorisation au directeur?***
  Oui, elle la lui a demandée.
- ***Est-ce que vous m'avez parlé de ce problème?***
  Oui, je vous en ai parlé.
- ***Est-ce qu'elle a offert du café à Claude?***
  Oui, elle lui en a offert.

10. DEVINEZ le nom de ces objets d'après leur description

A. *Forme : cubique. Dimensions : petites (en général : 1 cm × 1 cm × 1 cm). Poids : léger. Couleur : blanc et noir. Matière : ivoire ou bois ou plastique.*

B. *Forme : rectangulaire. Dimensions : variables. Matière : tissu. Couleur : bleu-blanc-rouge.*

C. *Forme : ronde. Diamètre : environ 12 cm. Épaisseur : environ 4 cm. Poids : 250 grammes. Couleur : blanc crème. Matière : à base de lait. Produit comestible.*

Réponses : A : un dé; B : le drapeau français; C : un « camembert ».

Rédigez des fiches descriptives d'objets et faites deviner le nom de l'objet.

11. UN POÈME DE PAUL ÉLUARD

AIR VIF

J'ai regardé devant moi
Dans la foule je t'ai vue
Parmi les blés je t'ai vue
Sous un arbre je t'ai vue

Au bout de tous mes voyages
Au fond de tous mes tourments
Au tournant de tous les rires
Sortant de l'eau et du feu

L'été l'hiver je t'ai vue
Dans ma maison je t'ai vue
Entre mes bras je t'ai vue
Dans mes rêves je t'ai vue

Je ne te quitterai plus.

in Derniers Poèmes d'amour, © Seghers.

Relevez tous les lieux où le poète a vu la femme aimée.

Composez un poème sur la même structure.
Ex. : « Le printemps est arrivé
Dans les champs ...
Sur les arbres... »

SUSPICIONS

A

A Gavarnie, dans les Pyrénées... Geneviève et Paul sont sur le sentier qui grimpe jusqu'à « la brèche de Roland ». ▶

Allez! Un peu de courage! Quand nous aurons atteint le sommet, tu pourras te reposer.
Et je pourrai manger. La marche me donne faim.
De là-haut, on a une vue extraordinaire sur les glaciers.
Quand tu auras regardé, le paysage, tu n'auras plus envie de redescendre.
Avant d'admirer le paysage, j'aurai surtout envie de faire une sieste.

Gavarnie, le 15 juil

Ma chère Juliette,
Le cirque de Gavarnie est un site splendide,
Les sommets des montagnes sont couverts de neige
glaciers brillent au soleil. Des torrents descenden
en cascades vers la vallée. C'est magnifiqu
Je t'écris d'un endroit appelé "la brèche de Rola
J'y suis montée avec Paul, un célibataire sympat
de notre groupe.
Je suis contente d'avoir suivi ton conseil. J'au
un très beau voyage et j'aurai rencontré quelqu
d'intéressant. Je ne sais pas si nous nous rever
Paul et moi (il habite Lille) mais nous aurons
de bons moments ensemble. Bises Genevi

B

Après avoir traversé les Pyrénées nos touristes remontent la Côte Atlantique. Ils s'arrêtent à Biarritz, une grande station balnéaire. Puis ils visitent Bordeaux et arrivent à La Rochelle. La Rochelle a gardé de nombreux vestiges d'un passé très riche. Son port, animé par le va-et-vient des barques de pêche, est dominé par de vieilles tours qui défendaient la ville. Il faut se promener dans ses rues étroites et voûtées et voir ses vieilles maisons de bois et ses hôtels des siècles passés aux façades richement décorées. Dans un magasin d'antiquités rempli d'anciens appareils de navigation, Geneviève découvre un livre curieux... Elle l'achète.

d'après-midi. Paul, qui était resté à l'hôtel pour faire la sieste, retrouve Geneviève.

VOCABULAIRE ET GRAMMAIRE

LA MONTAGNE

- *une montagne – un mont (le Mont-Blanc) – le sommet*
  une colline – une hauteur
  un volcan – un cratère
  une pente
  un glacier – la glace – la neige – briller
  une grotte – une caverne – un gouffre
- *un rocher – une pierre – un caillou*
- *monter – grimper*
  atteindre le sommet
  redescendre

- *un site splendide – une vue magnifique*
voir – apercevoir – distinguer
s'élever : le Mont-Blanc s'élève à 4 807 mètres
s'étendre : au sud-ouest de Paris s'étendent de vastes plaines
couvrir : le Massif Central couvre le Centre de la France
border : l'océan Atlantique borde l'Ouest de la France

atteindre (atteint)
j'atteins *nous atteignons* *ils atteignent*

- *un lac – un étang – un marécage*
  un fleuve – une rivière – un ruisseau – une cascade
  une source
  couler – arroser

- ***La végétation***
l'herbe – une touffe d'herbe – un pré – une prairie – une forêt – un bois
une fleur – une tige – une rose – une violette – un coquelicot – une jonquille
une tulipe – un lys – du muguet
un arbre – un arbuste – un buisson – un tronc – une branche – une feuille – le feuillage
un pin – un sapin – un chêne – un hêtre – un cyprès – un peuplier – un saule
un platane

LA MER

- ***Un océan – une mer***
  une vague – une mer calme/agitée

  une tempête
  la marée haute/basse
- ***La plage***
  une plage de sable/de galets

  faire du ski nautique
  de la voile
  de la planche à voile
- ***La pêche***
  pêcher
  un bateau de pêche – une barque
  une canne à pêche – un filet

- ***La côte – la rive – le rivage***
  un golfe – une baie
  une falaise – à pic

se baigner — *(se faire) bronzer*
nager — *prendre un coup de soleil*
plonger — *de la crème solaire*

- ***Un poisson***
  une truite – une sole – un saumon
  une morue – un thon – une sardine
- ***Un coquillage***
  une huître – une moule

■ AVANT – PENDANT – APRÈS

1. Avant/après

• ***dans le futur***

le futur antérieur : futur de « avoir » ou « être » + participe passé

manger	***arriver***	***se reposer***
j'aurai mangé *tu auras mangé* *il/elle/on aura mangé* *nous aurons mangé* *vous aurez mangé* *ils/elles auront mangé*	*je serai arrivé(e)* *tu seras arrivé(e)* *il/elle/on sera arrivé(e)* *nous serons arrivé(e)s* *vous serez arrivé(e)s* *ils/elles seront arrivé(e)s*	*je me serai reposé(e)* *tu te seras reposé(e)* *il/elle/on se sera reposé(e)* *nous nous serons reposé(e)s* *vous vous serez reposé(e)s* *ils/elles se seront reposé(e)s*

ils atteignent le sommet
Maintenant ↓ *ils se reposent* →
10 h *12 h*

Quand *nous aurons atteint le sommet, nous nous reposerons.*
Lorsque *nous serons arrivés, nous mangerons.*
Dès que *nous nous serons reposés, nous redescendrons.*

Pour aller à la gare ?
C'est facile. Quand vous serez arrivés au bout de cette avenue, vous tournerez à droite...

• ***dans le passé***

le plus-que-parfait : imparfait de « avoir » ou « être » + participe passé

finir	***partir***	***se lever***
j'avais fini *tu avais fini* *il/elle avait fini* *nous avions fini* *vous aviez fini* *ils/elles avaient fini*	*j'étais parti(e)* *tu étais parti(e)* *il/elle était parti(e)* *nous étions parti(e)s* *vous étiez parti(e)s* *ils/elles étaient parti(e)s*	*je m'étais levé(e)* *tu t'étais levé(e)* *il/elle s'était levé(e)* *nous nous étions levé(e)s* *vous vous étiez levé(e)s* *ils/elles s'étaient levé(e)s*

je mange ↓ *il arrive* *maintenant*
←

J'avais mangé quand il est arrivé.
J'étais sorti lorsqu'elle est venue chez moi.

J'avais oublié d'éteindre le gaz.

2. Pendant

Il chante { ***quand*** / ***lorsqu'*** / ***pendant qu'*** } *il prend sa douche.*

Il chante ***en*** *pren****ant*** *sa douche.*
Le téléphone a sonné ***au moment où*** *je prenais ma douche.*
Va acheter du pain. ***Pendant ce temps,***
moi, je prépare le repas.

Il fait du sport. Mais ***en même temps,*** *il regarde la télévision.*

ACTIVITÉS

MÉCANISMES

- ***Je finis mon travail. Puis, je sortirai.***
  Quand je sortirai, j'aurai fini mon travail.
- ***Nous dînons. Puis, nous irons au spectacle.***
  Quand nous irons au spectacle, nous aurons dîné.
- ***Il se repose. Puis, il repart.***
  Quand il repartira, il se sera reposé.
- ***Michel part. Puis, Marie se réveille.***
  Quand Marie se réveillera, Michel sera parti.

1. METTEZ les verbes entre parenthèses à la forme qui convient

*• Agnès grimpe plus vite que Michel. Quand Michel atteindra le sommet de la montagne, Agnès **(arriver)** depuis 10 minutes.*
*• Demain, je vais à la pêche. Je me lèverai plus tôt que les autres. Quand ils se réveilleront je **(se lever)**, je **(prendre son petit déjeuner)**, je déjà **(partir)**.*
*• Nous allons chercher Jérémie et Isabelle à l'aéroport mais nous sommes en retard. Quand nous arriverons, l'avion **(atterrir)**, ils **(retirer leurs bagages)**, **(sortir)** et peut-être **(prendre un taxi)**.*
*• Michel, je pars pour l'après-midi. Je te fais confiance. Quand je reviendrai ce soir j'espère que tu **(faire le ménage)** et que tu **(préparer le repas)**.*

2. ILS DISENT ce qui aura changé dans un an, dix ans, trente ans. Rédigez leurs prévisions.

a. *les fiancés* ***b.*** *le maire* ***c.*** *le futurologue*

L'année prochaine...
changer notre voiture
nous marier
acheter une maison
aménager la maison

En dix ans...
sur ces terrains...
démolir les vieux immeubles
construire
des logements modernes
aménager un terrain de sports

Dans les trente prochaines années...
faire des progrès scientifiques
découvrir quelque chose contre le cancer
faire la greffe du cerveau
explorer la Lune
marcher sur Mars
atteindre Jupiter
exploiter les richesses des océans
découvrir des aliments synthétiques

a. *« Dans un an, nous aurons changé notre voiture, ... »*
b. *« Dans dix ans, sur ces terrains, j'... »*
c. *Dans trente ans, on ... »*

3. COMPLÉTEZ avec l'un des verbes du tableau

- *Regarde! Au fond de la vallée on peut ... une petite église.*
- *Il y a du brouillard. On ... mal le sentier.*
- *C'est un poète. Il aime aller s'asseoir dans un pré, au bord d'une rivière pour ... le paysage.*
- *Elle est passionnée par les insectes. Quand elle est en vacances, elle passe son temps à les ... dans l'herbe des champs.*
- *J'ai ... que cette année, il y avait moins de fleurs que d'habitude. C'est sans doute à cause de la sécheresse.*

découvrir
repérer
voir
contempler
distinguer
observer
apercevoir
remarquer
regarder

4. DÉCRIVEZ les Alpes et les Pyrénées. Montrez les différences entre ces deux chaînes de montagnes

Les Alpes : le Grand Bornand et la chaîne des Aravis

Les Pyrénées : le lac des Bouillouses (2 015 m, Cerdagne)

5. RÉDIGEZ la description d'un de ces paysages en utilisant

a/ les verbes de perception *(voir, apercevoir, distinguer, etc.)*
b/ les verbes de description *(se trouver – être situé – s'élever – s'étendre – couvrir border – entourer, etc.)*
« De la fenêtre de mon chalet, j'ai une vue magnifique de ... »

- ***J'ai fini mon travail. Puis, je suis sorti(e).***
  Quand je suis sorti(e), j'avais fini mon travail.
- ***Nous avons dîné. Puis, nous sommes allé(e)s au spectacle.***
  Quand nous sommes allé(e)s au spectacle, nous avions dîné.
- ***Il s'est reposé. Puis, il est reparti.***
  Quand il est reparti, il s'était reposé.
- ***Marie est sortie. Puis, Jacques est arrivé.***
  Quand Jacques est arrivé, Marie était sortie.

6. METTEZ en relation ces deux actions passées

- ***8 h :*** *Paul déjeune –* ***9 h :*** *Martine arrive →* **Quand Martine est arrivée, Paul avait déjeuné.**
- ***10 h :*** *Pierre arrive au village –* ***11 h :*** *Jacques y arrive aussi → Lorsque Jacques...*
- ***1 h du matin :*** *le cambrioleur quitte la maison –* ***1 h 15 :*** *la police arrive → Quand la police...*
- ***Midi :*** *Jacques finit le plat de cassoulet –* ***5 minutes après :*** *Michel veut reprendre du cassoulet → Lorsque Michel...*
- ***8 h :*** *les parents de Sébastien sortent –* ***8 h 05 :*** *Sébastien s'installe devant la télévision → Quand Sébastien...*

7. RACONTEZ. Imaginez ce qu'ils avaient fait avant

- *Laurence a enfin accepté d'épouser Antoine. Mais pendant trois ans le jeune homme avait écrit...* ***(téléphoner, inviter, envoyer des bouquets de fleurs, etc.)***
- *J'ai enfin trouvé la maison de mes rêves. Je l'ai achetée hier. Pendant deux ans j'...* ***(chercher, visiter, faillir abandonner...)***
- *Les grimpeurs ont atteint hier le sommet de l'Everest. Pendant dix jours ils...* ***(traverser, passer par, grimper, etc.)***

8. RACONTEZ l'histoire du cosmonaute qui a passé dix ans dans l'espace et qui revient dans son village

Une chanson populaire française (« Brave marin revient de guerre ») raconte les désillusions d'un pauvre marin qui, après de longues années passées à la guerre, revient au foyer familial. Faites une version moderne et humoristique de cette histoire.

Événements du récit	**Événements antérieurs au récit**
À midi, Jean-Luc Duval a enfin aperçu au bout de la route les premières maisons de son petit village.	*Il était parti il y a dix ans pour la station spatiale Aster.* *→ Il y était resté...*
Il a arrêté sa voiture à l'entrée du village et a continué à pied.	*→ Tout avait changé...*
Il s'est arrêté devant sa maison. Dans le jardin, il y avait deux jeunes gens, c'était ses enfants.	*→ Ils avaient...*
Alors il est entré chez lui.	*→ . . .*

MÉCANISMES

- ***Le téléphone a sonné. J'entrais dans mon bain.***
  Le téléphone a sonné au moment où j'entrais dans mon bain.
- ***Elle est arrivée. Je sortais.***
  Elle est arrivée au moment où je sortais.
- ***Ils se sont mariés. Nous aussi, le même jour.***
  Ils se sont mariés le même jour que nous.
- ***J'ai atteint le sommet.***
  Elle aussi, à la même heure.
  J'ai atteint le sommet à la même heure qu'elle.

9. RELIEZ les deux phrases en utilisant l'expression de temps entre parenthèses

- *Il fait de la plongée sous-marine / Il n'y va pas seul.* ***(quand)***
- *L'avion a atterri / On a entendu un grand bruit.* ***(au moment où)***
- *Pierre se baigne / Je me fais bronzer sur la plage.* ***(pendant ce temps)***
- *Vous vous reposiez assis dans l'herbe / Je suis allé(e) cueillir des fleurs.* ***(pendant que...)***
- *Il faisait un temps épouvantable / Nous avons fait l'ascension du Mont-Blanc.* ***(lorsque)***
- *Elle écoute des disques / Il joue du saxo.* ***(pendant que)***

10. IMAGINEZ ce qu'ils font en ce moment dans le monde

a/ Calculez l'heure qu'il est, en ce moment, dans ces différents pays.
b/ Imaginez ce que font leurs habitants. ***(TU = Temps universel ou G.M.T.)***

Paris : TU + 1

Brésil : TU − 3

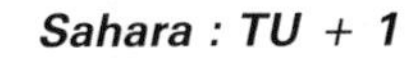

Sahara : TU + 1

Alaska : TU − 10

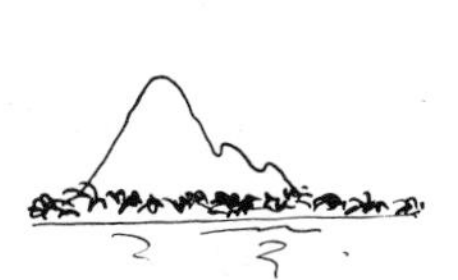

Ile Maurice : TU + 4

Sidney : TU + 10

Pékin : TU + 8

New York : TU − 5

« Au moment où le Parisien va déjeuner, le New-Yorkais se réveille et regarde le temps qu'il fait par la fenêtre de son 42e étage. Il allume la télévision... »

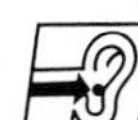

11. ÉCOUTEZ ! Deux amis qui ne se sont pas vus depuis longtemps, se racontent leur vie. Retrouvez la chronologie du passé de chacun.

	Patrick	**Juliette**
1975	*réussit à son examen*	*échoue à son examen.*
1976	....	....
....	....	....

12. UN EXTRAIT DU POÈME CARNAC D'EUGÈNE GUILLEVIC

Mer au bord du néant,
Qui se mêle au néant,

Pour mieux savoir le ciel,
Les plages, les rochers,

Pour mieux les recevoir.

J'ai joué sur la pierre
De mes regards et de mes doigts

Et mêlés à la mer,
S'en allant sur la mer,
Revenant par la mer,

J'ai cru à des réponses de la pierre.

Les poèmes de Guillevic interrogent les éléments fondamentaux et y cherchent une réponse aux mystères de l'homme.

- ***Montrez comment le poème évoque le mouvement des vagues.***
- ***Quelle sorte de réponse le poète attend-t-il de ce paysage ?***

LEÇONS

DÉNOUEMENT

Vous n'avez pas envie de faire une promenade?
Je ne sais pas ce que j'ai. Je ne me sens pas très bien. J'ai mal à l'estomac.

A

Après le repas, Geneviève, Paul et quelques autres touristes du groupe prennent un café sur le port.

Il est possible que ce soit à cause des huîtres. Elles avaient une odeur bizarre. Moi, je n'en mange jamais. Je ne les digère pas.
Moi, j'en ai mangé. Elles avaient très bon goût. D'ailleurs je ne suis pas malade.

Alors, il se peut que ce soit le saumon. Certains ne le supportent pas. Tenez, avalez ça! C'est miraculeux. Après, vous vous sentirez en pleine forme.

Merci... mais je crois que je vais me coucher.
Je te raccompagne.

Chaque fois que nous croisons le type de la photo, il t'arrive quelque chose. Tu ne trouves pas ça étrange?
Qu'est-ce que tu vas imaginer! Ce sont des coïncidences.

B

Torturé par un mélange de curiosité, de crainte et de jalousie, Paul demande des explications à l'inconnu.

J'habite à New York et je suis chef-cuisinier dans un restaurant français. Il y a deux mois, j'ai appris que mon grand-oncle de Rocamadour était mort.

Cet oncle possédait un traité de gastronomie écrit par l'un de ses ancêtres, lui-même cuisinier. J'ai donc écrit aux héritiers pour qu'ils m'envoient ce livre mais je n'ai pas eu de réponse.

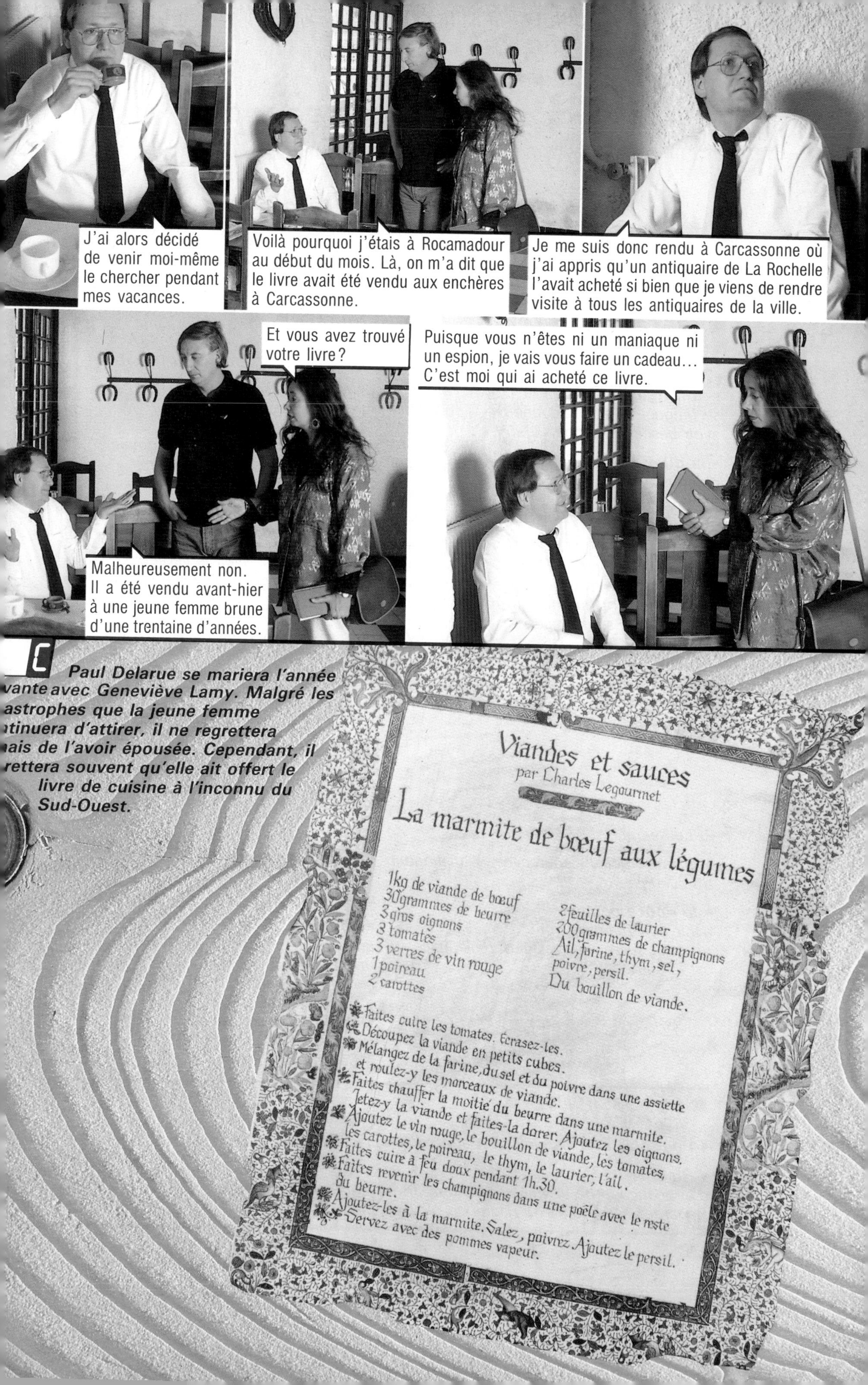

J'ai alors décidé de venir moi-même le chercher pendant mes vacances.
Voilà pourquoi j'étais à Rocamadour au début du mois. Là, on m'a dit que le livre avait été vendu aux enchères à Carcassonne.
Je me suis donc rendu à Carcassonne où j'ai appris qu'un antiquaire de La Rochelle l'avait acheté si bien que je viens de rendre visite à tous les antiquaires de la ville.
Et vous avez trouvé votre livre?
Malheureusement non. Il a été vendu avant-hier à une jeune femme brune d'une trentaine d'années.
Puisque vous n'êtes ni un maniaque ni un espion, je vais vous faire un cadeau... C'est moi qui ai acheté ce livre.
C
Paul Delarue se mariera l'année
vante avec Geneviève Lamy. Malgré les
astrophes que la jeune femme
ntinuera d'attirer, il ne regrettera
nais de l'avoir épousée. Cependant, il
rettera souvent qu'elle ait offert le
livre de cuisine à l'inconnu du
Sud-Ouest.

Viandes et sauces
par Charles Legourmet

La marmite de bœuf aux légumes

1kg de viande de bœuf
30 grammes de beurre
3 gros oignons
3 tomates
3 verres de vin rouge
1 poireau
2 carottes

2 feuilles de laurier
200 grammes de champignons
Ail, farine, thym, sel, poivre, persil.
Du bouillon de viande.

- Faites cuire les tomates. Écrasez-les.
- Découpez la viande en petits cubes.
- Mélangez de la farine, du sel et du poivre dans une assiette et roulez-y les morceaux de viande.
- Faites chauffer la moitié du beurre dans une marmite. Jetez-y la viande et faites-la dorer. Ajoutez les oignons.
- Ajoutez le vin rouge, le bouillon de viande, les tomates, les carottes, le poireau, le thym, le laurier, l'ail.
- Faites cuire à feu doux pendant 1h.30.
- Faites revenir les champignons dans une poêle avec le reste du beurre.
- Ajoutez-les à la marmite. Salez, poivrez. Ajoutez le persil.
- Servez avec des pommes vapeur.

LEÇONS

VOCABULAIRE ET GRAMMAIRE

LES SENSATIONS ET LES PERCEPTIONS

1. L'état général

se sentir bien/mal
en pleine forme

• ***la fatigue***
se fatiguer – être fatigué(e) – épuisé(e)
avoir besoin de repos.

• ***la digestion***
digérer
avoir mal à l'estomac
avoir des nausées, avoir mal au cœur, vomir
un empoisonnement

• ***la douleur***
avoir mal au ventre, à la tête, aux dents
« J'ai une dent qui me fait mal. »
souffrir – la souffrance

• ***le sommeil***
avoir sommeil – s'endormir
faire une sieste
dormir bien/mal – une insomnie
faire un rêve – un cauchemar
passer une nuit blanche

• ***la fièvre** : avoir de la fièvre, de la température*

• ***le vertige** : avoir le vertige*
se trouver mal – s'évanouir

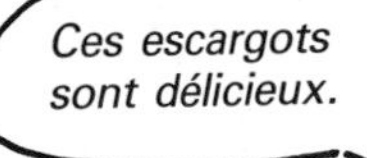

Ces escargots sont délicieux.
Je ne me sens pas bien. Je vais me trouver mal.
Excellentes, ces tripes!

2. Les sens

• ***la vue** : voir – apercevoir – distinguer*
un aveugle

• ***le goût** : goûter*
avoir bon/mauvais goût
un goût sucré – c'est doux/salé, épicé

• ***l'ouïe** : entendre*
avoir l'ouïe fine
un sourd

• ***l'odorat***
une odeur
un parfum
sentir – respirer
« Cette fleur sent bon. On peut sentir son parfum à 10 mètres. »
« Ça sent la violette. »

apercevoir (aperçu)
j'aperçois *nous apercevons* *ils aperçoivent*

sentir (senti)
je sens *nous sentons* *ils sentent*

LA POSSIBILITÉ

• ***Peut-être** : Je viendrai peut-être vous voir demain.*

• ***Risquer** :*
J'ai beaucoup de travail aujourd'hui. Je risque de rentrer tard.
Regardez ces nuages! Il risque de pleuvoir bientôt.

Il est impossible qu'il réussisse à son examen.
Ça ne se peut pas.
Il n'a aucune chance.

- ***Il est possible que*** / ***Il se peut que*** + *subjonctif*

Il est possible que je sois en retard.
Il se peut que j'arrive à 9 heures.

■ LA CONSÉQUENCE

la conséquence – la suite – l'effet – le résultat

alors : *L'appartement était trop petit. Alors, nous avons déménagé.*

voilà pourquoi / **c'est pourquoi** : *J'ai trouvé un travail intéressant à Lyon. Voilà pourquoi nous sommes venus y habiter.*

de sorte que / **si bien que** : *Il a beaucoup travaillé si bien qu'il a réussi.*

par conséquent : *Le propriétaire n'a pas renouvelé notre bail. Par conséquent, nous avons dû déménager.*

donc : *Nous avons trouvé un appartement plus grand. Nous avons donc déménagé.*
« Je pense, donc je suis. » (Descartes).

■ LES FORMES RÉFLÉCHIES

Je l'ai bricolée moi-même.

1. La forme pronominale
Il se regarde dans la glace.

2. Les pronoms réfléchis

moi-même	toi-même	lui-même	elle-même
nous-mêmes	vous-même(s)	eux-mêmes	elles-mêmes

Il a construit lui-même sa maison.
Elle répare elle-même sa voiture.

■ FAIRE + VERBE

- ***emploi passif*** : *Il fait laver sa voiture.*
- ***emploi actif*** : *Il fait cuire le riz. – L'agent de police fait traverser les piétons.*
- ***emploi réfléchi*** : *Il s'est fait couper les cheveux.*

■ LA CUISINE

- ***Les ustensiles***

une assiette – un plat
un récipient – un bol
une casserole – une marmite
une poêle – une cocotte-minute.

- ***Les ingrédients***

le sel – le poivre – l'huile – le vinaigre
le beurre – la farine – le sucre – le lait
l'aïl – le persil – un oignon – le thym
le laurier – la moutarde.

- ***La préparation***

couper – découper – éplucher
verser – ajouter – jeter

faire { *cuire (au four)* / *chauffer* / *bouillir* / *griller* / *frire* }

Je fais cuire le poulet.
Le poulet est en train de cuire.

ACTIVITÉS

MÉCANISMES

- *Il est malade? C'est possible.*
  Il est possible qu'il soit malade.
- *Vous aurez des congés le mois prochain? C'est possible.*
  Il est possible que j'aie des congés le mois prochain.
- *Il viendra demain?*
  Oui, il risque de venir demain.
- *Vous partirez plus tôt?*
  Oui, je risque de partir plus tôt.

1. ILS FONT DES HYPOTHÈSES. Imaginez leur conversation

a. Pierre et Martine sont invités ce soir chez leurs amis, Jacqueline et François. Quand ils arrivent devant la maison, tout est éteint...	*b. Jacques et Mireille sont en voiture. Tout à coup, le véhicule ralentit sans raison. Le moteur fait un bruit anormal...*
c. Toute la famille doit partir demain en week-end. Mais à 8 heures du soir, le plus jeune des enfants, Jean-Louis, se plaint d'un mal à la tête et se met à pleurer.	*d. Michèle (15 ans) est contente. Elle pense avoir fait un très bon devoir de français à l'examen. Mais lorsqu'elle apprend sa note (4 sur 20), elle est déçue. Elle en parle à une copine.*

a. Pierre : Tu as vu? Tout est éteint.
*Martine : Ils regardent **peut-être** la télé?*
*Pierre : **Impossible.** Ils ne l'ont pas.*
*Martine : Alors **il est possible** qu'on se soit trompé de jour, etc.*

2. ILS NE SE SENTENT PAS BIEN. Posez-leur des questions pour faire votre diagnostic

Maman! J'ai mal au ventre.

Docteur, je ne sais pas ce que j'ai, depuis quelques mois je me sens très fatigué(e).

Ça fait un mois que je dors mal et que je fais des cauchemars épouvantables.

3. TROUVEZ des correspondances entre les sensations

Baudelaire écrit dans son poème Correspondances *: « Les parfums, les couleurs et les sons se répondent. »*
Un autre poète, Arthur Rimbaud, donne une couleur aux voyelles :
« A noir, E blanc, I rouge, U vert, O bleu... »

À partir d'une sensation, trouvez des correspondances pour les autres sensations.

couleur	forme	consistance	odeur	bruit	sensation de toucher
bleu	pointu	dure	de violette	de rivière	froide
rouge	...	...	....	...	...

4. QUELLES SENSATIONS avez-vous dans ces lieux?

5. ÉCOUTEZ ces bruits et ces atmosphères sonores! Identifiez-les! Quelles images, quelles histoires évoquent-ils?

MÉCANISMES

- **Il a bien travaillé de sorte qu'il a réussi.**
  Il a bien travaillé. Il a donc réussi.
- **Le vent s'est levé de sorte qu'il a fait plus froid.**
  Le vent s'est levé. Il a donc fait plus froid.
- **C'est lui qui construit sa maison?**
  Oui, il la construit lui-même.
- **C'est vous qui faites la cuisine?**
  Oui, je la fais moi-même.

6. CONTINUEZ en utilisant un pronom réfléchi

- *Je ne vais jamais chez le coiffeur. Je me coupe les cheveux moi-même.*
- *Sa femme ne fait jamais la cuisine. Il...*
- *Non! Je ne t'aiderai pas à faire tes devoirs. Tu...*
- *Nous n'avons besoin de personne pour créer notre entreprise. Nous...*
- *Dans cette entreprise, ce n'est pas le patron qui décide des horaires. Ce sont les employés...*

7. RELIEZ la cause et la conséquence en utilisant le mot de conséquence entre parenthèses

- *Il a suivi un régime.*
- *Elle a mal à la gorge.*
- *Robert est antipathique et grossier.*
- *L'équipe de Metz a mal joué.*
- *Elle était découragée.*
- *Elle n'avait que 15 F.*

- *Personne ne l'aime* ***(voilà pourquoi)***
- *Elle a abandonné son projet* ***(alors)***
- *Il a maigri* ***(si bien que)***
- *Elle n'a pas pu s'acheter un billet de cinéma* ***(c'est pourquoi)***
- *Elle ne peut rien avaler* ***(donc)***
- *Elle a perdu le match* ***(de sorte que)***

8. IMAGINEZ les conséquences de ces événements (revoir l'expression de la cause p. 27)

LA RÉGION D'AVIGNON VIT ESSENTIELLEMENT DE LA CULTURE DE LÉGUMES ET DES ARBRES FRUITIERS. VOILÀ CINQ MOIS QU'IL N'A PAS PLU.

LE PRIX DU PÉTROLE ET DE L'ESSENCE VA DOUBLER À PARTIR DU 1er AVRIL.

UN BOEING 747 S'EST ÉCRASÉ SUR UN PONT DU CANAL DU MIDI.

LES ENSEIGNANTS DES ÉCOLES PRIMAIRES ONT DÉCIDÉ DE POURSUIVRE LEUR GRÈVE TOTALE PENDANT UNE DURÉE ILLIMITÉE.

9. RÉDIGEZ les lettres pour exposer les conséquences

a/ *Vous êtes metteur en scène et vous tournez actuellement* Les Trois Mousquetaires *avec, dans le rôle de D'Artagnan, l'acteur Jérôme Blanchard.*
Malheureusement, au milieu du tournage, Jérôme Blanchard s'est cassé une jambe et doit rester immobilisé un mois dans un hôpital.
Écrivez au producteur du film.

b/ *Vous êtes directeur d'une usine de fabrication de vêtements. Une violente tornade a endommagé la toiture de votre usine. La plupart des machines sont inutilisables. Les stocks sont abîmés.*
Écrivez à votre compagnie d'assurances.

MÉCANISMES

- ***Il lave sa voiture lui-même ?***
  Non, il la fait laver.
- ***Elle fait elle-même son ménage ?***
  Non, elle le fait faire.
- ***Un coiffeur a coupé les cheveux de Laurence ?***
  Oui, Laurence s'est fait couper les cheveux.
- ***Le blanchisseur a lavé les chemises de Pierre ?***
  Oui, Pierre s'est fait laver ses chemises.

10. EMPLOYEZ l'expression « faire + verbe »

a/ Reformulez les phrases suivantes.
- *Le garagiste répare la voiture de Jacques → Jacques...*
- *Après le cambriolage, le serrurier a changé la serrure de M. Dupuis → M. Dupuis...*
- *Le garagiste a vérifié la pression des pneus de la voiture de Jacques → Jacques...*

b/ Continuez les phrases suivantes.
- *Le bébé ne peut pas manger tout seul. Sa maman...* ***(manger)***
- *Sébastien a besoin qu'on l'aide dans son travail. Son père...* ***(travailler)***
- *Le riz doit cuire vingt minutes. Je ...* ***(cuire)***
- *L'aveugle ne peut pas traverser la rue. Un passant ...* ***(traverser)***

c/ Continuez les phrases suivantes en utilisant « se faire + verbe ».
- *Michel a eu une crise d'appendicite. Il ...* ***(opérer de l'appendicite)***
- *Nous n'avons aucune photo de nous deux. Nous devons ...* ***(photographier)***
- *Je ne peux pas aller travailler mardi. Je vais ...* ***(remplacer par un collègue)***
- *Vous ne pouvez pas faire ce travail tout seul. Vous devez ...* ***(aider)***

11. CHOISISSEZ votre restaurant

***Comparez : a/** le cadre **b/** le service **c/** les plats proposés **d/** les prix.*

***Lequel de ces restaurants choisiriez-vous : a/** pour un déjeuner en été ? **b/** pour un dîner en été ? **c/** pour un dîner en hiver ?*

a Maison du Beaujolais

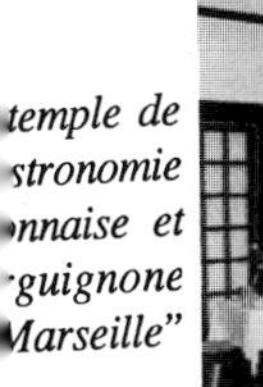

lliance du bois et du cuivre donne à l'inté-
de cet établissement un aspect rustique et
ureux.
e équipe jeune et dynamique vous réserve
ccueil sympathique et un service
tionné.
a vous permettra de déguster très agréa-
ent les spécialités de la maison : Jambon
rto, escalopes de saumon à l'oseille, tripes
ampagne, bœuf bourguignon, plateau de
ages variés, savoureux desserts : tarte
soufflé glacé au moka... Carte + vin :
200 F. s.c.
noter : la Maison du Beaujolais, c'est aussi
rande cave où vous pouvez à toute heure
ur choisir et emporter vins et alcools de
té. Entre autres : tous les crus du Beaujo-
du Brouilly au Moulin à Vent et tous les
ls prestigieux : Marc égrappé de Bour-
e, Whisky Antiquary, Laurent Perrier
d Siècle, Cristal Roederer...
2 place Sébastopol - 13004 **Marseille**
Réservation : 91 34 61 38 / 91 34 05 65
Fermé Samedi à midi et Dimanche

Plage Sud Caraïbes

A STE MAXIME, une oasis de verdure où tout est prévu pour votre détente et votre plaisir :

- Végétation luxuriante,
- Piscine d'eau douce,
- Bar aquatique,
- Cocktails délicieux...

Un restaurant "*Le St Barth*" vous propose, le midi : des salades, des viandes et des poissons grillés ainsi que sa formule "Sud Caraïbes" à 80 F.

Le soir, une carte remarquable et 2 menus à 130 F et 185 F.

Plage Sud Caraïbes

RN 98 - Plage de la Nartelle
83120 STE.MAXIME
RÉSERVATION 94.96.22.73

LE COUP DE FOUDRE

C'est en flanant au bord de la Siagne que je suis tombé amoureux d'une oasis de calme et de verdure: L'HOSTELLERIE DU GOLF. Cette bâtisse toute rose m'a ouvert les portes de son restaurant LE GREEN qui a fini de me séduire.

J'ai particulièrement aimé:

- La salade de Saint-Jacques tièdes
- La brouillade de saumon fumé
- Les coquilles Saint-Jacques à la provençale
- Les aiguillettes de canard rôties au miel et à l'orange
- Le chèvre chaud sur lit de verdure
- Le nougat glacé au coulis de fruits rouges

Et c'est rêveur et charmé, que je suis reparti de ce lieu magique et privilégié.

Menus: 65 F - 95 F - 135 F.

Hostellerie du Golf

Restaurant "Le Green"	**Réservations : 93 49 11 66**
780 Boulevard de la Mer	**Ouvert toute l'année**
06210 Mandelieu-La Napoule	**Cartes de crédit acceptées**

Le Figaro Provence-Côte-d'Azur, 3/09/88.

12. UN POÈME D'ARTHUR RIMBAUD (1854-1891)

LE DORMEUR DU VAL

C'est un trou de verdure où chante une rivière
Accrochant follement aux herbes des haillons[1]
D'argent ; où le soleil, de la montagne fière,
Luit[2] : c'est un petit val qui mousse de rayons.

Un soldat jeune, bouche ouverte, tête nue,
Et la nuque baignant dans le frais cresson[3] bleu,
Dort ; il est étendu dans l'herbe, sous la nue[4],
Pâle dans son lit vert où la lumière pleut.

Les pieds dans les glaïeuls, il dort. Souriant comme
Sourirait un enfant malade, il fait un somme :
Nature, berce-le chaudement : il a froid.

Les parfums ne font pas frissonner sa narine ;
Il dort dans le soleil, la main sur sa poitrine
Tranquille. Il a deux trous rouges au côté droit.

a/ relevez toutes les sensations (formes et couleurs, bruits, odeurs, etc.)
b/ montrez l'effet de surprise produit par le dernier vers.

***(1) un haillon** : morceau d'étoffe servant de vêtement – **(2) luit (luire)** : briller – **(3) le cresson** : plante – **(4) la nue** : le ciel.*

■ IMAGINEZ UNE HISTOIRE AYANT POUR TITRE « L'INCONNU DU NORD-EST. » FAITES VOYAGER VOS PERSONNAGES DANS LES LIEUX REPRÉSENTÉS AUX PAGES 144-145, 148-149.

1. Créez deux personnages. Présentez-les

- en faisant leur portrait physique
- en racontant leur passé
- en les mettant en situation de dialogue avec d'autres personnes
- en décrivant leur appartement
- en décrivant des objets leur appartenant, révélateurs de leur personnalité (contenu d'un sac, d'un portefeuille, d'une voiture)
- en imaginant des lettres, des cartes postales qu'ils ont écrites ou qu'on leur a écrites
- en les montrant au cours de leur vie professionnelle.

2. Imaginez leur rencontre

Elle peut avoir lieu :

- dans un lieu ordinaire (café, discothèque, jardin public)
- dans un lieu insolite (salle d'attente d'un dentiste, bureau de police)
- par correspondance (agence matrimoniale)
- par coïncidence (accident, événement imprévu).

3. Fixez l'itinéraire du voyage

4. Inventez des événements étranges

problème de santé, accident de voiture, disparition, enlèvement, empoisonnement, explosion, catastrophe, vol, etc.

un ou plusieurs personnages étranges

créez un mystère autour d'eux.

5. Créez un suspense

en multipliant les péripéties insolites, en faisant évoluer les relations entre les deux personnages principaux (sympathie, amour, méfiance, antipathie, etc.).

6. Trouvez un dénouement inattendu

- Après avoir recherché collectivement le scénario de cette histoire, partagez-vous l'écriture des dialogues, des scènes narratives, des lettres et des documents.
- Vous pouvez rédiger l'histoire comme une nouvelle, une pièce de théâtre ou un script de film.

• **La cathédrale d'Amiens.** La Picardie est une grande région agricole. Sa capitale, Amiens, est célèbre pour sa cathédrale de style gothique (XIIIe siècle). On remarquera les élégantes proportions de l'édifice et la richesse des sculptures de la façade.

• **La Côte d'opale.** La falaise de craie, les dunes des plages et la mer ont une couleur blanche qui a donné son nom à cette côte (opale : pierre précieuse). Un peu au sud, se trouve la station balnéaire Le Touquet-Paris-Plage.

• **La région de Lille.** Un haut lieu de l'industrie française (énergie, textile, sidérurgie, industrie automobile et mécanique, industrie chimique, industrie agro-alimentaire).
Cette région a été pendant longtemps la grande région des mines de charbon. Ce secteur est aujourd'hui en pleine reconversion.

La côte d'opale

La cathédrale d'Amiens

Terrils, région de Valenciennes

■ 1. PRONOMS INDÉFINIS

■ Commentez les résultats de ce sondage en utilisant des pronoms indéfinis (certains, plusieurs, etc.).

Comment souhaiteriez-vous faire un voyage dans le désert du Sahara?
- *en autocar climatisé avec accompagnateur : 84 %*
- *en mini-bus climatisé avec chauffeur mais sans accompagnateur : 12 %*
- *en groupe de 3 voitures : 2 %*
- *à dos de chameau avec guide : 2 %*
- *seul avec voiture personnelle : 0 %*

■ 2. EXPRESSION DE LA DURÉE

■ Lisez le tableau et répondez aux questions

01/07	– Paul Delarue part de Lille.
03/07	– Départ du car de touristes de Grenoble. Trajet Grenoble-Aurillac.
05/07	– Visite de Rocamadour. Vente aux enchères à Carcassonne.
08/07	– Visite de Carcassonne.
15/07	– Promenade à Gavarnie.
19/07	– Arrivée à La Rochelle à 20 h.
23/07	– Départ de La Rochelle à 8 h. Trajet La Rochelle-Grenoble.

- *Nous sommes le 8 juillet*
- *Il y a combien de temps que Geneviève est partie de Grenoble?*
- *Dans combien de jours les touristes arriveront-ils à La Rochelle?*
- *Combien de temps resteront-ils à La Rochelle?*
- *Il y avait combien de jours que Paul était en vacances quand il a rencontré Geneviève?*
- *Au bout de combien de jours après cette rencontre Paul verra-t-il l'inconnu pour la première fois?*

■ 3. PRONOMS COMPLÉMENTS

■ Complétez avec les pronoms qui conviennent.

- *Est-ce que vous avez envoyé les formulaires à M. Duval?*

– Oui, je .... (envoyer)
– Est-ce qu'il les a remplis?
– Oui, il ... (renvoyer) hier.

- *Je pars en week-end pour trois jours. Lundi, je ne serai pas là.*

– Tu as demandé l'autorisation au directeur?
– Oui, je ... (demander)
– Et il ... (donner)?
– Bien sûr. Il m'a même dit que je pourrais prendre le mardi.
– Il est sympa avec toi. L'an dernier, je lui ai demandé 6 jours pour mon mariage. Il ... (donner) seulement trois.

■ 4. CONSTRUCTION DES VERBES DE PERCEPTION

■ Reliez les deux phrases.

- *Benjamin joue du piano. Muriel l'écoute → Muriel écoute ...*
- *Deux hommes se disputent dans la rue. Pierre les entend.*
- *Les enfants jouent dans le parc. Mireille les regarde.*
- *Une bonne odeur de soupe de poissons vient de la cuisine. Paul la sent.*
- *Les élèves bavardent. Le professeur les laisse faire.*

■ 5. FUTUR ANTÉRIEUR

■ Continuez les phrases.

- *J'ai beaucoup de travail aujourd'hui. Je rentrerai quand j'.... .*
- *Ils n'ont pas fini de se préparer. Ils sortiront dès qu'ils .... .*
- *Nous n'avons pas gagné assez d'argent. Nous achèterons une voiture quand nous .... .*
- *Pierre grimpe plus vite qu'Annie. Quand Annie atteindra le sommet, Paul .... .*
- *Vous n'avez pas encore vu ce film. Vous me donnerez votre avis dès que vous .... .*

■ 6. PLUS-QUE-PARFAIT

■ Réécrivez cette histoire en commençant par « C'était en 1890 ... »

Nous sommes en 1890. Louis Pasteur a 68 ans. Très jeune, Pasteur a été reçu à l'École normale supérieure puis a passé ses thèses de doctorat en physique et en chimie. En 1848, il a publié un mémoire qui l'a rendu célèbre dans le monde savant. Ses nombreuses recherches lui ont permis de découvrir la pasteurisation, les vaccinations préventives puis en 1885, le vaccin contre la rage.
Enfin, à 66 ans, il a été placé à la tête de l'Institut qui porte son nom.

■ 7. FAIRE + INFINITIF

■ Complétez ces phrases en employant « faire + infinitif ».

- *Son costume est sale. Il l'apporte chez le teinturier pour ... **(nettoyer).***
- *Michel taquine sa petite sœur. Il va ... **(pleurer).***
- *J'ai une dent qui me fait mal. Je vais chez le dentiste pour ... **(arracher).***
- *La secrétaire ... le client dans le bureau du directeur **(entrer).***
- *Paul connaît des tas d'histoires drôles. Il ... tout le monde **(rire).***

■ 8. VOCABULAIRE

■ Qualifiez-les par un adjectif.

- *Il ne rend jamais l'argent qu'on lui prête. Il est .... .*
- *Il faut se méfier d'elle. Elle fait souvent le contraire de ce qu'elle dit. Elle est .... .*
- *Quand il est devant une fille, il n'ose pas parler et il rougit. Il est .... .*
- *En ville, elle conduit trop vite. Elle est .... .*
- *Il nous rend des services. Il travaille pour nous sans jamais rien demander en retour. Il est .... .*

■ 9. EXPRIMEZ UN CONSEIL

■ Répondez-lui en lui donnant des conseils.

J'ai l'intention de venir passer quinze jours dans ton pays.
Que voir en priorité? Que faire? Où loger?
Pourrais-tu me donner quelques conseils?

■ 10. EXPRIMEZ UNE PLAINTE

■ Rédigez le dialogue.

De retour à Grenoble, un des touristes du voyage organisé « Sud-Ouest de la France » se plaint à l'agence de voyages. Il n'a pas été satisfait du logement, de la nourriture, du confort dans l'autocar, de l'accompagnateur, de ses compagnons de voyage, etc.

■ 11. EXPRESSION DE L'HYPOTHÈSE

■ Rédigez la réponse.
Mme Dubois est en vacances avec les enfants. M. Dubois est resté à la maison. Il écrit à sa femme.

... Tout va bien. Je me débrouille. Mais je n'arrive pas à trouver le fer à repasser. Où l'as-tu rangé? Il y a aussi quelque chose qui m'ennuie. Le chat ne sort plus. Il reste toute la journée couché dans son panier. Je me demande ce qu'il peut avoir .... .

Mme Dubois répond. Elle ne sait plus très bien où elle a rangé le fer à repasser. Elle fait des hypothèses sur le comportement du chat.

• ***La forêt des Ardennes.*** *Une forêt belle et sauvage qui a souvent servi de décor mystérieux aux écrivains romantiques (Victor Hugo en particulier). Une forêt pleine de légendes comme celle des Dames de la Meuse. (On dit qu'il s'agit de trois épouses infidèles, changées en pierre par la colère divine.)*

• ***La place Stanislas à Nancy.*** *Nancy est une des principales villes de la région industrielle de Lorraine.*
La place Stanislas avec ses magnifiques grilles, ses pavillons, ses balcons et ses fontaines a été construite au XVIIIe *siècle par Stanislas Leszczynski, roi de Pologne.*

• ***Les montagnes des Vosges.*** *Une vieille montagne aux formes douces (les sommets s'appellent des « ballons ») couverte de forêts de sapins, de lacs et de vieux châteaux. L'industrie du bois et du papier s'y est développée ainsi que l'industrie textile.*
On y fait des fromages fameux (Munster) et on y produit des eaux minérales (Vittel, Contrexéville).
La légende dit que dans les caves de ce vieux château (le château de Falkenstein), le fantôme d'un fabricant de tonneau vient frapper à minuit le nombre de tonneaux de vin qu'on remplira après les vendanges.

• ***Reims.*** *Capitale de la Champagne. Célèbre pour sa cathédrale où étaient sacrés les rois de France. C'est dans cette région qu'on produit le champagne, vin pétillant, préparé selon une méthode savante.*

Cave en Champagne

La place Stanislas

Les Dames de Meuse

Le château de Falkenstein

LES FANTÔMES DU MÉTRO

Leçon 1 - Jean Dugommier

Leçon 2 - Rêves de gloire

Leçon 3 - Rêves d'enfance

Leçon 4 - Rêves de révolte

Leçon 5 - Rêves de sagesse

GRAMMAIRE

Conditionnel présent et passé – Situation dans le temps – Déroulement de l'action – Expression de l'opposition – "Dont" pronom relatif.

COMMUNICATION

Raconter – Rapporter un discours passé – Exprimer la possibilité et la probabilité – Réprimander – Donner une explication.

CIVILISATION

Points de repères de l'histoire de la France.

LEÇON 1 JEAN DUGOMMIER

A

Le 2 décembre 1805, un pâle soleil d'hiver se levait sur Austerlitz. Du haut d'une colline, l'empereur Napoléon Ier observait les mouvements des troupes. Un an avant, dans une France troublée et désorganisée par quinze ans de révolution, ce général ambitieux avait pris tous les pouvoirs. Il était désormais le maître absolu de la France. Il rêvait d'être le maître absolu de l'Europe.

Ce jour-là, Napoléon était sûr de sa victoire prochaine. Il avait déjà conquis la moitié de l'Europe. La veille, quand il avait vu en face de lui les armées russes et autrichiennes, il avait dit à ses généraux : « La bataille sera pour demain. »

Les deux armées s'affrontent. On entend le bruit des canons et les galops de la cavalerie. Napoléon a compris le plan de l'adversaire : contourner l'armée française par sa droite et lui couper la route de Vienne. Alors, tôt le matin, profitant du brouillard, il a fait avancer ses troupes vers le centre de l'armée ennemie. Quand le soleil s'est levé, il a donné l'ordre d'attaquer.

Le lendemain, il fera lire à ses troupes le message suivant :

Soldats, je suis content de vous...
Mon peuple vous reverra avec joie, et il vous suffira de dire :
J'étais à la bataille d'Austerlitz, pour que l'on vous réponde : Voilà un brave.

Quelques jours après, la paix était signée... Mais ce n'était qu'une paix provisoire. Les défaites allaient succéder aux victoires et la folle aventure napoléonienne allait se terminer dix ans plus tard.

B

Le métro bondé vient de sortir du tunnel sombre et il entre dans une station violemment éclairée : « Gare d'Austerlitz. » De sa cabine de pilotage, Jean Dugommier regarde défiler les affiches publicitaires et les panneaux lumineux.
Le métro s'arrête et les portes s'ouvrent automatiquement. Les voyageurs se précipitent vers les voitures comme pour les prendre d'assaut.
Jean Dugommier se penche sur son livre. En conduisant le métro, il a l'habitude de feuilleter un livre d'histoire. A chaque station, il profite des quinze secondes d'arrêt pour en lire quelques lignes...
Vieux solitaire, à quelques années de la retraite, Jean Dugommier ne s'est jamais marié. Il a peu d'amis. Il sort peu, sinon pour aller parfois au cinéma quand par hasard on joue un film historique. La plupart du temps, après sa journée de travail, il rentre dans son petit studio de la rue Alexandre-Dumas aux murs tapissés de livres d'histoire et il se plonge dans le récit d'une bataille, dans la biographie d'un roi célèbre ou la vie quotidienne des paysans au Moyen Age. Les jours de congé, il rend quelquefois visite aux bouquinistes des quais de la Seine et de temps en temps, quand il fait beau, il va se promener dans le Marais, au château de Versailles, ou bien il va visiter un musée.

C

Jean Dugommier lève la tête. Une dame lui parle.

Pardon, monsieur, pour aller à « Voltaire » ?

Prenez la direction « Bobigny », descendez à « République » et prenez la direction « Nation ». C'est la troisième station sur cette ligne.

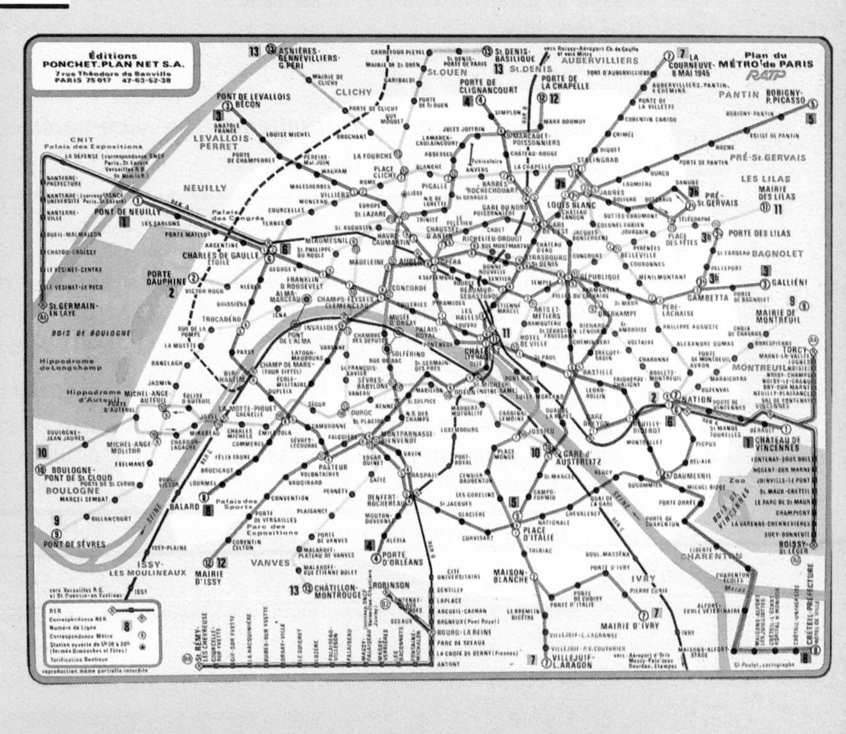

VOCABULAIRE ET GRAMMAIRE

■ L'ARMÉE – LA GUERRE – LA PAIX

• L'armée – les troupes

un soldat – un capitaine – un général
un héros
le service militaire obligatoire/facultatif
une caserne – un camp

se battre (battu)
je me bats nous nous battons il se battent

• La bataille – se battre – un ennemi

gagner une bataille — perdre une bataille
une victoire – un exploit — une défaite
vaincre — une retraite
avancer/reculer affronter/éviter – contourner

vaincre (vaincu)
Rare au présent Au futur : je vaincrai etc.

• L'armement

un pistolet – un revolver – un fusil
un pistolet-mitrailleur – une mitrailleuse
un canon – un tank – un missile – un navire de guerre – un avion de chasse
un sous-marin

• La paix

signer la paix / faire la paix
un traité de paix
provisoire/définitif

■ LA RÉCIPROCITÉ

1. La forme pronominale

Les deux armées s'affrontent.
Ils se sont rencontrés dans un café.
Ils se disent des secrets.

Quand ils jouent aux cartes, ils se disputent tout le temps.

2. Réciproquement – mutuellement – vice-versa

Ils se font mutuellement des cadeaux.

■ LE MÉTRO

• une station – une bouche de métro
une rame de métro
une ligne – la ligne « Vincennes-Neuilly »
une direction – la direction « Mairie des Lilas »
un couloir – un escalier mécanique
un plan – un panneau indicateur
• un ticket de métro – un carnet (10 tickets)

• monter dans le métro (en 1re classe
en seconde classe)
descendre du métro ... à + nom de la station
changer – prendre la correspondance pour...
• être pressé – se dépêcher
courir – se précipiter vers / dans / à ...
un métro, un autobus bondé

■ SITUER DANS LE TEMPS

par rapport au moment où l'on parle	*par rapport à un moment passé*
• *aujourd'hui, cette semaine* *ce mois-ci, cette année*	→ *ce jour-là, cette semaine-là* *ce mois-là, cette année-là*
• *hier, avant-hier*	→ *la veille, l'avant-veille*
• *demain, après-demain*	→ *le lendemain, le surlendemain*
• *la semaine dernière, le mois dernier*	→ *la semaine précédente – la semaine d'avant* *le mois précédent – le mois d'avant*
• *la semaine prochaine*	→ *la semaine suivante – la semaine d'après*
• *il y a 10 ans*	→ *dix ans avant*
• *dans 10 ans*	→ *dix ans après/plus tard*
• *maintenant*	→ *à ce moment là*

→ ***Succession des actions :***

Au commencement – d'abord ... puis – après – alors – ensuite ... finalement – à la fin.

■ FRÉQUENCE ET HABITUDE

1. La répétition de l'action

Il va au cinéma { ***le*** *samedi soir.* / ***tous*** *les samedis soirs.* / ***chaque*** *samedi soir.* }

Il va au cinéma ***une fois par*** *semaine.*
Il va ***toujours*** *au cinéma le samedi soir.*
Quand il est en vacances, ***il n'arrête pas*** *de dormir.*

2. L'habitude

• *avoir l'habitude de ...*
être habitué à ...

une habitude – une règle – une tradition – une coutume

c'est habituel / fréquent / normal | *exceptionnel / extraordinaire / occasionnel / rare*

profiter d'une occasion

• ***d'habitude – la plupart du temps – souvent – quelquefois – parfois – de temps en temps***
Le dimanche, il va parfois visiter un musée, mais la plupart du temps, il va se promener.

■ LES LIVRES – LA LITTÉRATURE

• *un roman (un romancier)*
un recueil de poésie (un poète)
un récit – une nouvelle
une biographie – un essai

• *un livre – une librairie – une bibliothèque*
un bouquin – un bouquiniste
un éditeur – une édition – publier un livre

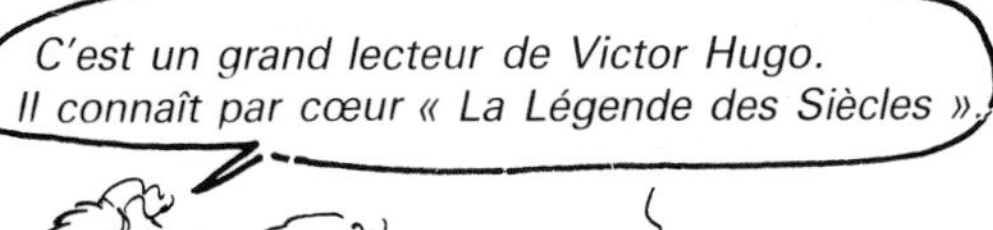

C'est un grand lecteur de Victor Hugo.
Il connaît par cœur « La Légende des Siècles ».

• *Critiquer – commenter – analyser ...*
le sujet – le style
l'histoire – l'intrigue
un suspense – un rebondissement – un épisode
un personnage – la psychologie

ACTIVITÉS

ACTIVITÉS

- ***Jean a parlé à Marie ?***
  Ils se sont parlé.
- ***Michel a vu Jacques?***
  Ils se sont vus.
- ***Est-ce que vous offrez ce livre à Pierre ?***
  Non, je ne le lui offre pas.
- ***Est-ce que vous demandez l'autorisation au directeur ?***
  Non, je ne la lui demande pas.

1. QUE DIRONT-ILS dans vingt ans quand ils raconteront ces moments?

a. *un général*

Aujourd'hui, nous attaquons.
Hier, nous avons rassemblé nos troupes.
Demain, les ennemis seront vaincus.

b. *un soldat*

Nous sommes le 3 novembre 1989.
Je me suis engagé dans l'armée il y a six mois.
Je quitterai l'armée dans dix ans.

J'ai commencé à composer
Le Barbier de Séville *mardi.*
Je terminerai dans quatorze jours.

« Ce jour-là, nous avons attaqué . . . »

2. COMPLÉTEZ ce conte égyptien en mettant les indications de temps

Autrefois, en Égypte, sur les bords du Nil, les paysans travaillaient dur. Il n'y avait pas assez d'eau pour arroser les cultures.

. . ., au coucher du soleil, un paysan qui travaillait au bord du fleuve a aperçu un panier. Dans ce panier, il y avait un bébé. C'était une fille. Il l'a adoptée et il l'a appelée Héba.

. . ., Héba avait grandi. C'était une belle jeune fille. Elle avait pour ami un jeune homme du village, Tarek.

. . . du mois de juin, à la clarté de la lune et des étoiles, Héba a quitté la maison de ses parents adoptifs, elle s'est dirigée vers le fleuve et là, elle a disparu. Mais Tarek l'avait vue. . . ., il avait dit à la jeune fille qu'il l'aimait. Elle n'avait pas répondu. Alors . . ., Tarek était triste. Il s'est assis au bord du fleuve et a attendu.

. . ., quand les oiseaux ont commencé à chanter, il a vu Héba ressortir du fleuve vêtue d'une robe de ciel et de lune. Il ne lui a pas posé de questions et les jours ont passé. Et pendant quelques mois, tout est redevenu normal.

Mais . . ., au mois de juin, Héba est retournée vers le fleuve et comme l'année . . . elle a disparu dans ses eaux profondes. Comme . . ., Tarek a attendu toute la nuit sur la rive, mais . . . matin, Héba n'est pas revenue.

. . ., il s'est passé une chose extraordinaire. Le fleuve s'est mis à monter et à recouvrir les cultures.

Héba n'est jamais revenue, mais depuis . . ., tous les ans, au mois de juin le Nil déborde et fertilise les cultures.

(D'après *La Fiancée du Nil* – CLE International.)

3. LES GRANDES BATAILLES DE L'HISTOIRE. Comment s'est-on battu aux différentes époques de l'histoire ? Si vous deviez faire un film de guerre, quelle époque choisiriez-vous ?

*1. **La bataille de Crécy (1346).** Pendant la guerre de Cent Ans. Les Français sont vaincus par les archers anglais. C'est la première bataille où l'on a utilisé des canons.*

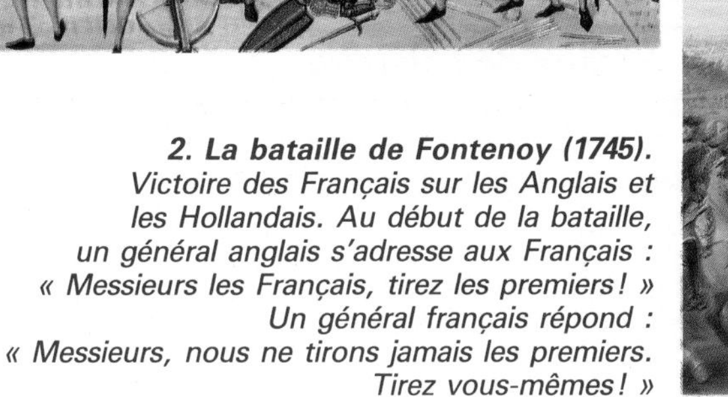

*2. **La bataille de Fontenoy (1745).** Victoire des Français sur les Anglais et les Hollandais. Au début de la bataille, un général anglais s'adresse aux Français : « Messieurs les Français, tirez les premiers ! » Un général français répond : « Messieurs, nous ne tirons jamais les premiers. Tirez vous-mêmes ! »*

MÉCANISMES

- ***Elle est toujours en train de dormir.***
  Elle n'arrête pas de dormir.
- ***Il est toujours en train de parler.***
  Il n'arrête pas de parler.

- ***Est-ce que vous me donnez l'autorisation ?***
  Non, je ne vous la donne pas.
- ***Est-ce qu'il vous emprunte votre voiture ?***
  Non, il ne me l'emprunte pas.

4. ÉCOUTEZ ! Ils parlent de leurs activités. Quelles activités font-ils ? A quelle fréquence ?

Noms	Activité	Fréquence
Michel	*Ski*	*De temps en temps. Au moins une fois par an*
Annie	....	....
Pierre	....	....

5. TROUVEZ DES ACTIVITÉS QUE VOUS FAITES...

- *le dimanche*
- *un dimanche de temps en temps*
- *chaque année*
- *quelquefois*
- *tous les jours*
- *rarement*
- *la plupart du temps*
- *jamais*

Interrogez votre voisin(e)

6. FAITES CE SONDAGE EN CLASSE

Testez votre agressivité

- *Vous vous mettez en colère ...* ☐ *souvent* ☐ *quelquefois* ☐ *jamais*
- *Vos colères sont ...* ☐ *brèves mais violentes* ☐ *longues et violentes* ☐ *brèves et mesurées* ☐ *longues mais mesurées*
- *Au cours de vos colères vous pouvez ...* ☐ *frapper une personne* ☐ *casser quelque chose* ☐ *crier* ☐ *vous isoler*
- *Dans votre enfance, vous battiez-vous...* ☐ *fréquemment* ☐ *exceptionnellement* ☐ *jamais*
  Et aujourd'hui, ... ☐ ☐ ☐
- *Regardez-vous des spectacles violents (films, matchs de boxe, etc.)* ☐ *habituellement* ☐ *occasionnellement* ☐ *rarement*
- *Le fait de taquiner les autres est-il chez vous ...* ☐ *habituel* ☐ *exceptionnel*

Imaginez les questions d'un sondage sur les goûts en lecture.

7 REMETTEZ dans l'ordre les morceaux de l'histoire

La Chanson de Roland *est la grande œuvre la plus ancienne de la littérature française. Voici le résumé du moment le plus célèbre de cette histoire : la bataille de Roncevaux. La bataille de Roncevaux a bien eu lieu en 778 mais la réalité historique est sans commune mesure avec l'œuvre littéraire épique.*

a. Marsile, encouragé par le Français Ganelon qui déteste Roland, décide de ne pas tenir sa promesse. Il rassemble une armée importante et il se lance à la poursuite de l'arrière-garde de l'armée de Charlemagne.

b. Roland reste seul. Un Sarrasin veut lui voler son épée « Durandal ». Roland tue le Sarrasin(1) et, dans un dernier effort, essaie de briser son épée sur les rochers pour que les ennemis ne la lui prennent pas. Sous le choc, une large brèche s'ouvre dans le rocher, mais l'épée reste intacte.

c. Olivier demande à Roland de sonner du cor pour avertir Charlemagne. Mais Roland refuse. Il se croit capable de vaincre les Sarrasins sans l'aide de son oncle.

d. L'empereur Charlemagne revient d'Espagne. À la tête de son armée, il vient de traverser les Pyrénées. Il a vaincu toutes les villes d'Espagne, sauf Saragosse qui est tenue par le Sarrasin Marsile. Celui-ci a promis la paix à Charlemagne.

e. Alors, il se couche face contre terre, place son épée sous lui et attend la mort. Au moment de mourir, il tourne la tête vers l'Espagne.

f. L'arrière-garde de l'armée de Charlemagne, plus de 20 000 hommes, est commandée par Roland, son neveu. Roland, a, à ses côtés, son ami Olivier. Tous deux sont des guerriers courageux.

g. La bataille commence. Les Français se battent courageusement. Mais les Sarrasins sont nombreux. Bientôt, la plupart des Français sont morts. Roland se décide à sonner du cor(2) pour avertir son oncle. Mais c'est trop tard, Olivier et les derniers soldats français sont tués. Roland est blessé.

h. Roland et son armée sont encore dans les montagnes. Tout à coup, Olivier aperçoit au loin, vers le sud, l'armée de Marsile qui approche.

(1) ***Sarrasins*** *: musulmans venus du nord de l'Afrique et occupant l'Espagne au Moyen Âge.*
(2) ***cor*** *: instrument à vent servant à appeler (c'est aussi un instrument de musique).*

Faites la liste des personnages en indiquant leurs relations (parent, ami, ennemi, etc.).
Remettez dans l'ordre les huit moments de cette histoire.
Racontez cette histoire au passé. *« C'était en 778, ...*

Imaginez et jouez les scènes.

***d** : le dialogue entre Charlemagne et Marsile.*
***a** : le dialogue entre Ganelon et Marsile.*
***c** : le dialogue entre Roland et Olivier.*

Connaissez-vous un épisode de l'Histoire de votre pays qui a été « chanté » par les poètes ? Racontez-le !

MÉCANISMES

- ***Est-ce que vous avez offert le cadeau à Martine ?***
  Non, je ne le lui ai pas offert.
- ***Est-ce qu'ils ont donné les cadeaux aux enfants ?***
  Non, ils ne les leur ont pas donnés.
- ***Est-ce que vous m'avez apporté le livre ?***
  Non, je ne vous l'ai pas apporté.
- ***Est-ce que tu nous as préparé le repas ?***
  Non, je ne vous l'ai pas préparé.

8. ILS SONT PERDUS. Ils demandent leur chemin. Imaginez les dialogues et jouez-les

dans le métro — ***en ville*** — ***sur la route*** — ***dans l'espace*** — ***dans le temps***

9. UN POÈME DE VICTOR HUGO À LA GLOIRE DE NAPOLÉON Ier

Les armées de Napoléon ont été vaincues en Russie. Elles font retraite par un hiver glacial.

Il neigeait. On était vaincu par sa conquête.
Pour la première fois l'aigle(1) baissait la tête.
Sombres jours ! L'empereur revenait lentement,
Laissant derrière lui brûler Moscou fumant.
Il neigeait. L'âpre(2) hiver fondait en avalanche.
Après la plaine blanche une autre plaine blanche.
On ne connaissait plus les chefs ni le drapeau.
Hier la grande armée, et maintenant troupeau.
On ne distinguait plus les ailes ni le centre.
Il neigeait. Les blessés s'abritaient dans le ventre
Des chevaux morts ; au seuil des bivouacs(3) désolés
On voyait des clairons(4) à leur poste gelés,
Restés debout, en selle et muets, blancs de givre,
Collant leur bouche en pierre aux trompettes de cuivre.
Boulets(5), mitraille(6), obus(7), mêlés aux flocons blancs,
Pleuvaient ; les grenadiers(8), surpris d'être tremblants,
Marchaient pensifs, la glace à leur moustache grise.
Il neigeait, il neigeait toujours !

Les Châtiments, « L'Expiation ».

*(1) **l'aigle** : Napoléon. (2) **âpre** : dur. (3) **un bivouac** : campement de l'armée. (4) **un clairon** : sorte de trompette. (5,7) **un boulet, obus** : projectiles que tirent les canons. (6) **la mitraille** : fragments projetés après l'éclatement d'un obus. (8) **un grenadier** : soldat d'élite de Napoléon*

Relevez toutes les indications relatives à l'hiver.
Cherchez les éléments qui indiquent qu'il s'agit d'une défaite.
Faites la liste des images que l'on peut voir en lisant le texte.

RÊVES DE GLOIRE

A ***Ce jour-là, quand Jean Dugommier arrive au terminus de la ligne, son chef de servic[e] Robert Colonna, l'appelle.***

Dugommier ! J'ai encore des reproches à vous faire. Non seulement vous avez quinze minutes de retard... mais en plus, vous vous êtes arrêté plus de huit minutes à Pigalle.

Je n'y suis pour rien. Quelqu'un a tiré le signal d'alarme.

Ce n'est pas tout. Vous ne vous êtes pas arrêté à Philippe-Auguste. Là, vous n'avez aucune excuse.

C'était pour rattraper mon retard. Il n'y avait personne sur le quai.

Dugommier, ou bien vous vous moquez de moi, ou bien vous êtes inconscient. Une chose est certaine. Ça ne peut pas continuer. Soit vous observez le règlement, soit je vous mets à la retraite anticipée.

Jean Dugommier renonce à continuer la discussion. Voilà vingt ans qu'il subit les réprimandes de Colonna... Depuis longtemps, il s'est résigné à se taire. Il remonte dans sa cabine de pilotage et repart pour un autre trajet.

B ***C'est en traversant la station Alésia que Jean Dugommier commence à rêver.***

ALÉSIA

Ah ! Si, par un coup de baguette magique, je pouvais vivre dans un autre siècle, je ne serais pas un simple conducteur de métro...

Si je pouvais être transporté dans le temps, je choisirais d'être Jules César et tous les peuples de la terre se courberaient devant moi...

Et il s'imaginait en général romain recevant à Alésia les armes de Vercingétorix. Dans son imagination, Vercingétorix ressemblait à Robert Colonna.

Au Ier siècle avant J.-C., la situation en Gaule était confuse. Les tribus gauloises se faisaient la guerre et devaient en même temps repousser des envahisseurs venus du Nord, de l'Est et de Rome qui possédait déjà le Sud de la France actuelle.
A la tête d'une puissante armée romaine, Jules César s'efforce de vaincre les tribus gauloises les unes après les autres. Mais un jeune chef gaulois, Vercingétorix, réussit à faire l'unité entre ces différentes tribus. Les Romains subissent quelques défaites.
Vercingétorix et son armée s'enferment dans la ville forteresse d'Alésia. Jules César entoure alors la ville de murs et de tours. Les Gaulois sont prisonniers.
Aucun ne peut s'échapper. Aucun secours ne peut arriver. Les Gaulois résistent plusieurs mois mais la famine les oblige à se rendre... Jules César raconte ainsi la fin de la guerre :
« Les Gaulois envoient des députés à César. Celui-ci ordonne que les chefs remettent leurs armes et se rendent. Il se place en avant du camp et c'est là que les chefs lui sont conduits. Vercingétorix est livré. Ses armes sont jetées aux pieds de César. »

César, *La Guerre des Gaules.*

C

Station Louvre. Au-dessus, le grand musée où ont vécu les plus grands rois de France. Louis XIV y a habité jusqu'à ce qu'il fasse construire Versailles... Jean Dugommier continue son rêve... « Si j'avais été Louis XIV, les plus grands seigneurs seraient devenus mes courtisans. J'aurais été le maître absolu. J'aurais gouverné seul avec quelques conseillers que j'aurais choisis parmi les moins riches et les plus intelligents. Les plus grands musiciens auraient organisé pour moi des fêtes somptueuses. Les plus grands écrivains comme Molière ou Racine auraient écrit pour moi et les plus grands sculpteurs m'auraient élevé de magnifiques statues... »

Louis XIV était un grand travailleur.

« Il préside à tous les conseils et il sait tout ce qui se passe au-dedans et au-dehors de son royaume. »

Mademoiselle de Montpensier.

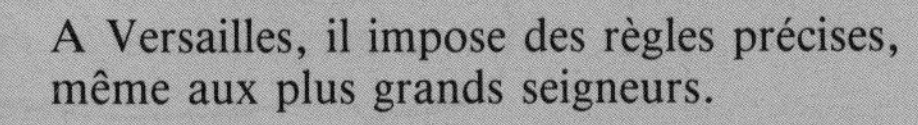

A Versailles, il impose des règles précises, même aux plus grands seigneurs.

« Rien de plus exactement réglé que ses heures et ses journées. Avec un calendrier et une montre, on pouvait, à trois cents lieues, dire avec justesse ce qu'il faisait. »

Saint-Simon.

Il aime le luxe.

*« Il aimait la splendeur,
la magnificence, la profusion,
le luxe. »*

Saint-Simon.

*On l'appelle le « Roi-soleil ».
Il dit qu'il tient son pouvoir de Dieu.
« Le roi est l'image de Dieu. »*

Bossuet.

LEÇON 2

VOCABULAIRE ET GRAMMAIRE

■ RÉPRIMANDER

• Faire une observation, un reproche – reprocher
Réprimander – gronder (un enfant)
Punir (une punition)

• S'excuser
« Ce n'est pas de ma faute. »
« Je ne suis pas responsable. »
« Je n'y suis pour rien. »

■ LE CONDITIONNEL

Si elle me téléphone, nous irons au restaurant.

Il fait des projets

Si elle me téléphonait, nous irions au restaurant.

Il rêve

1. Phrase conditionnelle au présent
Si + imparfait → conditionnel présent

STAGE ETE
Si j'étais plus jeune, je ferais de la planche à voile.

Conditionnel présent ***Radical du futur + ais, ais, ait, ions, iez, aient***	
acheter	***aller***
j'achèterais	*j'irais*
tu achèterais	*tu irais*
il/elle/on achèterait	*il/elle/on irait*
nous achèterions	*nous irions*
vous achèteriez	*vous iriez*
ils/elles achèteraient	*ils/elles iraient*

2. Phrase conditionnelle au passé
Si + plus-que-parfait → conditionnel passé

Si tu étais arrivé plus tôt tu aurais dîné avec nous.

Conditionnel passé ***« Avoir » ou « Être » au conditionnel + participe passé***	
acheter	***aller***
j'aurais acheté	*je serais allé(e)*
tu aurais acheté	*tu serais allé(e)*
il/elle/on aurait acheté	*il/elle/on serait allé(e)*
nous aurions acheté	*nous serions allé(e)s*
vous auriez acheté	*vous seriez allé(e)s*
ils/elles auraient acheté	*ils/elles seraient allé(e)s*

■ L'ENCHAÎNEMENT DES PHRASES

• Quand on a plusieurs arguments à présenter :
Premièrement … deuxièmement … d'abord … ensuite …
Non seulement … en plus/mais en plus/mais encore …
De plus …
D'une part … d'autre part/par ailleurs.
D'ailleurs.

• Quand on donne à choisir :
→ Soit … soit …
→ Ou … ou (bien) …

ESSAYER – RÉUSSIR – ÉCHOUER

- ***Essayer*** – *un essai*
  « Il essaie d'ouvrir la porte. »
  « Elle essaie une robe. »
  tenter (de) – une tentative
  s'efforcer (de) – un effort
  tâcher (de) ...
- ***Faillir*** *(conjugué seulement au passé).*
  Il a failli réussir.
  Il a failli tomber dans la rivière.
- ***Réussir*** – *une réussite*
  un succès
  arriver à
  « il est arrivé à ouvrir la porte »
- ***Échouer*** – *un échec*
  Il n'est pas arrivé à faire démarrer sa voiture.
  Il a échoué à son examen.

essayer (essayé)
j'essaie *nous essayons* *ils essaient*

réussir (réussi)
je réussis *nous réussissons* *ils réussissent*

Il a failli nous écraser.

RENONCER – SE RÉSIGNER À ...

Tant pis!
Je renonce à continuer.

Nous n'avons pas gagné à la loterie.
Je n'y peux rien. Tant pis!

L'HISTOIRE

- ***L'époque***

la Préhistoire
l'Antiquité
le Moyen Âge
la Renaissance
l'époque classique (XVIIe et XVIIIe s.)
l'époque contemporaine (XIXe et XXe s.)

- ***Un événement historique...***

se passe / a lieu / se déroule } *en 1789 / au XXe siècle*

- ***Les groupes humains***

un peuple
une tribu
une race
une nation

- ***Le gouvernement***

une monarchie : un roi – une reine
un empire : un empereur
une dictature : un dictateur
une république : un parlement
un président
} *gouverner / diriger / présider*

- ***La conquête***

conquérir – une conquête
envahir – une invasion – les envahisseurs
se rendre : « Vercingétorix s'est rendu... »
repousser les envahisseurs, les ennemis
prendre une ville – occuper la ville – assiéger une ville
délivrer la ville

- ***La Cour du roi***

un seigneur – un chevalier (Moyen Âge)
la noblesse – les nobles
un courtisan

- ***Le luxe***

C'est luxueux
splendide
magnifique
somptueux

ACTIVITÉS

A MÉCANISMES

- ***Tu as emprunté un livre à André?***
  Oui, je lui en ai emprunté un.
- ***Elle a envoyé une lettre à ses parents.***
  Oui, elle leur en a envoyé une.
- ***Vous avez parlé du projet à M. Vernet?***
  Non, je ne lui en ai pas parlé.
- ***Il a apporté des disques à Mireille?***
  Non, il ne lui en a pas apporté.

1. ROBERT COLONNA fait l'éloge de ses employés. Construisez son discours en utilisant les expressions de la rubrique « L'enchaînement des phrases » p. 162

Raymond Fabre est compétent. Il possède une excellente formation.
Il est sérieux et efficace. Il a le sens des responsabilités. Il sait aussi prendre des initiatives.
Il est toujours très ponctuel. Il arrive toujours à l'heure et il fait même des heures supplémentaires sans qu'on le lui demande.
Il a toujours parfaitement observé les règlements.
Il a de bonnes relations avec ses collègues et avec ses chefs.
Il est toujours de bonne humeur. Il aime plaisanter. Il est apprécié de ses collègues sans exception.

2. CONTINUEZ EN IMAGINANT DEUX POSSIBILITÉS

- *Ce soir nous devons rester à la maison... Ou nous regardons la télé, ou bien, ...*
- *Dans cette entreprise, monsieur, il faut observer le règlement! Alors, soit ...*
- *Agnès se prépare pour aller à une soirée. Elle hésite entre deux robes ...*
- *Patrick! Arrête d'entrer et de sortir! ...*
- *Henri, ça fait dix ans que nous vivons ensemble. Mais depuis quatre ans nous n'arrêtons pas de nous disputer. Alors, de deux choses l'une : ...*

3. IMAGINEZ ET JOUEZ LES SCÈNES. Ils font leur métier d'une drôle de manière

a/ *Un agent de police qui n'a pas le sens des responsabilités se fait réprimander par le commissaire.*

b/ *Un professeur original et anticonformiste se fait réprimander par le directeur de l'école.*

4. RÉDIGEZ LA LETTRE

Le directeur de l'école se plaint de l'élève Mathieu Ferrier (son comportement, son travail, etc.). Il écrit aux parents de Mathieu.

Rédigez la lettre

Après avoir reçu la lettre du directeur, Mme Ferrier va voir le directeur.

Jouez la scène.

MÉCANISMES

- ***Quand j'ai soif, je bois du jus d'orange***
  Si j'avais soif, je boirais du jus d'orange.
- ***Quand elle a mal à la tête, elle se couche***
  Si elle avait mal à la tête, elle se coucherait.
- ***Quand je sors, je ne vais pas au théâtre.***
  Si je sortais, je n'irais pas au théâtre.
- ***Quand il fait froid, il ne met pas de manteau.***
  S'il faisait froid, il ne mettrait pas de manteau.

5. METTEZ les verbes entre parenthèses à la forme qui convient

Michel a rencontré Martine, il y a quelques semaines.

André : Tu crois que Martine va te téléphoner?
Michel : Oui, elle me l'a promis. Si elle me ***(téléphoner)*** *nous* ***(aller danser)*** *au Pop Club.*
André : Tu l'aimes bien Martine! Si elle ***(vouloir)*** *t'épouser, qu'est-ce que tu* ***(faire).***
Michel : Je crois que je ne ***(être)*** *pas d'accord, je suis trop jeune.*

La société Chamfort fabrique des fours à micro-ondes.

Le journaliste : Vous allez bientôt lancer votre nouveau four sur le marché?
Le directeur : Oui, c'est prévu. Si nous le ***(lancer)*** *en Europe, il* ***(se vendre)*** *bien. C'est certain.*
Le journaliste : Et au Japon?
Le directeur : Ce sera plus difficile. La concurrence est dure. Mais si le gouvernement ***(arriver)*** *à signer un accord commercial, nous* ***(avoir)*** *peut-être une chance.*

6. RÊVEZ ! Que souhaiteriez-vous être? Que feriez-vous?

- *Si vous étiez une star.*
- *Si vous étiez très belle (ou beau).*
- *Si vous n'aviez plus besoin de travailler pour vivre.*
- *Si vous aviez le pouvoir et la gloire.*

Le Festival du cinéma à Cannes

Pêcheur à la ligne

- ***Que seriez-vous? Que feriez-vous? Si vous pouviez recommencer votre vie. Si après votre mort vous deviez renaître dans un animal, etc.***

7. ILS FONT DES SUPPOSITIONS. Continuez les phrases

- *Une actrice au chômage à un ami : « Si j'arrivais à avoir le rôle principal dans le prochain film de Woody Allen... »*
- *Une femme à une autre femme : « Si tu achetais une machine à laver... »*
- *Le mari à sa femme (en parlant des voisins) : « S'ils étaient un peu plus aimables ... »*
- *Un agriculteur à un autre agriculteur : « Si nous avions enfin de la pluie ... »*

8. RÉDIGEZ LES LETTRES

Jean Berthaud passe ses vacances dans un club hippique. Il voulait apprendre à monter à cheval. Mais après dix jours d'essai, il renonce. Il écrit à une amie pour lui raconter ses expériences.

Ils ont essayé
Ils ont échoué
Ils ont refait d'autres tentatives
Ils ont failli réussir
Ils ont fait beaucoup d'efforts
Mais ils ne réussissent pas
Ils renoncent
Ils se résignent
(Voir vocabulaire p. 163)

Vous êtes allé passer un mois dans un pays étranger. Vous pensiez que vous alliez rencontrer les gens du pays, que vous alliez perfectionner votre connaissance de leur langue. Mais quinze jours plus tard, vous renoncez à essayer de vous faire des amis. Racontez !

9. IMAGINEZ CE QU'ILS SE SONT DIT

L'Histoire ne raconte pas ce que Jules César et Vercingétorix se sont dit après la défaite d'Alésia. Imaginez leur conversation.

MÉCANISMES

- **Quand je pars à l'étranger, je prends l'avion.**
  Donc, si j'étais parti à l'étranger, j'aurais pris l'avion.
- **Quand on cherche, on trouve.**
  Donc, si on avait cherché, on aurait trouvé.
- **Quand je suis malade, je ne sors pas.**
  Donc, si j'avais été malade, je ne serais pas sorti(e).
- **Quand elle met cette robe, tout le monde se moque d'elle.**
  Donc, si elle avait mis cette robe, tout le monde se serait moqué d'elle.

10. CONTINUEZ LES PHRASES. Ils font des suppositions

Rêves
- *Un paysan : « Si j'avais trouvé du pétrole dans mon champ ... »*
- *Un brave père de famille : « Si j'avais gagné au loto ... »*

Regrets
- *Le couple âgé : « Si nous avions eu un enfant ... »*
- *L'étudiant qui n'a pas pu avoir son diplôme : « Si j'avais réussi à mon examen ... »*

Reproches
- *L'entraîneur au sportif : « Si tu t'étais entraîné sérieusement ... »*
- *L'agent de police à un automobiliste : « Si vous aviez freiné plus tôt ... »*

11. QU'AURAIENT-ILS ÉTÉ ? Qu'auraient-ils fait, s'ils avaient vécu à une autre époque ?

Si Charles Lindbergh *(aviateur américain, le premier à traverser l'Atlantique en avion),* **Michel Platini** *(joueur de football français célèbre dans les années 80),* **Marilyn Monroe** *(actrice américaine),* **Indira Ghandi** *(femme politique hindoue) etc.* **avaient vécu**
a/ Dans l'Antiquité b/ Au Moyen Âge c/ Au XVe, XVIe siècle qu'auraient-ils fait ? Et vous ? Qu'auriez-vous été, qu'auriez-vous fait ?

Les Arènes de Nîmes (1er siècle avant J.-C.). Des combats de gladiateurs et des jeux s'y déroulaient dans l'Antiquité.

La tapisserie de Bayeux. Broderie qui raconte la lutte entre deux seigneurs au Moyen Âge.

12. ÉCOUTEZ CES ANECDOTES DE L'HISTOIRE DE FRANCE !

Identifiez a/ *l'époque* **b/** *les personnages* **c/** *les événements.*

13. UN POÈME DE JACQUES PRÉVERT

Si j'avais une sœur
Je t'aimerais mieux que ma sœur
Si j'avais tout l'or du monde
Je le jetterais à tes pieds
Si j'avais un harem
Tu serais ma favorite.

in *Fatras*, © Éd. Gallimard.

Continuez ce poème d'amour en employant des vers de même structure.
« Si j'avais un jardin... »

RÊVES D'ENFANCE

A

Il y a 40 ans... Une classe de 5e dans un collège parisien. Le professeur de français donne des explications.
« Je vais vous expliquer une règle de grammaire difficile et je vous serais reconnaissant d'écouter attentivement. Le participe passé employé avec le verbe "avoir" s'accorde en genre et en nombre avec le complément d'objet direct du verbe.

Je précise qu'il s'accorde seulement quand le complément est placé avant le verbe... Autrement dit, si le complément est après le verbe, il n'y a pas d'accord. Vous me suivez? C'est clair? Pour être plus précis, je vais donner des exemples... »
Le professeur continue son monologue. Tous les élèves semblent écouter. Mais au fond de la classe, caché derrière un grand, le jeune Jean Dugommier baisse les yeux sur son livre d'histoire ouvert sur ses genoux. Indifférent aux aventures du participe passé, il lui est égal que la leçon soit ennuyeuse... En effet, l'héroïne qui le passionne est maintenant prisonnière des Anglais.

B

Dans la campagne où elle gardait s
moutons, Jeanne d'Arc avait entenc
des voix : sainte Catherine et sai
Michel lui avaient parlé. Ils lui avaie
dit qu'elle pouvait repousser l
Anglais hors du royaume et vainc
leurs partisans français. Ils lui avaie
affirmé que le vrai roi de Fran
n'était pas l'Anglais Philippe mais
Français Charles.
Bien qu'elle soit très jeune, elle éta
allée voir le seigneur des environ
Après beaucoup d'hésitations, celu
ci lui avait donné un cheval, un
armure et une escorte de six homme
Elle pourrait ainsi aller jusqu'à Ch
non où se trouvait le roi Charles VI

algré les dangers, elle était arrivée à Chinon sans inci-
nts. Bien qu'elle n'ait jamais vu le roi, elle l'avait
onnu caché au milieu d'autres seigneurs. Elle lui avait
qu'elle délivrerait la ville d'Orléans, qu'elle repous-
ait les armées anglaises et que lui, Charles, serait bien-
sacré à Reims.

roi l'avait crue.

ors elle avait pris la tête de la misérable armée fran-
se épuisée par de longues années de guerre et elle lui
ait redonné du courage.

e avait délivré Orléans. Elle avait conduit Charles VII
Reims où il avait été sacré roi de France.

is la glorieuse aventure de Jeanne n'allait durer que
elques mois.

jour-là, elle était prisonnière des partisans du roi
Angleterre. On allait la juger...

jour du mois de mai 1431 on la brûlerait sur la place
Rouen.

C ***L'élève Dugommier tourne les pages de son livre d'histoire... Parmi les rares mmes qui s'y trouvent, il est fasciné par une princesse au pur visage ovale, à la taille fine et ancée et aux vêtements richement brodés. Elle évoque la perfection et la beauté.***

le paraît indifférente aux bijoux qu'elle est en train de déposer dans un coffret. On dirait qu'elle nse à autre chose. Peut-être au seigneur qui lui a offert ces bijoux et qui se bat, loin d'elle, dans les mées du roi. Jean Dugommier regarde longuement « la Dame à la licorne ». Elle lui fait penser une jeune fille qu'il a rencontrée récemment chez des amis de ses parents et qu'il voudrait bien revoir... Dugommier! Au tableau! » Jean Dugommier sursaute. La voix du professeur l'a surpris au milieu ses rêves. Il se lève... Il va devoir expliquer la règle du participe passé sous les rires de ses marades de classe.

VOCABULAIRE ET GRAMMAIRE

L'ÉCOLE

l'enseignement – enseigner (à) – apprendre
un enseignant

(L'élève apprend à compter
Le professeur apprend aux élèves à compter.)

- *un instituteur / une institutrice* | *l'école maternelle / l'école primaire*
- *un professeur* | *un collège / un lycée / à l'université*

- **Un élève** *bon/mauvais*
  travailleur/paresseux – négligent
  attentif/distrait
  ordonné/désordonné
  tranquille/bavard – agité

- **Dans le sac/le cartable**

un stylo (feutre/à bille/plume)
un crayon – une gomme – une règle
un cahier – un carnet – un classeur

- **Un enseignant** *sévère (indulgent)*
  chahuté (le chahut
  chahuter)

- *l'enseignement public/privé – confessionnel*
  une bourse – un boursier
  prendre/donner des leçons particulières

- **Les disciplines**

le français – les mathématiques
les langues – l'histoire – la géographie – l'économie
les sciences naturelles – la physique – la chimie – la biologie
le dessin – la musique – l'éducation physique et sportive

EXPLIQUER

- **Pour demander une explication**
  Vous pouvez m'expliquer... – Qu'est-ce que vous voulez dire? – Qu'est-ce que ça signifie?

- **Pour présenter une explication**
  Je vais vous expliquer. – Je m'explique. – Voici l'explication.

- **Pour répéter sous une autre forme**
  C'est-à-dire (que)... – autrement dit... – je veux dire que... – en d'autres termes...

- **Pour préciser, donner un exemple**
  Je précise. – Pour être plus précis... – Par exemple... – Je vais donner un exemple...

- **Pour vérifier que vous êtes compris**
  Ça va? Vous me suivez? C'est clair? C'est compris?

- **Pour résumer**
  Je résume. En résumé... En somme...

L'ACCORD DU PARTICIPE PASSÉ

1. Avec le verbe être

Pierre est allé au cinéma.
Ils sont allés en ville.

– Marie est allée au théâtre
– Elles sont allées à la campagne

} **accord avec le sujet**

2. Avec le verbe avoir

Il a construit sa maison.
Voici **la maison** *qu'il a construite.*
Sa maison, il **l'***a construite lui-même.*

} **accord avec le complément direct quand il est placé avant le verbe**

EMPLOIS DU CONDITIONNEL

1. Dans les phrases conditionnelles (voir p. 162).

2. Pour exprimer un souhait ou une demande.
« Je voudrais ... Est-ce que tu pourrais...? Je souhaiterais ...
Ils aimeraient aller au concert ce soir »

3. Pour exprimer le futur dans le passé.
Hier matin, il m'a dit qu'il partirait à 10 h.

Hier		**Aujourd'hui**
il m'a dit ...	**qu'il partirait**	
↑	↑	
8 h	**10 h**	

RAPPORTER UN DISCOURS AU PASSÉ

Aujourd'hui, il dit ...	**Hier, il a dit ...**
• qu'il fait beau	• qu'il faisait beau (imparfait)
• qu'il fera beau	• qu'il ferait beau (conditionnel)
• qu'il a dîné	• qu'il avait dîné (plus-que-parfait)
• qu'il faisait beau hier	• qu'il avait fait beau avant-hier (plus-que-parfait)

POUR OPPOSER DEUX ACTIONS

Il fait très froid ↔ Elle se promène.

- Il fait très froid **mais** elle se promène.
- Il fait très froid. **Pourtant,** elle se promène.
- Il fait très froid. Elle se promène **quand même.**
- **Malgré** le froid, elle se promène.
- **Bien qu'**il fasse froid, elle se promène.
  (bien que + subjonctif)
- **Au lieu de** rester chez elle, elle se promène.

Bien que l'eau soit glacée
je me baigne.

LA DESCRIPTION DES PERSONNES

- **Les verbes de description :** sembler – paraître
  ressembler à ...
  faire penser à ...
  rappeler

paraître (paru)
je parais il paraît nous paraissons ils paraissent

- **Le visage**

ovale/carré/allongé

- **Le corps**

être mince – élancé
être fort – corpulent – gros

- **Les joues**

pleines/creuses

- **La taille**

fine/épaisse

- **La peau**

claire/brune – dorée
bronzée – foncée
fine – douce/ridée

- **Le teint**

frais – rose/pâle

- **Les vêtements** (matière)

une étoffe – un tissu
la soie – le velours – la laine – le coton – la toile
un tissu synthétique
brodé (broder) boutonné (boutonner – un bouton)
tricoté (tricoter) noué (nouer – un nœud)
cousu (coudre) lacé (lacer – un lacet)

- **Les cheveux**

bruns/blonds/châtains/roux
raides/frisés
épais/clairsemés – être chauve

- **Les bijoux**

un collier – un bracelet – une bague
des boucles d'oreilles

ACTIVITÉS

MÉCANISMES

- ***Tu as écrit ces lettres?***
  Oui, je les ai écrites.
- ***Vous avez pris votre douche?***
  Oui, je l'ai prise.
- ***Elle a appris ses leçons?***
  Non, elle ne les a pas apprises.
- ***Vous avez traduit ces pages?***
  Non, je ne les ai pas traduites.

1. METTEZ les participes passés à la forme qui convient

- *Florence n'a pas encore* ***(obtenu)*** *sa bourse d'études. Elle l'a* ***(demandé),*** *il y a 15 jours.*
- *À l'examen, je suis tombé(e) sur une question que j'avais* ***(appris)*** *la veille. Bien entendu, j'ai* ***(su)*** *parfaitement y répondre.*
- *Mme Marti, professeur de français, a* ***(demandé)*** *aux élèves de recopier les phrases qu'ils n'avaient pas bien* ***(compris).***
- *Le professeur a* ***(illustré)*** *son cours avec des diapositives qu'il avait* ***(apporté).***

2. COMMENTEZ cet emploi du temps d'un élève français de 12 ans qui est en classe de 5e (2e année du secondaire)

Que pensez-vous : *a/ des horaires?* **b/** *du nombre d'heures pour chaque matière?*

	LUNDI	MARDI	JEUDI	VENDREDI	SAMEDI
8 h	*Math*	*Sport*	*Éducation civique*	*Français*	*Anglais*
9 h	*Français*	*Sport*	*Biologie*	*Anglais*	*Math*
10 h	*Latin*	*Français*	*Anglais*		
11 h	*Histoire*	*Math*	*Math*	*Sport*	
12 h					
14 h	*Travaux manuels*	*Géographie*	*Dessin*	*Français*	
15 h		*Biologie*	*Physique*	*Français*	
16 h	*Musique*	*Anglais*			

Rédigez et présentez l'emploi du temps scolaire idéal pour un enfant de 12 ans.

3. RÉDIGEZ LES EXPLICATIONS

Vous partez en vacances. Votre cousin va venir passer quelques jours chez vous en votre absence. Vous lui laissez un mot pour lui expliquer le fonctionnement de votre chaîne hi-fi.

Cher Yves,

Sois le bienvenu à la maison et passe un bon séjour. J'espère que tu n'auras aucun problème. Cependant, à propos de la chaîne laisse-moi te donner quelques conseils...

4. COMMENT IMAGINEZ-VOUS L'ÉCOLE IDÉALE ?

Une école primaire « ouverte »
Les classes ne sont pas totalement séparées. Les enfants peuvent circuler librement et se regrouper selon les activités.

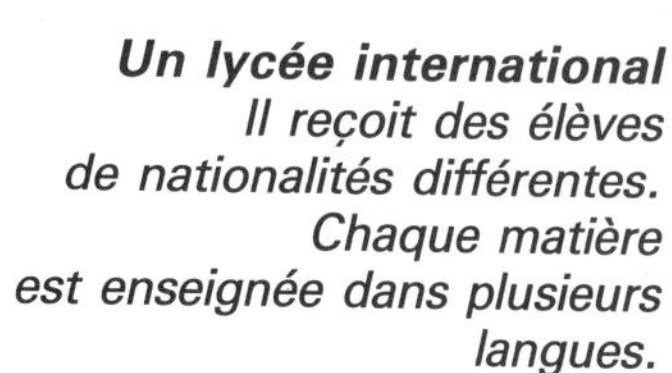

Un lycée international
Il reçoit des élèves de nationalités différentes. Chaque matière est enseignée dans plusieurs langues.

MÉCANISMES

- ***Il pleut. Elle sort quand même.***
  Elle sort malgré la pluie.
- ***Il a échoué. Il sourit quand même.***
  Il sourit malgré son échec.
- ***Il fait froid. Je sors quand même.***
  Je sors bien qu'il fasse froid.
- ***Il y a du bruit. Il dort quand même.***
  Il dort bien qu'il y ait du bruit.

5. POUVEZ-VOUS, à l'aide des mots entre parenthèses, relier ces phrases deux à deux pour n'en former qu'une seule ?

- *Jacques a de la fièvre. Il va travailler.* ***(bien que)***
- *Cette élève est très attentive. Elle ne comprend pas l'explication.* ***(pourtant)***
- *L'eau est glacée. Il se baigne.* ***(bien que)***
- *La météo annonce du mauvais temps. Ils sont partis dans la montagne.* ***(malgré)***
- *Le sujet de ce livre ne m'intéresse pas. Je vais le lire à cause du style de l'auteur.* ***(quand même)***
- *Les ennemis sont nombreux. Les soldats ne perdent pas courage.* ***(bien que)***

6. ILS ONT RENCONTRÉ beaucoup de problèmes. Imaginez lesquels

Exemple : *Il a réussi à être champion du monde ...* **malgré la** *force de son adversaire,* **bien que** *sa condition physique ne soit pas excellente. Il avait* **pourtant** *eu de mauvais résultats aux essais, etc.*

- *L'armée a gagné la bataille ...*
- *Mireille est enfin guérie ...*
- *Son jardin est enfin fleuri ...*
- *Patrice Dubourg, présentateur du Journal de 20 h sur* Antenne 4, *est devenu le plus apprécié des présentateurs de télévision ...*
- *La ville possède enfin un grand théâtre ...*
- *Nous assistons enfin au redressement économique du pays ...*

7. MIREILLE raconte à Agnès la conversation téléphonique qu'elle a eue avec Daniel

Daniel : *Dimanche prochain, je ferai une petite fête pour mon anniversaire. Tu viendras?*
Mireille : *Oui, mais je ne partirai pas trop tard. Tu inviteras beaucoup de monde?*
Daniel : *Une vingtaine de personnes et Michel sera là.*
Mireille : *Ah! Alors je lui téléphonerai ce soir. Nous viendrons ensemble avec sa voiture.*
« Daniel m'a appelée. Il m'a dit que dimanche prochain, il ferait ... Il m'a demandé si ... »

8. CES CONVERSATIONS ont eu lieu dans le passé. Racontez-les

Pierre : *Tu veux venir avec moi au cinéma?*
Annie : *Je suis désolée. J'ai du travail.*
Pierre : *Tant pis! J'irai tout seul.*

Annie raconte cette conversation à une amie.
« Pierre m'a demandé ... »

Pierre : Tu as vu le dernier film de Lelouch?
Nicole : Je ne l'ai pas encore vu. J'irai le voir, la semaine prochaine.
Pierre : Il est très beau. Je te conseille d'aller le voir.

Pierre raconte cette conversation à un ami.
« Je lui ai demandé ... »

9. FORMULEZ des demandes

- ***Imaginez et rédigez le dialogue entre Jeanne d'Arc et Charles VII.***
- ***Rédigez la lettre que Jean Dugommier écrit à son chef de service pour lui demander :***

– une augmentation de salaire
– l'autorisation de s'absenter deux après-midi par semaine pour pouvoir faire des recherches à la Bibliothèque nationale. (Jean Dugommier écrit un livre sur les stations de métro.)

Je voudrais ...
Je souhaiterais ...
Est-ce que vous pourriez ...
Est-ce qu'il serait possible de ...
Je serais heureux(se) d'avoir ...
Je vous serais reconnaissant(e) de m'accorder ...

- ***Rédigez une demande de bourse d'études en France.***

10. PARLEZ DES HÉROS DE L'HISTOIRE DE VOTRE PAYS

Bien que l'aventure de Jeanne d'Arc ait été très brève (à peine un an), ce personnage est devenu une grande figure de l'histoire de la France.
Comme pour beaucoup de héros (ou d'héroïnes), la légende se mêle souvent à la vérité historique.
Présentez une héroïne ou un héros de l'histoire de votre pays.

MÉCANISMES

- ***Il faut qu'elle parte bientôt.***
  Elle va devoir partir.
- ***Il faut que tu sois attentif.***
  Tu vas devoir être attentif.
- ***Elle va partir. C'est possible.***
  Elle va pouvoir partir.
- ***Je vais me reposer. C'est possible.***
  Je vais pouvoir me reposer.

11. ÉCOUTEZ! Dessinez le portrait-robot de l'espion

Un espion, possédant un laissez-passer, est entré vers 21 heures dans une entreprise fabriquant des produits ultra-secrets et a photographié des documents. La police interroge les trois personnes qui l'ont aperçu : le veilleur de nuit de l'entreprise, une femme de ménage et un employé.
Notez toutes les caractéristiques physiques de l'inconnu.
Dessinez son portrait-robot d'après les témoignages.

12. FAITES la description physique de l'un des personnages des histoires de ce livre. Faites trouver le nom de ce personnage à votre voisin(e) par la lecture de votre description

13. PORTRAITS DE FEMMES DANS LA LITTÉRATURE

Mademoiselle de Galais – *Le Grand Meaulnes.*
Son costume lui faisait la taille si mince qu'elle semblait fragile. Un grand manteau marron, qu'elle enleva en entrant, était jeté sur ses épaules. C'était la plus grave des jeunes filles, la plus frêle des femmes. Une lourde chevelure blonde pesait sur son front et sur son visage, délicatement dessiné, finement modelé. Sur son teint très pur, l'été avait posé deux taches de rousseur... Je ne remarquai qu'un défaut à tant de beauté : aux moments de tristesse, de découragement ou seulement de réflexion profonde, ce visage si pur se marbrait légèrement de rouge, comme il arrive chez certains malades gravement atteints sans qu'on le sache. Alors toute l'admiration de celui qui la regardait faisait place à une sorte de pitié d'autant plus déchirante qu'elle surprenait davantage...
Je voyais le doux visage enfantin de la jeune fille, ses yeux bleus si ingénus, et j'étais d'autant plus surpris de sa voix si nette, si sérieuse.

ALAIN-FOURNIER

Miss Campbell – *Le Rayon vert.*
En vérité, elle était charmante, Miss Campbell. On admirait sa jolie figure aux yeux bleus – le bleu des lacs d'Écosse, comme on dit –, sa taille moyenne, mais élégante, sa démarche un peu fière, sa physionomie le plus souvent rêveuse, à moins qu'une légère pointe d'ironie n'en vînt animer les traits, toute sa personne enfin empreinte de grâce et de distinction.

Jules VERNE

Madame de Restaud – *Le Père Goriot.*
La comtesse Anastasie de Restaud, grande et bien faite, passait pour avoir l'une des plus jolies tailles de Paris. Figurez-vous de grands yeux noirs, une main magnifique, un pied bien découpé, du feu dans les mouvements, une femme que le marquis de Ronquerolles nommait un cheval de pur sang. Cette finesse de nerfs ne lui ôtait aucun avantage; elle avait les formes pleines et rondes, sans qu'elle pût être accusée de trop d'embonpoint.

Honoré de BALZAC

Faites la liste des parties du corps qui sont décrites et notez leurs caractéristiques.
Un portrait littéraire est toujours révélateur d'une personnalité et d'un destin. Si vous n'avez pas lu les ouvrages d'où ces portraits sont extraits, ***imaginez le caractère de ces trois femmes et les comportements qu'elles pourraient avoir.***

RÊVES DE RÉVOLTE

Je vous en prie.
Il est nécessaire que vous m'autorisiez à payer plus tard.
Je regrette. C'est impossible. Vous savez qu'il est urgent que je fasse réparer l'ascenseur. Alors l'argent des loyers m'est indispensable.

A

Jean Dugommier frappe à la porte du propriétaire de son immeuble. Ce matin, dans sa boîte aux lettres, il a trouvé quatre enveloppes. La première contenait son impôt sur le revenu. La deuxième était une facture de gaz et d'électricité. Il y avait ensuite sa taxe d'habitation et son loyer. Impossible de payer tout cela. Alors, Jean Dugommier a décidé d'aller voir son propriétaire pour lui demander un délai de paiement pour son loyer.

Soyez compréhensif. J'ai quatre factures à payer aujourd'hui.

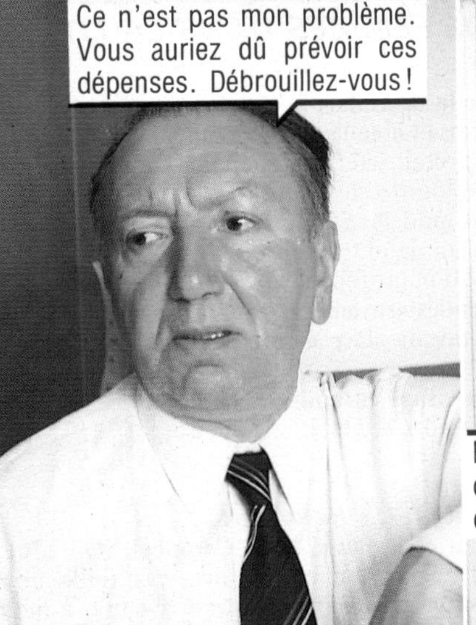

Ce n'est pas mon problème. Vous auriez dû prévoir ces dépenses. Débrouillez-vous !

Bon, allez, je vous donne quinze jours de délai, mais pas plus.

B

Le métro entre dans la station Bastille. Des images de révoltes reviennent à la mémoire de Jean Dugommier.

14 juillet 1789. Un cri traverse Paris : « Le roi a fait venir des troupes étrangères ! Leurs régiments sont de plus en plus nombreux autour de Paris ! Il va peut-être dissoudre l'Assemblée nationale et faire arrêter certains députés ! Il vient de renvoyer son ministre Necker qui était favorable aux réformes ! » Le peuple de Paris est tellement déçu et furieux de l'attitude du roi Louis XVI qu'il se soulève. Parmi les révoltés quelqu'un dit :
« A la Bastille ! On trouvera des fusils et des canons ! » Au fur et à mesure que la foule se dirige vers les vieilles prisons de la Bastille, le nombre des révoltés augmente. Et bientôt c'est l'assaut. La Bastille n'est gardée que par une centaine de soldats. Au bout de quatre heures, la forteresse est prise. La Révolution française vient de vivre son premier grand épisode dramatique. Il sera suivi de beaucoup d'autres.

C

Trois ans plus tard, on juge le roi Louis XVI. C'est le procès d'un homme, mais c'est aussi celui de la monarchie.
« J'accuse Louis d'avoir comploté avec l'étranger. Nous en avons la preuve dans ces documents », dit un accusateur.
« Il n'y a pas ici de procès à faire. Louis n'est pas un accusé. Vous n'êtes pas des juges... », dit Robespierre à l'Assemblée. Ce que Robespierre souhaite en demandant la mort du roi, c'est la fin de la monarchie. Louis XVI a commis tant d'erreurs, il a tellement hésité devant l'immense volonté de réforme, que l'Assemblée ne lui pardonne pas.
Il sera condamné à mort à une voix de majorité.
Trois ans auparavant, l'Assemblée nationale avait ouvert sa première séance en criant : « Vive le Roi ! ». Ce jour-là, en exécutant Louis XVI, elle voulait supprimer le dernier obstacle à la République.

LEÇON 4

VOCABULAIRE ET GRAMMAIRE

■ LE BUDGET FAMILIAL

- *un salaire – un traitement*
  dépenser de l'argent
  faire une dépense
- *un impôt*
  payer ses impôts – un impôt sur le revenu – une taxe
  une taxe d'habitation
- *une facture d'eau, de gaz de téléphone d'électricité* — *Je dois 100 F à Pierre. Jacques me doit 200 F.*
- *une assurance*
- *un loyer – les charges*
- *Compter – faire ses comptes*
  Calculer – un calcul – une machine à calculer
  une addition (additionner)
  2 plus (+) 2 égalent (=) 4
  une soustraction (soustraire)
  3 moins (–) 1 égalent 2
  Il reste 2
- *Économiser – placer son argent – emprunter de l'argent*
- *Avoir des dettes*

devoir (dû)
je dois *nous devons* *ils doivent*

Je suis ruiné.
BILAN 81
FACTURES

une multiplication (multiplier)
3 fois 2 égalent (=) 6
une division (diviser)
10 divisé par (:) 2 égalent 5
partager – une fraction
deux cinquièmes (2/5)

■ L'OBLIGATION

- ***Il faut** traduire ce texte*
  Il faut un dictionnaire.
  Il me faut traduire ...
- ***Devoir :** je dois traduire ...*
- ***Il est nécessaire (que + subjonctif)***
  Il est obligatoire (que + subjonctif).

Il m'est nécessaire/obligatoire de + infinitif.

■ SI – TANT – TELLEMENT ... (QUE)

Il est si fort qu'il peut soulever 300 kg!
Et il est si beau!

	Comparaison	**Exclamation**
Adjectifs et adverbes	*Il est {**si** / **tellement**} bavard que je n'ai pas pu dire un mot.*	*Il est si bavard!* *Il est tellement bavard!*
Verbes	*Il parle {**tant** / **tellement**} que je n'ai pas pu dire un mot.*	*Il parle tant!* *Il parle tellement!*
Noms	*Il y avait {**tant** / **tellement**} de monde à cette réception que je ne vous ai pas vu.*	*Il y avait tant de monde!* *Il y avait tellement de monde!*

LA PROGRESSION DE L'ACTION

- **au fur et à mesure – progressivement – petit à petit**

Elle s'est progressivement arrêtée de fumer.

- **de plus en plus – de moins en moins – de mieux en mieux**

Il fait six heures de violon par jour. Il joue de mieux en mieux.

- **verbes en -ir (formés à partir d'un adjectif)**

rougir – pâlir – blanchir – grandir – maigrir
Ses cheveux blanchissent petit à petit.

LA FORMATION DES NOMS

- **d'après le participe passé**

permettre → un permis
mourir → un mort

- **d'après le verbe**

suffixe ***-eur/euse***
chanter → un chanteur
suffixe ***-tion***
créer → une création
suffixe ***-ement***
loger → un logement

- **d'après le participe présent**

habiter → un habitant
gagner → un gagnant

- **d'après un nom**

suffixe ***-isme***
un journal → le journalisme
suffixe ***-iste***
un journal → un journaliste

- **d'après un adjectif**

suffixe ***-té*** *ou* ***-ité***
beau → la beauté
original → originalité

CHANGEMENTS HISTORIQUES ET RÉVOLUTIONS

- **les classes de la société ancienne**

un seigneur
un bourgeois (la bourgeoisie)
le clergé – la noblesse
les paysans – les artisans

- *une révolution*
une révolte (se révolter)
un soulèvement (se soulever)

- **réclamer** → *une réforme (réformer)*
un changement (changer)
une transformation (se transformer)
une évolution (évoluer)
être passéiste

- **revendiquer** → *les droits*
la liberté (libre)
l'égalité (égal)

LA JUSTICE

- **un procès**
juger quelqu'un
un juge – un jugement

- **le tribunal**
le procureur / l'avocat général } *accuser*
l'avocat – défendre
un témoin – témoigner/jurer de dire la vérité
un jury – un juré
un accusé – avouer

- **la peine**

condamner à dix ans de prison
à mort – exécuter quelqu'un
coupable/innocent

une prison – un prisonnier – emprisonner
une cellule

ACTIVITÉS

A MÉCANISMES

- **Je dois partir.**
  Il me faut partir.
- **Il doit repeindre son appartement.**
  Il lui faut repeindre son appartement.
- **Elle doit rester. C'est nécessaire.**
  Il est nécessaire qu'elle reste.
- **Vous devez mettre votre ceinture de sécurité.**
  C'est obligatoire.
  Il est obligatoire que vous mettiez votre ceinture de sécurité.

1. DITES ce qu'ils doivent faire en utilisant l'expression entre parenthèses

- *Il vient de recevoir son impôt sur le revenu ...* **(Il doit ...)**
- *Il a emprunté 500 F à un ami ...* **(Il faut ...)**
- *Elle vous a emprunté 200 F et vous avez besoin d'argent ...* **(Il faut que ...)**
- *Il est en voiture et il arrive devant un panneau de sens interdit ...* **(Il est obligatoire que ...)**
- *Sa voiture a plus de dix ans. Elle est en très mauvais état ...* **(Il est nécessaire que ...)**
- *Il veut acheter une nouvelle voiture. Mais son compte en banque est vide ...* **(Il est nécessaire de ...)**
- *Ils doivent faire un voyage en avion un jour de grand départ en vacances ...* **(Il leur faut ...)**

2. JOUEZ LES SCÈNES. Ils formulent des obligations

a/ *Le médecin, à l'homme de 50 ans qui a fait beaucoup d'abus (alcool, tabac...).*

b/ *Elle cherche un emploi. Son ami lui fait des recommandations.*

3. RÉDIGEZ LES RÈGLEMENTS

- *Vous êtes directeur d'un musée.* **Rédigez un règlement pour les visiteurs.**
- *Vous êtes directeur d'un camping.* **Rédigez un règlement pour vos clients.**

4. ANALYSEZ l'évolution des dépenses quotidiennes des Français

Les chiffres représentent le pourcentage par rapport au total des dépenses.

Évolution de la structure de la consommation des ménages (coefficients calculés aux prix courants, en %) :

	1970	1980	1986	1987
• Produits alimentaires, boissons et tabac	27,5	21,4	20,5	20,1
• Habillement (y compris chaussures)	8,6	7,3	7,2	7,0
• Logement, chauffage, éclairage	14,5	17,5	18,8	18,9
• Meubles, matériel ménager, articles de ménage et d'entretien	10,0	9,5	8,3	8,3
• Services médicaux et de santé	9,8	7,7	8,9	8,9
• Transports et communication	11,6	16,6	16,5	16,8
• Loisirs, spectacles, enseignement et culture	6,0	7,3	7,2	7,3
• Autres biens et services	12,0	12,6	12,6	12,8

Statistiques INSEE, Francoscopie, Éd. Larousse.

B MÉCANISMES

- **Elle est très loin. Je ne la vois pas.**
  Elle est si loin que je ne la vois pas.
- **Ce paysage est très beau. Je vais le prendre en photo.**
  Ce paysage est si beau que je vais le prendre en photo.
- **Il parle très vite. On ne le comprend pas.**
  Il parle tellement vite qu'on ne le comprend pas.
- **Elle travaille très lentement. Elle n'aura fini que ce soir.**
  Elle travaille tellement lentement qu'elle n'aura fini que ce soir.

5. DÉCRIVEZ l'évolution des vêtements à travers les époques

« Petit à petit ... Les robes ont progressivement ... de plus en plus ... »

6. METTEZ EN VALEUR les qualités, les actions et les quantités en utilisant « si », « tant » ou « tellement ... (que) »

Exemple : *Il crie fort → Il crie si fort qu'on l'entend à l'autre bout de la rue.*

- *La vie est chère ...*
- *Annie ressemble beaucoup à Danièle ...*
- *Il a des dettes ...*
- *Michel est timide ...*
- *André travaille vite.*
- *Jérôme mange peu ...*

7. COMPLÉTEZ avec un nom ou un verbe de la même famille

Les actions	*Celui qui fait l'action*	*Le résultat de l'action*
*Il **chante.***	*C'est un **chanteur.***	*Il chante des **chansons.***
Il crée des objets.	*C'est un ...*	*Il fait de belles ...*
Ils ont envahi le pays.	*Ce sont des ...*	*Leur ... a duré quinze jours.*
Elle ... la géographie.	*C'est une bonne enseignante.*	*Son ... est excellent.*
Ils ont ... la société.	*Ce sont des révolutionnaires.*	*Ils ont fait une ...*
Elle sait ...	*C'est une bonne ...*	*Elle a le don de l'observation.*
Il aime ...	*C'est un grand ...*	*Il adore les promenades.*

8. ANALYSEZ les causes de la Révolution française de 1789

LES CAUSES DE LA RÉVOLUTION FRANÇAISE

Petit à petit, tout au long du XVIIIe siècle, des idées nouvelles étaient apparues en France. Des écrivains comme Voltaire ou Rousseau avaient parlé de liberté, d'égalité, de suppression des privilèges.

À la veille de 1789, les paysans (les neuf dixièmes de la population) avaient eu de si mauvaises récoltes qu'ils ne pouvaient plus payer leurs nombreux impôts. Ils étaient mécontents. La bourgeoisie commerçante, qui avait enrichi la France, souhaitait participer aux décisions du gouvernement. Elle voulait davantage de liberté dans le commerce.

La noblesse elle-même était mécontente des réformes faites par Louis XVI. Elle tenait tellement à ses privilèges qu'elle s'était plusieurs fois opposée au roi.

C'est donc à la demande de tous que le roi avait convoqué une assemblée des représentants de la Nation.

Cette Assemblée nationale allait faire des réformes si profondes que la France allait totalement changer de visage.

Quelles sont les revendications de chaque classe de la société ?
Imaginez la vie de chaque classe sociale à la veille de la Révolution de 1789.
Choisissez un événement historique important pour votre pays et décrivez-en les causes et les effets.

C — *MÉCANISMES*

- ***Il mange beaucoup. Il grossit.***
  Il mange tellement qu'il grossit.
- ***Il a beaucoup marché. Il est fatigué.***
  Il a tellement marché qu'il est fatigué.
- ***Elle a beaucoup de congés. Elle ne sait pas comment s'occuper.***
  Elle a tant de congés qu'elle ne sait pas comment s'occuper.
- ***Il a perdu beaucoup d'argent. Il est ruiné.***
  Il a perdu tant d'argent qu'il est ruiné.

9. ÉCOUTEZ ! *Écoutez ! Ils font le procès de Louis XVI. Notez les arguments favorables ou défavorables au roi de France.*

10. LISEZ L'ARTICLE ET RÉPONDEZ AUX QUESTIONS

AFFAIRE P.G. ...
RÉVISION DU PROCÈS 70 ANS APRÈS

Le 20 juin, dans la ville de M... aura lieu la révision du procès d'un homme mort il y a maintenant dix ans.
Cet homme, P.G., accusé d'avoir tué son ami R.D., maire de M., n'avait pas cessé de crier son innocence dans une étrange affaire qui n'a jamais été éclaircie. Crime sans cadavre. Arme jamais retrouvée. Témoignagnes contradictoires. Bref, tous les ingrédients qui peuvent conduire à une erreur judiciaire.
Mais venons-en aux faits. Le 13 mai 1920, P.G. et R.D. se rendent à Paris en voiture pour affaires. Dans la soirée, une panne les oblige à s'arrêter à A. où ils dînent. Ensuite, c'est le brouillard. P.G. affirmera toujours que R.D., pour être ponctuel à son rendez-vous parisien, avait décidé de prendre le train. R.D. disparaîtra pour toujours.
Immédiatement, on accuse P.G. Les mobiles ne manquent pas pour expliquer le crime. P.G. était en possession d'une promesse de vente, signée par R.D., concernant une propriété évaluée bien au-dessous de sa valeur. « Un faux » selon l'accusation qui prétend que c'est P.G. qui l'a dactylographiée avec sa machine à écrire et qui a ensuite imité les signatures. La machine à écrire sera découverte (à la troisième perquisition) dans des conditions plutôt invraisemblables.
Et puis, il y a ce télégramme, signé R.D., parti de V. le lendemain de la disparition. R.D. dit à sa famille de ne pas s'inquiéter. Les graphologues de l'époque sont formels. C'est P.G. qui a écrit ce télégramme retrouvé au bureau de poste de V.
Par ailleurs, on a retrouvé à V. la valise de la victime.
P.G. a donc été arrêté et condamné à la prison à perpétuité. Libéré en 1975, il est mort accidentellement quelques années plus tard dans des conditions assez troubles. Une voiture qui a pris la fuite l'a renversé alors qu'il faisait sa promenade quotidienne dans la campagne.
Aujourd'hui, on rouvre le dossier. On pense qu'il y a eu une erreur judiciaire.
La mort suspecte de P.G., les nouvelles études de graphologie affirmant que P.G. n'est l'auteur ni de la promesse de vente, ni du télégramme, sont des éléments suffisants pour que l'affaire soit à nouveau jugée.

Énumérez les faits qui se sont produits les 13 et 14 mai 1920.
Pourquoi P.G. a-t-il été accusé?
Pour quelles raisons pense-t-on aujourd'hui qu'il n'est pas l'auteur du crime?

11. LE RÉCIT *de la journée du 14 juillet 1789 par l'historien Jules Michelet (1798-1874)*

La scène se passe à l'Hôtel de Ville (mairie de Paris), proche de la Bastille.

Il était cinq heures et demie. Un cri monte de la Grève[1]. Un grand bruit, d'abord lointain, éclate, avance, se rapproche, avec la rapidité, le fracas de la tempête... La Bastille est prise! Dans cette salle déjà pleine, il entre d'un coup mille hommes, et dix mille poussaient derrière. Les boiseries craquent, les bancs se renversent, la barrière est poussée sur le bureau, le bureau sur le président.
Tous armés, de façons bizarres, les uns presque nus, d'autres vêtus de toutes couleurs. Un homme était porté sur les épaules et couronné de lauriers, c'était Élie[2], toutes les dépouilles[3] et les prisonniers autour. En tête, parmi ce fracas où l'on n'aurait pas entendu la foudre, marchait un jeune homme recueilli et plein de religion[4], il portait suspendue et percée dans sa baïonnette une chose impie, trois fois maudite, le règlement de la Bastille.
Les clefs aussi étaient portées, ces clefs monstrueuses, ignobles, grossières, usées par les siècles et par les douleurs des hommes.
Nous les tenons encore aujourd'hui, ces clefs, dans l'armoire de fer des archives de la France... Ah! puissent, dans l'armoire de fer, venir s'enfermer les clefs de toutes les bastilles du monde!

Histoire de la Révolution.

(1) ***la Grève** : les bords de la Seine.* ***(2) Élie** : vieux sous-officier qui a commandé l'assaut final.* ***(3) les dépouilles** : tous les objets pris à l'ennemi (drapeaux, etc.).* ***(4) plein de religion** : l'air sérieux.*

Cette scène est un véritable tableau. Dessinez-le à grands traits.
Michelet vous paraît-il un historien objectif? Que pensez-vous de cette manière d'écrire l'Histoire?

LEÇONS

RÊVES DE SAGESSE

A

Le métro est en panne sur la ligne 3, juste après la station Parmentier. Les lumières se sont éteintes. Les voyageurs attendent dans le noir. Certains commencent à avoir peur. Jean Dugommier pense qu'il doit les rassurer. Heureusement, il peut leur parler. Son micro fonctionne.

Mesdames et Messieurs ! Restez calmes ! C'est une panne d'électricité. Des techniciens travaillent actuellement pour réparer la ligne. Pour vous faire patienter, je vais vous raconter une histoire...

Les voyageurs sont tellement étonnés qu'ils oublient leur situation inconfortable. « Voici l'histoire de l'homme dont la station précédente porte le nom : "Parmentier."

Antoine Parmentier était un agronome qui vivait au XVIIIe siècle. C'était une époque où il y avait souvent des famines. Parmentier voulait combattre ces famines en développant la culture de la pomme de terre. Mais la pomme de terre était une plante mystérieuse dont les gens avaient peur. On disait qu'elle causait des maladies et que seuls, les porcs pourraient en manger. Alors, Parmentier a décidé de faire une des premières opérations publicitaires de l'Histoire. Tout près de Paris, il a semé un grand champ de pommes de terre et l'a fait garder par des soldats en disant qu'il cultivait un légume très rare réservé à la table du roi... Les soldats avaient reçu l'ordre d'être peu vigilants. Intrigués, les gens sont venus voler les mystérieux légumes. Ils les ont mangés et ils les ont trouvés très bons... »

B

Dans la salle de réunion des employés du métro, le chef du personnel prend la parole.

Jean Dugommier voici venu pour vous le jour de la retraite.

Je ne pense pas que vous regrettiez beaucoup ces longues années passées dans le métro, mais soyez sûr que nous, nous vous regretterons.

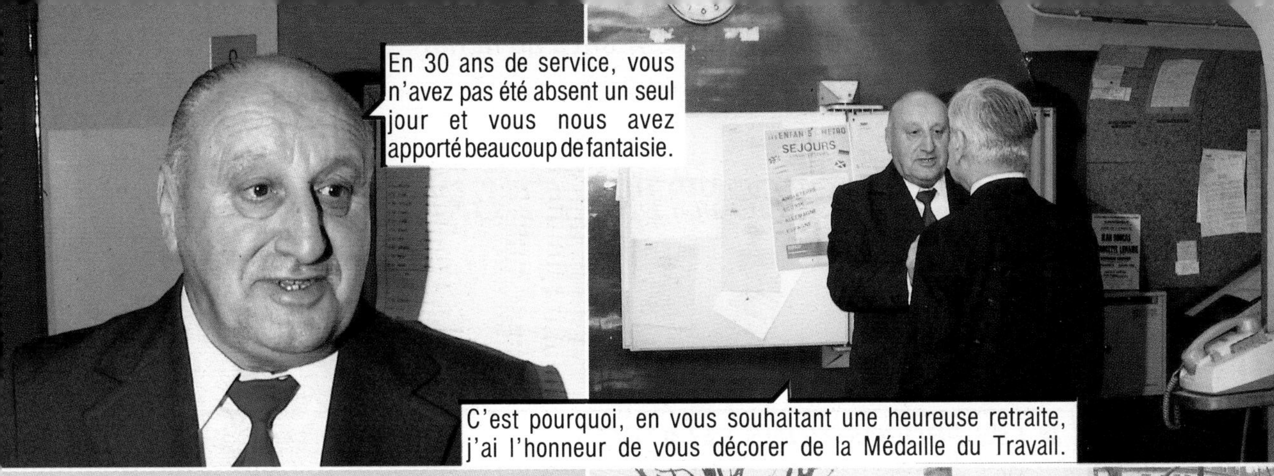

En 30 ans de service, vous n'avez pas été absent un seul jour et vous nous avez apporté beaucoup de fantaisie.
C'est pourquoi, en vous souhaitant une heureuse retraite, j'ai l'honneur de vous décorer de la Médaille du Travail.

Jean Dugommier descend lentement l'escalier de la bouche de métro. Demain, il prendra le train pour Poitiers où il a hérité d'une petite maison. C'est là qu'il passera sa retraite. Il est probable qu'il ne reviendra plus à Paris... Comment pourra-t-il vivre sans ses chers fantômes du métro ? Que va-t-il faire de ses longues années de retraite ? Que sera désormais le sens de sa vie ? Alors, pour trouver la réponse à ses questions, Jean Dugommier décide de prendre le métro une dernière fois. Mais où aller ? Quelle est la direction de la sagesse ?

C

Port-Royal :
astère de religieuses qui, au
siècle, a accueilli beaucoup
ivains et de penseurs. Port-Royal
un centre intellectuel brillant où
enseignait une morale austère.

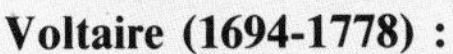

Voltaire (1694-1778) :
Écrivain et philosophe qui a utilisé l'humour et l'ironie pour se moquer des abus de la Cour et pour combattre l'injustice et l'intolérance. Sa philosophie est pessimiste : le mal règne dans le monde. Sa morale est simple : devant le mal, il faut « se taire » et « cultiver son jardin ».

Pasteur (1822-1895) :
Chimiste et biologiste qui a fait des recherches sur les maladies contagieuses, a découvert des vaccins et a inventé une méthode de conservation de certains produits alimentaires.

VOCABULAIRE ET GRAMMAIRE

■ LES PROPOSITIONS RELATIVES

1. dont

- *pour présenter ou mettre en valeur un mot précédé de la préposition « de » :*
  *Je vous ai parlé **d'**un ami médecin.*
  *Voici l'ami médecin **dont** je vous ai parlé.*
  *Son fils, **dont** il était très fier, n'a pas réussi.*
- *pour caractériser un mot précédé de la préposition « de » :*
  *La maison **dont** le toit dépasse des arbres est à Monsieur Martin.*

2. Les relatives après une indication de lieu ou de temps

- *C'est là où je vais – C'est là que je vais.*
- *C'est le moment où il se repose.*

■ L'EXPRESSION DE LA PROBABILITÉ

- *Il va **sans doute** venir demain.*
  *Il va **probablement** venir demain.*
  *Il est **probable qu'**il viendra demain. C'est **probable.***
  ***Il doit** venir demain.*
- ***Il est improbable qu'**il vienne.* } *subjonctif*
  *Il est peu **probable qu'**il vienne.* }

Il est peu probable qu'elle vienne.

■ LE SUBJONCTIF DANS L'EXPRESSION DE L'OPINION

Après les verbes : croire, penser, trouver, supposer, espérer, être sûr, etc.

- *Je crois qu'il sera là demain.*
- *Je ne crois pas* ↗ *qu'il soit là demain.* ↘ *qu'il sera là demain.*

Je suis certaine qu'il réussira.

Je ne suis pas sûr qu'il réussisse.

■ L'AGRICULTURE

- *un paysan – un agriculteur*
  une propriété } *agricole*
  une exploitation }
  une ferme – un fermier
  une terre / *un champ* { *fertile* / *productif(ve)* / *inculte* / *aride*
- *semer – une graine*
  planter
  arroser
  faire pousser
  récolter – une récolte
  cueillir (des fruits)
  ramasser (des feuilles mortes, des pommes de terre)
  produire – la production

cueillir (cueilli)
je cueille *nous cueillons* *ils cueillent*

produire (produit)
je produis *il produit* *nous produisons* *ils produisent*

■ LA PHILOSOPHIE

Je me demande si le dîner est prêt.

- *un philosophe*
  la psychologie
  la morale
  la logique
- *philosopher*
  penser
  réfléchir
  se demander si...
- *une philosophie optimiste/pessimiste*
  un problème abstrait/concret
- *une idée*
  un concept
  une théorie
- *une idéologie*
  l'idéalisme – être idéaliste
  le matérialisme
  le marxisme – le communisme
  l'humanisme
  le capitalisme
- *l'intelligence*
  la raison

■ LA RELIGION

- ***Une religion***

  le christianisme – un chrétien
  le catholicisme – un catholique
  le protestantisme – un protestant
  l'islam – un musulman
  le judaïsme – un juif
  le bouddhisme – un bouddhiste

- *un pape – un cardinal – un évêque*
  un prêtre – un pasteur – un imâm –
  un rabbin – un moine – une religieuse
  (une sœur)

- ***La foi***

  croire en Dieu
  adorer – prier
  être athée –
  sceptique

- ***Un livre sacré***

  la Bible
  le Coran
  la Torah

- *une cathédrale – une église – un temple*
  une synagogue – une mosquée – un couvent – un monastère – une chapelle – un autel – une croix – de l'encens

- *dire une messe/assister à la messe*
  prêcher

■ LA SCIENCE

- ***Les hommes***

  un homme de science – un scientifique
  un savant
  un chercheur – la recherche scientifique
  les recherches sur le cancer, le sida
  faire des recherches
  découvrir – une découverte
  un inventeur – inventer – une invention
  un explorateur – explorer – une exploration
  un physicien – un mathématicien – un biologiste

- ***Les découvertes***

  → *le nucléaire*
  l'énergie nucléaire
  une centrale atomique

  → *la conquête de l'espace*
  une fusée – un satellite
  une station spatiale
  une planète – une galaxie
  l'astronomie

  → *les découvertes médicales*
  un vaccin
  une greffe d'organe
  un médicament
  une opération à cœur ouvert

  → *l'informatique*
  un ordinateur – un micro-ordinateur
  un logiciel – un programme

ACTIVITÉS

MÉCANISMES

- ***Je t'ai parlé d'un livre.***
  Voici le livre dont je t'ai parlé.
- ***Tu as besoin d'un outil.***
  Voici l'outil dont tu as besoin.

- ***Elle est arrivée ce jour-là.***
  C'est le jour où elle est arrivée.
- ***Nous nous sommes mariés cette année-là.***
  C'est l'année où nous nous sommes mariés.

1. COMBINEZ les deux phrases en utilisant le pronom relatif « dont »

- *M. Renaud a acheté une propriété. La terre de cette propriété est très fertile.*
- *J'ai fait la récolte des pommes dans une propriété. Le fermier de cette propriété est mon cousin.*
- *Dans cette forêt, nous avons vu des arbres immenses. Nous ne connaissons pas le nom de ces arbres.*
- *Elle a un nom bizarre. Je ne me souviens jamais de ce nom.*
- *Jacques a essayé un costume. La veste de ce costume est trop grande.*
- *Cet outil est cassé. Je me suis servi de cet outil pour réparer la porte.*

2. CONTINUEZ L'HISTOIRE

Dans La Cantatrice chauve, *Ionesco fait raconter à l'un de ses personnages une histoire absurde dont les phrases s'enchaînent avec le pronom relatif « dont ». L'histoire n'a, en principe, pas de fin.*

Ajoutez quelques lignes au début de cette histoire et donnez-lui une fin.

Le Pompier : « Le Rhume. » Mon beau-frère avait, du côté paternel, un cousin germain dont un oncle maternel avait un beau-père dont le grand-père paternel avait épousé en secondes noces une jeune indigène dont le frère avait rencontré, dans un de ses voyages, une fille dont il s'était épris et...

Eugène IONESCO, extrait de *La Cantatrice chauve.*

3. OBSERVEZ ce tableau. Il indique le degré d'autosuffisance en matière de production agricole des pays de la Communauté européenne

Signification des chiffres : Blé → France (229 %). Irlande → (64 %).

Cela signifie que la France produit 229 % de sa consommation de blé (elle a donc des excédents) et que l'Irlande n'en produit que 64 %. Il lui manque donc du blé.

Production	Total CEE	All.	Fr.	Ital.	Pays-Bas	Belg. Lux.	G.-B.	Irl.	Dan.	Gr.	Esp.	Port.
Blé	134	104	229	86	60	70	120	64	129	134	83	38
Maïs	84	38	161	86	0,1	5,9	0	0	0	82	31	16
Pommes de terre	102	86	100	92	153	112	93	92	108	108	100	93
Légumes	101	37	92	123	201	116	65	84	70	160	128	145
Oranges	45	0	2,7	111	0	0	0	0	0	126	234	100
Vins	103	74	109	121	0	9	0	0	0	111	105	
Beurre	134	138	123	62	517	118	70	344	202	49	81	
Viande de bœuf	108	117	118	62	130	123	88	615	374	43	86	

Montrez que les productions des différents pays européens sont complémentaires.

Montrez la nécessité de la Communauté européenne :

Exemple : supposons que pour approvisionner la Grèce en viande de bœuf, la Grande-Bretagne double sa production. Quelles conséquences cela aurait-il pour l'Irlande ou le Danemark ?

Montrez que les productions à l'intérieur du Marché commun doivent être réglementées.

D'après ce tableau, quelles sont les réglementations qui vous paraissent nécessaires ?

4. ANALYSEZ les problèmes et les inquiétudes des agriculteurs français

LA CRISE D'IDENTITÉ DE L'AGRICULTURE FRANÇAISE

Autrefois, une exploitation agricole se suffisait à elle-même. Les surplus de production étaient vendus pour acheter quelques biens de consommation indispensables ou pour payer les impôts.

L'industrialisation et les progrès techniques ont profondément changé cette réalité. Depuis 1950, la production agricole a triplé de volume pour une surface cultivée équivalente. Le secteur agro-alimentaire, déficitaire jusqu'en 1970, apporte aujourd'hui des excédents croissants à la balance commerciale.

Mais dans le même temps, les prix de vente des grands produits ont baissé (2 % par an pour le blé) et les agriculteurs ont dû affronter une hausse du coût des machines, indispensables à la production.

Par ailleurs, pour éviter une production anarchique, les États de la Communauté européenne ont été obligés de réglementer sévèrement certains produits. En 1988, les agriculteurs français ont très mal accepté d'être pénalisés pour leurs surplus laitiers quand des camions venus d'autres pays d'Europe approvisionnaient les laiteries françaises.

Enfin, le projet de la Communauté de diminuer de 20 % sa production agricole en « gelant » certaines terres a été mal compris.

Un changement d'état d'esprit s'impose donc chez les agriculteurs. Mais la mutation a été si rapide que ce changement ne se fera pas sans déceptions ni inquiétudes.

Ces problèmes sont-ils aussi ceux des agriculteurs de votre pays ?

Vendanges traditionnelles dans le Bordelais

Machine à vendanger

5. LA RUSE DE PARMENTIER *est sans doute un des premiers « coups » publicitaires de l'histoire. Imaginez une opération publicitaire originale pour :*

- *Développer la consommation de viande de chameau dans votre pays.*
- *Faire adopter la bicyclette comme moyen de transport unique.*
- *Trouver du travail.*
- *Etc.*

Exemples

• Pour lancer une nouvelle marque de voitures, un constructeur automobile a organisé en 1988 une traversée de la Chine par une centaine de ses voitures pilotées par des jeunes.
• En 1988, un jeune demandeur d'emploi arrive... en parachute dans la cour de l'entreprise où il doit avoir un entretien avec le chef du personnel.

BC *MÉCANISMES*

- ***Il fera beau demain? Je ne le crois pas.***
  Je ne crois pas qu'il fasse beau demain.
- ***Elle viendra demain? Je le pense.***
  Je pense qu'elle viendra demain.
- ***Il pleuvra demain? C'est probable.***
  Il est probable qu'il pleuvra demain.
- ***Nous sortirons ce soir? C'est improbable.***
  Il est improbable que nous sortions ce soir.

6. RÉDIGEZ LEURS OPINIONS. *Elle est optimiste. Il est pessimiste*

- *Il fera beau demain.*
- *Le niveau de vie s'améliore.*
- *Les centrales nucléaires ne sont pas dangereuses.*
- *Dans quelques années, nous aurons...*

Je le pense.
Je le crois.
J'en suis sûre.

Je ne le pense pas.
Je ne le crois pas.
Je n'en suis pas sûr.

Elle : Je pense qu'il . . . ***Lui : Je ne pense pas qu'il . . .***

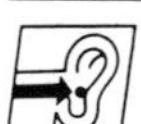

7. ÉCOUTEZ! Ils parlent de leur avenir. Résumez la philosophie de chaque personnage.

8. RÉDIGEZ *en quelques lignes votre « philosophie » de la vie*

« Pour moi, l'important dans la vie, c'est ... »

9. OBSERVEZ *et commentez ces documents*

Les religions en France

• Sur 55,5 millions de Français, il y a :
– 45,5 millions de catholiques
– 2 millions de musulmans
– 0,75 million de protestants
– 0,75 million d'israélites.

• Ces chiffres doivent toutefois être considérés avec prudence. En effet : 62 % des Français se disent croyants.

Parmi les catholiques 20 % sont des pratiquants réguliers, 19 % des pratiquants irréguliers, 61 % ne pratiquent jamais.

• L'histoire de la France a été profondément marquée par le christianisme. Il est difficile de comprendre ses œuvres architecturales, sa littérature et ses coutumes si l'on ne tient pas compte de ce phénomène.

• Cette histoire a été marquée par des luttes religieuses :

– entre catholiques et protestants (surtout aux XVIe et XVIIe siècles);
– entre l'Église catholique et le pouvoir.

Le portail de la cathédrale de Chartres

L'abbaye du Mont-Saint-Michel

10. UN EXTRAIT DU ROMAN D'ALBERT CAMUS, L'ÉTRANGER

Au début du roman, Meursault, le narrateur, assiste à l'enterrement de sa mère. Peut-être a-t-il de la peine. Mais il ne le montre pas et son attitude peut passer pour de l'indifférence. Le lendemain, il retrouve une amie d'autrefois, Marie, et les deux personnages ont une liaison. Quelque temps après...

Le soir, Marie est venue me chercher et m'a demandé si je voulais me marier avec elle. J'ai dit que cela m'était égal et que nous pourrions le faire si elle le voulait. Elle a voulu savoir alors si je l'aimais. J'ai répondu comme je l'avais déjà fait une fois, que cela ne signifiait rien mais que sans doute je ne l'aimais pas. « Pourquoi m'épouser alors ? » a-t-elle dit. Je lui ai expliqué que cela n'avait aucune importance et que si elle le désirait, nous pouvions nous marier. D'ailleurs, c'était elle qui le demandait et moi je me contentais de dire oui. Elle a observé alors que le mariage était une chose grave. J'ai répondu : « Non. » Elle s'est tue un moment et elle m'a regardé en silence. Puis elle a parlé. Elle voulait simplement savoir si j'aurais accepté la même proposition venant d'une autre femme, à qui je serais attaché de la même façon. J'ai dit : « Naturellement. » Elle s'est demandé alors si elle m'aimait et moi, je ne pouvais rien savoir sur ce point. Après un autre moment de silence, elle a murmuré que j'étais bizarre, qu'elle m'aimait sans doute à cause de cela mais que peut-être un jour je la dégoûterais pour les mêmes raisons. Comme je me taisais, n'ayant rien à ajouter, elle m'a pris le bras en souriant et elle a déclaré qu'elle voulait se marier avec moi. J'ai répondu que nous le ferions dès qu'elle le voudrait.

Mettez cette conversation sous forme de dialogue.

Interprétez les réponses de Meursault (le narrateur) aux questions de Marie.

Meursault a-t-il une philosophie de la vie?

■ 1. Un ami vous raconte son séjour à Paris en précisant les moments mais sans utiliser les dates

11 juillet : Arrivée à Paris.
12 juillet : Promenade sur les Champs-Élysées.
13 juillet : Visite du musée du Louvre.
14 juillet : Défilé du 14 juillet. Bals dans les quartiers.
15 juillet : Château de Versailles.
21 juillet : Départ de Paris.
« Ce jour-là, *nous avons assisté au défilé du 14 juillet.* **Le soir... »**

■ 2. Ils font des hypothèses. Ils rêvent. Faites-les parler

Conduire la voiture de papa,
aller au café avec les copains.

À Tahiti, on peut se baigner tous les jours.
Il fait toujours beau,
on ne travaille pas beaucoup.

« Si j'étais grand ... »

« Si nous habitions à Tahiti ... »

■ 3. Ils regrettent et font des hypothèses au passé. Imaginez ce qu'ils disent

- *Il a manqué le début du film et il regrette de ne pas être arrivé à l'heure.*
« Si j'étais arrivé ... »
- *Il regrette que son fils n'ait pas assez travaillé et ait échoué à son examen.*
« Si tu ... ».
- *Elle regrette de ne pas être allée voir* Le Cid *avec son mari alors que c'était un beau spectacle.*
« Si nous ... »
- *Elle a organisé une soirée très réussie. On a dansé jusqu'à 2 h du matin. Elle téléphone à une amie qui n'a pas pu venir.*
« Si tu ... »
- *Dans le métro, elle n'a pas pris la bonne correspondance. C'est dommage. Elle a perdu beaucoup de temps.*
« Si elle ... »

■ 4. Rapportez cette conversation

Un journaliste interviewe un chercheur scientifique.
– Avez-vous trouvé des médicaments pour améliorer la mémoire?
– Nous en avons trouvé. Mais nous travaillons actuellement à un nouveau produit plus efficace.
– Il sera bientôt en vente?
– Nous devons d'abord l'expérimenter. Vous ne pourrez l'acheter que dans deux ans.
Le journaliste raconte : « Je lui ai demandé si... »

■ 5. Réécrivez ces phrases en utilisant l'expression entre parenthèses

- *Jacques a peu de temps libre. Il arrive à faire une heure de sport par jour.* **(quand même)**
- *Le gouvernement a fait des réformes. Les gens ne sont pas contents.* **(pourtant)**
- *Je ne comprends pas. Il gagne beaucoup d'argent. Il ne paie pas d'impôts.* **(bien que)**
- *Ce roman a eu de très mauvaises critiques. Il s'est bien vendu.* **(malgré)**
- *Dans ce champ, ne semez pas des pommes de terre! Semez des carottes!* **(au lieu de)**

6. Complétez avec le pronom relatif qui convient

– *Tu as vu le film* La Folie des Grandeurs?
– *C'est le film ... l'histoire se passe en Espagne au* XVII*e* *siècle et ... est une parodie d'une pièce de Victor Hugo?*
– *Oui, Yves Montand y joue le rôle d'un valet ... le maître est un grand seigneur.*
– *C'est Louis de Funès ... joue le rôle du seigneur. Je m'en souviens.*
– *C'est un film ... qui m'a fait beaucoup rire et ... j'aimerais revoir.*

7. Décrivez ces personnes

8. Donnez le contraire des mots soulignés

- *un arrêt d'autobus* **obligatoire**
- *une* **défaite** *militaire*
- *l'enseignement* **public**
- *un élève* **distrait**
- *un professeur* **indulgent**
- *une peau* **bronzée**
- *une terre* **inculte**
- *un client* **occasionnel**

9. Trouvez le nom correspondant à ces définitions

- *Il gouverne un empire.*
- *Moment de l'Histoire entre la Préhistoire et le Moyen Âge.*
- *Ils sont autour du roi et vantent ses mérites.*
- *Un changement de société.*
- *Il publie des livres.*
- *Court récit littéraire.*
- *Il défend les accusés pendant le procès.*
- *On y met les condamnés.*
- *Somme d'argent que l'État ou un organisme privé donne aux étudiants.*
- *Science qui étudie les mouvements des planètes.*

10. Testez vos connaissances historiques

- *Qu'a fait Vercingétorix après le siège d'Alésia?*
- *Pourquoi l'empereur Charlemagne est-il allé en Espagne?*
- *Quelle époque de l'histoire évoque le sujet de la tapisserie « La Dame à la Licorne? »*
- *Qu'a fait Jeanne d'Arc après avoir été « appelée » par des voix mystérieuses?*
- *Qui a aménagé luxueusement le château de Versailles?*
- *Que s'est-il passé le 14 juillet 1789?*
- *Pourquoi la noblesse était-elle mécontente à la veille de la Révolution?*
- *Quel a été l'objectif principal des écrits de Voltaire?*
- *Pour quelles raisons Napoléon Ier a-t-il pris le pouvoir?*
- *La bataille d'Austerlitz a-t-elle été une victoire ou une défaite pour Napoléon Ier?*

Le Pont du Gard
Un acqueduc de l'époque gallo-romaine

QUELQUES POINTS DE REPÈRE DE L'HISTOIRE DE LA FRANCE

Préhistoire
Existence de sites préhistoriques dans la plupart des régions.
Les plus anciens, dans la région de Nice, datent d'un million d'années.
Peintures des grottes de Lascaux (datant de 40 000 ans).

2000 av. J.-C.
Époque des dolmens et des menhirs de Bretagne.

1000 av. J.-C.
Les Celtes (appelés aussi Gaulois) s'installent sur le territoire de la France.

2e siècle av. J.-C.
Les Romains commencent la conquête de la Gaule.

52 av. J.-C.
Victoire romaine d'Alésia.
Début d'une grande civilisation gallo-romaine.

5e siècle après J.-C.
Les Francs, d'origine germanique, occupent la Gaule.

8e siècle
Charlemagne constitue un empire regroupant la France, l'Allemagne et l'Italie.
Grande époque pour les sciences et la philosophie.

9e siècle
Les Normands (ou Vikings), peuple d'origine scandinave, envahissent la France.

10e siècle
Les Sarrasins envahissent le sud de la France.
Ces invasions ont pour conséquence le morcellement de la France en petits territoires.
Début de l'époque féodale.
Époque d'insécurité et de guerres permanentes.

12e et 13e siècles
Les Croisades.

14e siècle
Guerre de Cent Ans (épisode de Jeanne d'Arc).
Luttes entre les maisons féodales.
Les rois de France agrandissent progressivement leur territoire.

16e siècle
Renaissance des Arts et des Lettres sous l'impulsion notamment du roi François Ier qui fait venir en France des artistes italiens.
Grands écrivains : Rabelais, Montaigne, Ronsard.
Développement de la religion calviniste.
Guerre de religion (entre catholiques et protestants).

17e siècle
Apogée de la monarchie absolue.
Le territoire français ressemble à celui d'aujourd'hui.
Développement du commerce et de l'industrie.
Époque du classicisme en littérature.
Auteurs de pièces de théâtre : Corneille (Le Cid), *Racine* (Andromaque), *Molière* (L'Avare, Le Malade imaginaire).
Autres écrivains : La Fontaine (Fables), *Madame de Sévigné* (Lettres), *Saint-Simon* (Mémoires).
Règnes de Louis XIII et de Louis XIV.

Aigues-Mortes
artirent les dernières Croisades

Le château de Fontainebleau

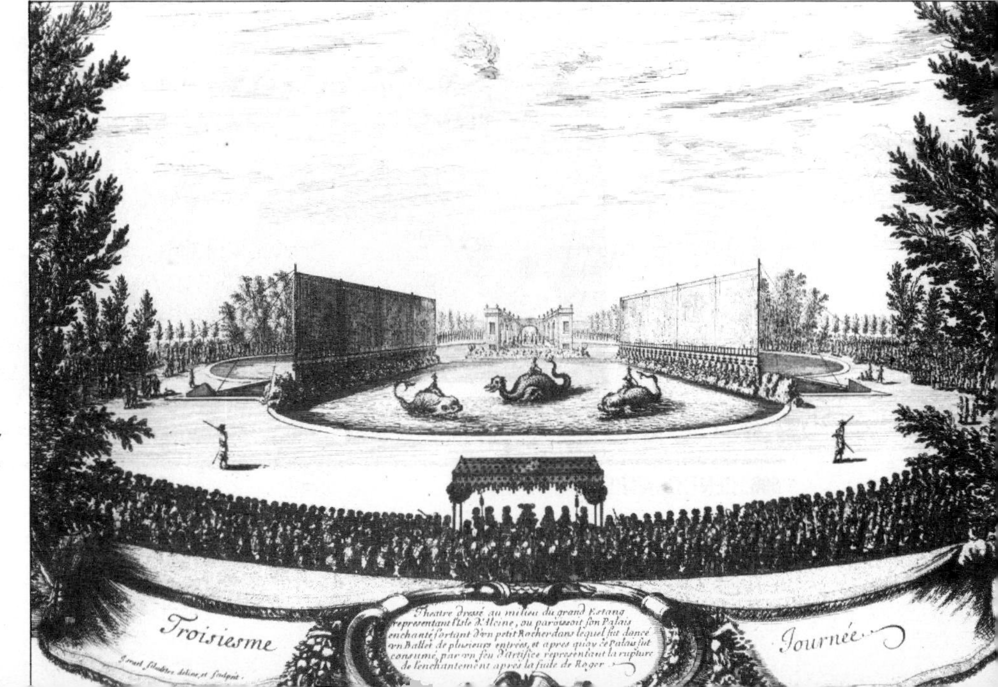

e fête à l'époque de Louis XIV
.es Plaisirs de l'Ile enchantée »

18e siècle
Rayonnement de la France et de sa civilisation en Europe.
Le siècle est marqué par l'activité des « philosophes » : Voltaire, Diderot (L'Encyclopédie), Rousseau. Ils combattent pour faire triompher leur foi dans le progrès et les sciences ainsi que les idées de liberté, de tolérance et de justice sociale.
Le siècle est ainsi caractérisé par une grande prospérité économique malgré les guerres entre la France et l'Angleterre (guerres de compétition commerciale).

1789
Début de la Révolution.

1792
Proclamation de la République.

1804
Napoléon empereur.

1815
Bataille de Waterloo. Fin de l'Empire. Rétablissement de la monarchie.

19e siècle
Instabilité politique. La France connaît des régimes divers (monarchie – république – empire) entrecoupés de révoltes et de révolutions.
Triomphe social de la classe bourgeoise décrite par Balzac.
La nostalgie de l'époque révolutionnaire et les déceptions devant les valeurs de la classe bourgeoise sont à l'origine du Romantisme (qui trouve son inspiration chez les poètes allemands et anglo-saxons). Chateaubriand – Victor Hugo – Alfred de Musset.

1870
Début de la Troisième République.
Stabilité politique de ce régime qui durera jusqu'en 1940.
Époque dominée par la révolution scientifique et technique.
Expansion coloniale (Afrique, océan Indien, Asie du Sud-Est).
Montée progressive du mouvement ouvrier.

1914/1918
Première Guerre mondiale.
Épuisée par la guerre, la France se reconstruit rapidement mais doit affronter la crise économique de 1929.
Le pays se coupe politiquement en deux : la droite et la gauche.

1936
Le Front populaire prend le pouvoir et donne des avantages importants aux ouvriers.

1939/1945
Deuxième Guerre mondiale.
La France, qui ne s'est pas préparée à la guerre est rapidement occupée.

L'après-guerre
Après une période d'instabilité politique où la guerre se poursuit dans les colonies (Indochine, Algérie), le Général de Gaulle prend le pouvoir et change la Constitution (Cinquième République).
Jusqu'en 1974, l'époque est marquée par la décolonisation et par une prospérité économique croissante.

FRAGONARD : *La Poursuite.*
Bas-relief de l'Arc de Triomphe

Les grèves de 1936.

Le drapeau de l'Euro

GAS
GAS
GAS
GAS

BILAN GRAMMATICAL

Ce bilan présente toute la grammaire introduite dans les pages « vocabulaire et grammaire ». Il comporte des regroupements qui permettront d'avoir une idée d'ensemble à propos des faits grammaticaux appris.
I, II, III, IV renvoient à l'unité.
1, 2, 3, 4, 5 renvoient à la leçon.

■ 1. POUR NOMMER LES PERSONNES ET LES CHOSES

A. articles indéfinis : un, une, des.

B. articles définis : le, la, les.

à + article défini → ***au, à la, à l'*** *(devant voyelle),* ***aux.***
de + article défini → ***du, de la, de l'*** *(devant voyelle),* ***des.***

■ 2. POUR REMPLACER LES NOMS – LES CHOSES – LES IDÉES

A. pronoms sujets définis

je *–* ***nous*** *–* ***on*** *→ personne qui parle*
tu *–* ***vous*** *(singulier) –* ***vous*** *(pluriel) → personne à qui l'on parle*
il/elle *–* ***ils/elles*** *→ personnes et objets définis*

B. pronoms compléments définis

Le choix du pronom dépend : – du nom (ou pronom) remplacé
– de la préposition qui est devant ce nom.

TABLEAU DES PRONOMS

		je	tu	il elle	nous	vous	ils elles	
1 après toutes les prépositions	personnes	moi	toi	lui elle	nous	vous	eux elles	(I 4)
2 nom introduit sans préposition	personnes et choses	me	te	le l' la	nous	vous	les	(I 4)
3 nom introduit par à	a personnes	me	te	lui	nous	vous	leur	(I 4)
	b choses et lieux			y			y	(II 4)
4 nom introduit par **de** ou précédé d'un indéfini ou partitif	choses et lieux			en			en	(II 1) (II 5)

Constructions

1. Elle vient avec moi. Parle-moi !
2. Elle me regarde.
3. Elle lui parle. Elle y pense.
4. Elle en prend – Elle en vient.
2 + 3 – Elle me le donne. – Elle le lui donne.
3 + 4 – Elle m'en donne. – Elle lui en donne.

C. pronoms indéfinis (III 2)
quelqu'un – personne
quelque chose – rien
*Pronoms indéfinis avec idée de quantité **(voir 7)**.*

D. autres pronoms
*pronoms démonstratifs **(voir 3)***
*pronoms possessifs **(voir 4)***
*pronoms interrogatifs **(voir 4)***
*pronoms relatifs **(voir 6)***

■ 3. POUR METTRE EN VALEUR

A. pour montrer

→ la phrase présentative : C'est... Ce sont...
Voici... Voilà...

→ adjectifs et pronoms démonstratifs (II 3)

- ***ce** livre – **cet** homme*
  ***cette** photo*
  ***ces** livres – **ces** hommes – **ces** photos*
- ***celui-ci** – **celui-là** (masc. sing.)*
  ***celle-ci** – **celle-là** (fém. sing.)*
  ***ceux-ci** – **ceux-là** (masc. pluriel)*
  ***celles-ci** – **celles-là** (fém. pluriel)*

Construction avec une préposition
Je prends celui de mon frère.
Construction avec un pronom relatif
Je prends celui qui est sur la table.

***ceci** – **cela (ça)** : remplace un nom ou toute une proposition.*
***ce** : s'emploie avec un pronom relatif*
Faites ce qui vous plaît.
et dans les expressions : c'est – ce n'est pas

B. pour mettre en valeur un élément de la phrase

→ la transformation passive (II 1)
On a volé des bijoux → Des bijoux ont été volés.
→ la nominalisation (IV 4)
On a cambriolé la bijouterie → Un cambriolage a eu lieu dans la bijouterie.
→ Constructions impersonnelles (II 4)
Travailler est nécessaire → Il est nécessaire de travailler.

■ 4. POUR INTERROGER *(I 2)*

***A. intonation** : Tu viens?*

***B. est-ce que** : Est-ce que tu viens?*

C. inversion du sujet :
Parlez-vous français? Pierre parle-t-il français?

***D. interrogation négative** : Tu ne viens pas demain? Est-ce que tu ne viens pas demain?*
Ne viens-tu pas demain?

***E. interrogation sur : • les personnes** : **Qui** vient? – **Qui** est-ce qui vient?*
***Qui** amène Paul? – **Qui** est-ce qui amène Paul?*
***Avec qui** / **Pour qui** / etc. } Paul travaille-t-il?*

***• les choses** : **Qu'**est-ce que c'est? / **Qu'**est-ce qui fait du bruit (la chose est sujet)*
***Qu'**est-ce que tu fais? / Tu fais **quoi**? (la chose est complément)*

F. Le choix (II 3) : **Quel** *(m.s.)* – **Quelle** *(f.s.)* – **Quels** *(m.p.)* – **Quelles** *(f.p.)*
Quels *romans préfères-tu ?*

→ **Pronoms interrogatifs (II 3)**
lequel *(m.s.)* – **laquelle** *(f.s.)* – **lesquels** *(m.p.)* – **lesquelles** *(f.p.)*
« Lesquels tu préfères ? »

G. Voir aussi interrogation sur la caractérisation (6) – la quantité **(7)** – le temps **(8)** – le lieu **(9)** – les relations **(10).**

5. POUR NIER – LA NÉGATION

A. cas général (I 5) : *Elle* **ne** *va* **pas** *au cinéma – Elle* **n'***arrive* **pas** *à l'heure.*

B. verbe + verbe : *Elle* **ne** *veut* **pas** *manger.*

C. temps composé : *Il* **n'***a* **pas** *mangé.*
Elle **ne** *l'aura* **pas** *fini.*

D. impératif : **Ne** *va* **pas** *voir cette pièce !*

E. négation d'un mot de quantité (III 1)
- **ne... pas de** – *Il* **n'***a* **pas d'***argent.*
- **ne... pas un/une** – *Il* **n'***a* **pas un** *centime.*
- **ne... aucun(e)** – *Il* **n'***a* **aucune** *ressource.*

F. négation de deux objets ou de deux actions (III 1)
Il **n'***a* **ni** *frère* **ni** *sœur.*
Il **ne** *sait* **ni** *lire* **ni** *écrire.*
Il **n'***écrit* **ni ne** *lit correctement.*

G. négation de l'infinitif (III 1)

Fais attention à **ne pas** *tomber.*

6. POUR CARACTÉRISER

A. pour caractériser une personne ou une chose (II 1)

→ **les moyens de caractériser**
- **l'adjectif** : *Un beau livre – Ce livre est beau.*
- **le participe passé** : *Il est fatigué.*
- **l'adjectif verbal** : *La promenade est fatigante.*
- **la construction avec préposition** :

une robe de laine – une robe en laine
une rue de Paris
une maison au toit pointu
- **la construction relative**

les pronoms relatifs (II 1)

La personne ou l'objet caractérisé est :		
sujet	**qui**	*C'est Marie qui a emprunté ce livre.*
objet direct	**que**	*C'est ce livre que Marie a emprunté.*
complément de lieu	**où**	*Voici la maison où je suis né.*
complément de temps	**où**	*Il est arrivé le jour où nous sommes partis.*
complément introduit par « de »	**dont**	*Voici la maison dont il est propriétaire.*

→ *la caractérisation possessive (II 3)*

Forme « être » à	*adjectifs possessifs*	*pronoms possessifs*
à moi	***mon** livre – **ma** photo* ***mes** livres – **mes** photos*	*le **mien** – la **mienne*** *les **miens** – les **miennes***
à toi	***ton** livre – **ta** photo* ***tes** livres – **tes** photos*	*le **tien** – la **tienne*** *les **tiens** – les **tiennes***
à lui *à elle*	***son** livre – **sa** photo* ***ses** livres – **ses** photos*	*le **sien** – la **sienne*** *les **siens** – les **siennes***
à nous	***notre** livre – **notre** photo* ***nos** livres – **nos** photos*	*le **nôtre** – la **nôtre*** *les **nôtres** – les **nôtres***
à vous	***votre** livre – **votre** photo* ***vos** livres – **vos** photos*	*le **vôtre** – la **vôtre*** *les **vôtres** – les **vôtres***
à eux *à elles*	***leur** livre – **leur** photo* ***leurs** livres – **leurs** photos*	*le **leur** – la **leur*** *les **leurs** – les **leurs***

→ *pour comparer (I 1)*

il est { ***plus...*** / ***aussi...*** / ***moins...*** } ***(que)***

N.B. : *bon* → *meilleur*
aussi bon
moins bon

*Il est **plus** grand **que** moi.*

- ***le/la/les plus...*** *le meilleur*
  le/la/les moins... *le moins bon*

Elle est la plus intelligente.

- ***si/tellement*** *+ adjectif* ***(que) (IV 4)***
  La valise est si lourde que je ne peux pas la porter.

B. pour caractériser une action

→ *les moyens de caractériser (I 5)*

- ***l'adverbe***
  vite – bien – mal – fort
  adverbes formés à partir de l'adjectif : rapide → rapidement
- ***constructions adverbiales***
  Il vient à pied. – Il parle avec humour.
- ***le participe présent (II 4)***
  Elle me regarde en riant.

→ *pour comparer (I 5, IV 4)*

- *Il mange* { ***plus*** / ***autant*** / ***moins*** } *que...* *Il mange* { ***tant*** / ***tellement*** } *que...*
- *Il court* { ***plus*** / ***aussi*** / ***moins*** } *+ adverbe + (que...) – Il court* { ***si*** / ***tellement*** } *+ adverbe + (que...)*

7. POUR EXPRIMER LA QUANTITÉ

A. Les mots de quantité (I 3)

→ ***les personnes et les choses ne sont pas comptables***
- ***du, de la, de l', des***
- ***un peu de***
- ***peu de***
- ***beaucoup de***

→ ***les personnes et les choses sont comptables***
- ***un, une, des***
- ***deux, trois, quatre***
- ***beaucoup de***
- ***adjectifs et pronoms indéfinis (III 1)***

Adjectifs	***Pronoms***
quelques (quelques amis)	*quelques-uns – quelques-unes*
certains – certaines (certaines amies)	*certains – certaines*
plusieurs (plusieurs amies)	*plusieurs*
la plupart (la plupart de mes amis)	*la plupart*
tout – toute (toute la classe)	*tout – toute*
tous – toutes (tous les élèves)	*tous – toutes*
chaque (chaque élève)	*chacun – chacune*
n'importe quel/quelle/quels/quelles	*n'importe lequel*
	n'importe qui/quoi/où/quand

B. pour comparer les quantités (I 3)

plus (de) – autant (de) – moins (de)
*Il y a **plus d'**habitants à Londres qu'à Paris.*
*Il mange **plus** que moi.*

C. pour apprécier les quantités (I 3)

- ***encore/ne... plus de*** *Nous n'avons plus de pain.*
- ***ne... pas assez (de).../assez (de).../trop (de)...***

*Nous **n'**avons **pas assez de** temps libre.*
*Il parle **trop**.*

- ***tant (de).../tellement (de)... (IV 4)***

*Elle a **tant de** travail qu'elle est obligée d'y passer ses dimanches.*
*Il mange **tellement** qu'il a grossi.*

8. POUR EXPRIMER LE TEMPS

A. Les temps des verbes
Pour exprimer une action :

- ***présente (I 1)***

→ ***le présent.*** *Il parle.*

→ ***le présent progressif.*** *Il est en train de parler.*

- ***future (I 3)***

→ ***le futur*** *: Il parlera.*

→ ***le futur proche*** *(action proche dans le temps ou dans l'esprit)*
Il va parler.

→ ***le présent*** *(action très proche dans le temps ou dans l'esprit)*

L'année prochaine, je pars en Italie.
→ ***le conditionnel (IV 3)*** *(futur dans le passé)*

Il m'a dit qu'il viendrait.
→ ***le futur antérieur (III 4)*** *(passé par rapport à un futur)*

Quand tu arriveras, je serai parti.

• ***passée***

→ ***le passé composé (I 2)*** *(action principale par rapport à une action secondaire – action achevée dans le présent)*

Il est parti à 8 heures.
Il est une heure de l'après-midi. Nous avons mangé.
→ ***l'imparfait (I 2)*** *(action secondaire – action répétée – description)*

Il parlait quand je suis entré.
Il parlait tous les jours à la radio.
→ ***plus-que-parfait (III 4)*** *(passé par rapport à un passé)*

Il était sorti quand je suis arrivé.

B. pour situer dans le temps

→ ***par rapport au moment où l'on parle***
maintenant – tout de suite – tout à l'heure – bientôt – aujourd'hui – hier – avant-hier – demain – après-demain – ce soir – cette nuit – l'année prochaine – l'année dernière

→ ***par rapport à un moment dans le passé (IV 1)***
à ce moment-là – ce jour-là – ce soir-là – la veille – l'avant-veille – la semaine précédente – le mois d'avant – auparavant – le lendemain – le surlendemain – la semaine suivante – le mois d'après – plus tard

→ ***sans rapport avec le moment où l'on parle***
à 8 h – le 1er janvier – en janvier – au mois de janvier – en 1989 – en hiver – en été – en automne – au printemps

C. pour exprimer la durée (III 2)

voir p. 115 le tableau complet de l'expression de la durée.

D. pour exprimer le déroulement de l'action (II 5)

commencer à/se mettre à – continuer à – finir de/s'arrêter de
encore – toujours/ne... plus
Il est 11 h du soir. Il travaille toujours.
déjà/pas encore
Il n'est pas encore arrivé. Elle est déjà là.
peu à peu – petit à petit – progressivement – de plus en plus – de moins en moins (IV 4)

E. pour exprimer la répétition, l'habitude (IV 1)

préfixe ***-re** :*
Il commence – Il ***re**commence.*
fois :
Il a refait 3 ***fois** son travail.*
encore/ne... plus :
Il prend ***encore** du gâteau.*
Il ***ne** prend* ***plus** de gâteau.*
toujours/ne... jamais :
Il travaille ***toujours** le lundi.*
Il ***ne** travaille* ***jamais** le dimanche.*
le = tous les
Il travaille ***le** lundi = Il travaille* ***tous les** lundis.*
quelquefois – souvent – de temps en temps – parfois – la plupart du temps

F. interrogation sur le temps

→ sur le moment
quand... à quelle heure... quel jour...
depuis quand... depuis quelle heure... jusqu'à quand...
→ sur la durée

pendant – en *depuis – il y a* *dans – au bout de*	*combien de temps (de jours...)*

■ 9. POUR LOCALISER DANS L'ESPACE *(III 3)*

Voir p. 122 un tableau des expressions spatiales.

■ 10. POUR EXPRIMER LES RELATIONS

→ addition et liaison (IV 2)
et – en plus – de plus – par ailleurs – d'ailleurs

→ cause (I 3 – II 2)

parce que... puisque...	*Pourquoi...?*
à cause de... en raison de...	*Quelle est la cause de...?*
étant donné que...	
comme...	

→ But (II 2)
pour – pour que + subjonctif

→ Conséquence (III 5)
alors – donc
voilà pourquoi – c'est pourquoi
de sorte que – si bien que

→ opposition (IV 3)
mais – pourtant – quand même
malgré
bien que + subjonctif

→ choix (IV 2)
ou – ou bien
soit... soit...

→ ***réciprocité (IV 1)***
formes pronominales : Ils se battent.

→ ***aspect réfléchi (III 5)***
formes pronominales : Elle se regarde dans la glace.
pronoms réfléchis : Il l'a fait lui-même.

11. POUR MODULER LA PENSÉE

→ ***la subjectivité : le subjonctif***
Il s'emploie après les verbes ou expressions de :
• ***volonté et d'obligation (II 2, IV 4)***
Je veux que tu partes.
Il faut que vous veniez.
• ***souhait (II 2)***
Je voudrais qu'elle vienne.
• ***sentiment (II 4)***
J'ai peur qu'il ne fasse pas beau.
• ***goûts et préférences (II 2)***
Je préfère qu'il ne vienne pas.
• ***possibilité (III 5)***
Il est possible qu'il parte tôt.
• ***improbabilité (IV 5)***
Il est improbable qu'il réussisse.
• ***opinion (à la f. négative) (IV 5)***
Je ne crois pas qu'il réussisse.

→ ***l'hypothèse : le conditionnel (IV 2)***
Si elle venait, nous irions nous promener.
Si elle était venue, nous serions allés au cinéma.

→ ***l'atténuation d'une demande : le conditionnel (IV 3)***
Je voudrais sortir – Est-ce qu'il me serait possible de sortir?

12. POUR RAPPORTER LES PAROLES DE QUELQU'UN

→ ***au présent (II 2)***

La phrase rapportée est :		
une affirmation ou une négation	*dire que*	*Elle dit que Jacques est malade.*
une phrase impérative	*dire que* *demander de*	*Elle lui dit de partir.* *Il lui demande de rester.*
une interrogation	*demander si* *... qui* *... ce que* *... où, etc.*	*Elle demande si vous êtes malade.* *Elle demande qui est votre médecin.* *Elle demande ce que vous allez faire.* *Elle demande où vous allez.*

→ ***au passé (IV 3)***
Il a dit qu'il faisait beau hier. (imparfait)
qu'il partirait le lendemain. (conditionnel)
qu'il avait fait beau la veille. (plus-que-parfait)

CONJUGAISONS

Conjugaison complète
- *des principaux verbes irréguliers : être – avoir – aller,*
- *d'un verbe en -er,*
- *d'un verbe pronominal.*

	PRÉSENT	**PASSÉ COMPOSÉ**	**IMPARFAIT**	**FUTUR**	**IMPÉRATIF**
AVOIR	*J'ai* *Tu as* *Il a* *Nous avons* *Vous avez* *Ils ont*	*J'ai eu* *Tu as eu* *Il a eu* *Nous avons eu* *Vous avez eu* *Ils ont eu*	*J'avais* *Tu avais* *Il avait* *Nous avions* *Vous aviez* *Ils avaient*	*J'aurai* *Tu auras* *Il aura* *Nous aurons* *Vous aurez* *Ils auront*	*Aie* *Ayons* *Ayez*
ÊTRE	*Je suis* *Tu es* *Il est* *Nous sommes* *Vous êtes* *Ils sont*	*J'ai été* *Tu as été* *Il a été* *Nous avons été* *Vous avez été* *Ils ont été*	*J'étais* *Tu étais* *Il était* *Nous étions* *Vous étiez* *Ils étaient*	*Je serai* *Tu seras* *Il sera* *Nous serons* *Vous serez* *Ils seront*	*Sois* *Soyons* *Soyez*
REGARDER	*Je regarde* *Tu regardes* *Il regarde* *Nous regardons* *Vous regardez* *Ils regardent*	*J'ai regardé* *Tu as regardé* *Il à regardé* *Nous avons regardé* *Vous avez regardé* *Ils ont regardé*	*Je regardais* *Tu regardais* *Il regardait* *Nous regardions* *Vous regardiez* *Ils regardaient*	*Je regarderai* *Tu regarderas* *Il regardera* *Nous regarderons* *Vous regarderez* *Ils regarderont*	*Regarde* *Regardons* *Regardez*
SE LAVER	*Je me lave* *Tu te laves* *Il se lave* *Nous nous lavons* *Vous vous lavez* *Ils se lavent*	*Je me suis lavé* *Tu t'es lavé* *Il s'est lavé* *Nous nous sommes lavés* *Vous vous êtes lavés* *Ils se sont lavés*	*Je me lavais* *Tu te lavais* *Il se lavait* *Nous nous lavions* *Vous vous laviez* *Ils se lavaient*	*Je me laverai* *Tu te laveras* *Il se lavera* *Nous nous laverons* *Vous vous laverez* *Ils se laveront*	*Lave-toi* *Lavons-nous* *Lavez-vous*
ALLER	*Je vais* *Tu vas* *Il va* *Nous allons* *Vous allez* *Ils vont*	*Je suis allé* *Tu es allé* *Il est allé* *Nous sommes allés* *Vous êtes allés* *Ils sont allés*	*J'allais* *Tu allais* *Il allait* *Nous allions* *Vous alliez* *Ils allaient*	*J'irai* *Tu iras* *Il ira* *Nous irons* *Vous irez* *Ils iront*	*Va* *Allons* *Allez*

BJONCTIF ÉSENT	CONDITIONNEL PRÉSENT	CONDITIONNEL PASSÉ	FUTUR ANTÉRIEUR	PLUS-QUE-PARFAIT
e j'aie e tu aies 'il ait e nous ayons e vous ayez 'ils aient	J'aurais Tu aurais Il aurait Nous aurions Vous auriez Ils auraient	J'aurais eu Tu aurais eu Il aurait eu Nous aurions eu Vous auriez eu Ils auraient eu	J'aurai eu Tu auras eu Il aura eu Nous aurons eu Vous aurez eu Ils auront eu	J'avais eu Tu avais eu Il avait eu Nous avions eu Vous aviez eu Ils avaient eu
e je sois e tu sois 'il soit e nous soyons e vous soyez 'ils soient	Je serais Tu serais Il serait Nous serions Vous seriez Ils seraient	J'aurais été Tu aurais été Il aurait été Nous aurions été Vous auriez été Ils auraient été	J'aurai été Tu auras été Il aura été Nous aurons été Vous aurez été Ils auront été	J'avais été Tu avais été Il avait été Nous avions été Vous aviez été Ils avaient été
e je regarde e tu regardes 'il regarde e nous regardions e vous regardiez 'ils regardent	Je regarderais Tu regarderais Il regarderait Nous regarderions Vous regarderiez Ils regarderaient	J'aurais regardé Tu aurais regardé Il aurait regardé Nous aurions regardé Vous auriez regardé Ils auraient regardé	J'aurai regardé Tu auras regardé Il aura regardé Nous aurons regardé Vous aurez regardé Ils auront regardé	J'avais regardé Tu avais regardé Il avait regardé Nous avions regardé Vous aviez regardé Ils avaient regardé
e je me lave e tu te laves 'il se lave e nous nous lavions e vous vous laviez 'ils se lavent	Je me laverais Tu te laverais Il se laverait Nous nous laverions Vous vous laveriez Ils se laveraient	Je me serais lavé Tu te serais lavé Il se serait lavé Nous nous serions lavés Vous vous seriez lavés Ils se seraient lavés	Je me serais lavé Tu te seras lavé Il se sera lavé Nous nous serons lavés Vous vous serez lavés Ils se seront lavés	Je m'étais lavé Tu t'étais lavé Il s'était lavé Nous nous étions lavés Vous vous étiez lavés Ils s'étaient lavés
e j'aille e tu ailles 'il aille e nous allions e vous alliez 'ils aillent	J'irais Tu irais Il irait Nous irions Vous iriez Ils iraient	Je serais allé Tu serais allé Il serait allé Nous serions allés Vous seriez allés Ils seraient allés	Je serais allé Tu seras allé Il sera allé Nous serons allés Vous serez allés Ils seront allés	J'étais allé Tu étais allé Il était allé Nous étions allés Vous étiez allés Ils étaient allés

PRINCIPES DE CONJUGAISON

1. Le participe passé
- **verbes en -er** → + *acheter → acheté*
- **verbes en -ir (réguliers)** → *i* *finir → fini*
- **autres verbes**

abattre → *abattu*
apprendre → *appris*
s'asseoir → *assis*
atteindre → *atteint*
attendre → *attendu*
avoir → *eu*
battre → *battu*
boire → *bu*
comprendre → *compris*
conduire → *conduit*
connaître → *connu*
construire → *construit*
convaincre → *convaincu*
coudre → *cousu*
courir → *couru*
craindre → *craint*
croire → *cru*
cueillir → *cueilli*
cuire → *cuit*
découvrir → *découvert*
dépendre → *dépendu*
descendre → *descendu*
détruire → *détruit*
devenir → *devenu*
dire → *dit*
disparaître → *disparu*
distraire → *distrait*
dormir → *dormi*
écrire → *écrit*
élire → *élu*
endormir → *endormi*
entendre → *entendu*
éteindre → *éteint*
étendre → *étendu*
être → *été*
faire → *fait*
falloir → *fallu*
interdire → *interdit*
lire → *lu*
mentir → *menti*
mettre → *mis*
mourir → *mort*
obtenir → *obtenu*
ouvrir → *ouvert*
offrir → *offert*
paraître → *paru*
partir → *parti*
peindre → *peint*
plaindre → *plaint*
prendre → *pris*
permettre → *permis*
plaindre → *plaint*
plaire → *plu*
pleuvoir → *plu*
pouvoir → *pu*
prendre → *pris*
prévoir → *prévu*
produire → *produit*
promettre → *promis*
recevoir → *reçu*
reconnaître → *reconnu*
rendre → *rendu*
repartir → *reparti*
répondre → *répondu*
retenir → *retenu*
revoir → *revu*
rire → *ri*
servir → *servi*
sentir → *senti*
sortir → *sorti*
sourire → *souri*
suffire → *suffi*
suivre → *suivi*
surprendre → *surpris*
taire (se) → *tu*
tendre → *tendu*
tenir → *tenu*
traduire → *traduit*
vaincre → *vaincu*
valoir → *valu*
vendre → *vendu*
venir → *venu*
vivre → *vécu*
voir → *vu*
vouloir → *voulu*

2. Le gérondif et le participe présent
Il se forme à partir de la 1re personne du pluriel du présent.
aller : nous allons → allant *pouvoir : nous pouvons → pouvant*
cas particulier : être → étant *avoir → ayant*

3. Le conditionnel
Il se forme d'après la 1re personne du singulier du futur.
je serai → je serais, tu serais, il serait, etc.

4. Les temps composés
Ils se forment avec les verbes « avoir » ou « être » + participe passé.
passé composé : *avoir ou être au présent + participe passé*
conditionnel passé : *avoir ou être au conditionnel + participe passé*
futur antérieur : *avoir ou être au futur + participe passé*
plus-que-parfait : *avoir ou être à l'imparfait + participe passé*

5. L'imparfait
Il se forme à partir de la 1re personne du pluriel du présent.
avoir : nous avons → j'avais *aller : nous allons → j'allais*

CONJUGAISONS

→ ***Si on connaît la conjugaison du présent d'un verbe, la première personne du futur et la première personne du subjonctif, on peut retrouver facilement toutes les autres formes.***

Mode de lecture des tableaux ci-dessous

Infinitif	*1re personne du futur*	*verbes ayant une conjugaison identique*
Conjugaison du présent	*1re personne du subjonctif*	
	participe passé	

LES VERBES EN -ER

e conjuguent comme ***regarder*** *(ou* ***se laver*** *s'ils sont pronominaux).*

'as particuliers :

'erbes en -ger

Manger	*je mangerai*	*bouger* *juger* *mélanger* *partager* *rédiger*
Je mange *Tu manges* *'l mange* *Nous mangeons* *Vous mangez* *ls mangent*	*que je mange*	
	mangé	

verbes en -yer

Payer	*je paierai*	*appuyer* *balayer* *envoyer* *essayer* *essuyer* *nettoyer* *renvoyer*
Je paie *Tu paies* *Il paie* *Nous payons* *Vous payez* *Ils paient*	*que je paie* *que je paye*	
	payé	

erbes en -eler et -eter

ppeler	*j'appellerai*	*épeler* *feuilleter* *jeter* *rappeler*
'appelle *u appelles* *appelle* *lous appelons* *'ous appelez* *s appellent*	*que j'appelle*	
	appelé	

Acheter	*j'achèterai*	*geler* *peler*
J'achète *Tu achètes* *Il achète* *Nous achetons* *Vous achetez* *Ils achètent*	*que j'achète*	
	acheté	

LES VERBES EN -IR

Conjugaison régulière

Finir	*je finirai*	*agir* *applaudir* *avertir* *choisir* *démolir* *guérir* *obéir*	*punir* *réfléchir* *remplir* *réunir* *réussir* *subir*
Je finis *Tu finis* *Il finit* *Nous finissons* *Vous finissez* *Ils finissent*	*que je finisse* *fini*		

Autres verbes

Venir	*je viendrai*	*devenir* *obtenir* *revenir* *tenir* *retenir*
Je viens *Tu viens* *Il vient* *Nous venons* *Vous venez* *Ils viennent*	*que je vienne* *venu*	

Courir	*je courrai*
Je cours *Tu cours* *Il court* *Nous courons* *Vous courez* *Ils courent*	*que je coure* *couru*

Ouvrir	*j'ouvrirai*	*couvrir* *découvrir* *offrir*
J'ouvre *Tu ouvres* *Il ouvre* *Nous ouvrons* *Vous ouvrez* *Ils ouvrent*	*que j'ouvre* *ouvert*	

Cueillir	*je cueillerai*	*accueilli*
Je cueille *Tu cueilles* *Il cueille* *Nous cueillons* *Vous cueillez* *Ils cueillent*	*que je cueille* *cueilli*	

Partir	*je partirai*	*dormir* *mentir* *repartir* *sentir* *sortir* *suivre*
Je pars *Tu pars* *Il part* *Nous partons* *Vous partez* *Ils partent*	*que je parte* *parti*	

Mourir	*je mourrai*
Je meurs *Tu meurs* *Il meurt* *Nous mourons* *Vous mourez* *Ils meurent*	*que je meure* *mort*

Dormir	*je dormirai*	*s'endormir*
Je dors *Tu dors* *Il dort* *Nous dormons* *Vous dormez* *Ils dorment*	*que je dorme* *dormi*	

LES VERBES EN -DRE

ndre	je vendrai	attendre défendre dépendre descendre étendre entendre pendre perdre rendre répondre tendre
vends vends end us vendons us vendez vendent	que je vende vendu	

Peindre	je peindrai	atteindre craindre éteindre plaindre
Je peins Tu peins Il peint Nous peignons Vous peignez Ils peignent	que je peigne peint	

ndre	je prendrai	apprendre comprendre surprendre
prends prends rend us prenons us prenez prennent	que je prenne pris	

Coudre	je coudrai
Je couds Tu couds Il coud Nous cousons Vous cousez Ils cousent	que je couse cousu

LES VERBES EN -OIR

voir	je devrai	apercevoir concevoir décevoir recevoir
dois dois loit us devons us devez doivent	que je doive dû	

Prévoir	je prévoirai
Je prévois Tu prévois Il prévoit Nous prévoyons Vous prévoyez Ils prévoient	que je prévoie prévu

uvoir	je pourrai
peux peux peut us pouvons us pouvez peuvent	que je puisse pu

Voir	je verrai
Je vois Tu vois Il voit Nous voyons Vous voyez Ils voient	que je voie vu

uloir	je voudrai
veux veux veut us voulons us voulez veulent	que je veuille voulu

Savoir	je saurai
Je sais Tu sais Il sait Nous savons Vous savez Ils savent	que je sache su

Valoir	
Je vaux *Tu vaux* *Il vaut* *Nous valons* *Vous valez* *Ils valent*	*je vaudrai*
	que je vaille
	valu

S'asseoir	
Je m'assieds *Tu t'assieds* *Il s'assied* *Nous nous asseyons* *Vous vous asseyez* *Ils s'asseyent*	*je m'assiérai*
	que je m'assoie
	assis

■ LES VERBES EN -OIRE

Croire	
Je crois *Tu crois* *Il croit* *Nous croyons* *Vous croyez* *Ils croient*	*je croirai*
	que je croie
	cru

Boire	
Je bois *Tu bois* *Il boit* *Nous buvons* *Vous buvez* *Ils boivent*	*je boirai*
	que je boive
	bu

■ LES VERBES EN -TRE

Connaître		
Je connais *Tu connais* *Il connaît* *Nous connaissons* *Vous connaissez* *Ils connaissent*	*je connaîtrai*	*apparaître* *disparaître* *naître* *reconnaître*
	que je connaisse	
	connu	

Mettre		
Je mets *Tu mets* *Il met* *Nous mettons* *Vous mettez* *Ils mettent*	*je mettrai*	*permettre* *promettre* *remettre*
	que je mette	
	mis	

■ LES VERBES EN -IRE

Conduire		
Je conduis *Tu conduis* *Il conduit* *Nous conduisons* *Vous conduisez* *Ils conduisent*	*je conduirai*	*construire* *cuire* *détruire* *produire* *traduire*
	que je conduise	
	conduit	

Écrire		
J'écris *Tu écris* *Il écrit* *Nous écrivons* *Vous écrivez* *Ils écrivent*	*j'écrirai*	*décrire* *s'inscrire*
	que j'écrive	
	écrit	

re	je lirai	élire relire
lis lis it us lisons us lisez lisent	que je lise lu	

Rire	je rirai	sourire
Je ris Tu ris Il rit Nous rions Vous riez Ils rient	que je rie ri	

re	je dirai	redire médire
dis dis dit us disons us dites disent	que je dise dit	

Interdire	j'interdirai	prédire suffire
J'interdis Tu interdis Il interdit Nous interdisons Vous interdisez Ils interdisent	que j'interdise interdit	

AUTRES VERBES EN -RE

aire	je plairai	se taire
plais plais plaît us plaisons us plaisez plaisent	que je plaise plu	

Faire	je ferai	défaire refaire
Je fais Tu fais Il fait Nous faisons Vous faites Ils font	que je fasse fait	

Vivre	je vivrai	revivre survivre
Je vis Tu vis Il vit Nous vivons Vous vivez Ils vivent	que je vive vécu	

LEXIQUE

Cette liste présente les mots nouveaux introduits dans les pages « dialogues et documents » ainsi que dans les pages « vocabulaire et grammaire ».
Elle ne comporte pas les mots figurant dans le lexique du Nouveau Sans Frontière I sauf lorsque ceux-ci apparaissent avec un sens différent.

Abréviations : n = nom m = masculin f = féminin v = verbe
adj = adjectif adv = adverbe prép = préposition conj = conjonction.

I, II, III, IV renvoient à l'unité.
1, 2, 3, 4, 5 renvoient à la leçon de l'unité.
D, aux pages « dialogues et documents ». V, aux pages « vocabulaire et grammaire ».

A

abbaye (nf) III 3 V
abbé (nm) IV 5 V
abîmer (v) III 2 D
abri (nm) I 4 D
absolu (adj) IV 1 D
abstrait (adj) IV 5 V
abus (nm) IV 5 D
accélérer (v) III 2 V
accompagner (v) I 3 D
accorder (v) IV 3 D
accrocher (v) III 2 D
accueillir (v) II 4 D
accusation (nf) I 5 D
accuser (v) I 5 D
acte (nm) II 3 V
acteur (nm) II 3 V
actualité (nf) I 1 V
actuel (adj) II 1 D
admirer (v) III 4 D
adolescent (nm) II 5 D
adroit (adj) II 1 V
adversaire (nm) II 1 D
affaire (nf) III 1 V
aérobic (nm) II 1 V
afficher (v) III 1 D
affirmer (v) II 2 V
affronter (v) IV 1 D
agir (v) I 5 D
agitation (nf) II 1 D
agrandir (v) II 2 D
agronome (nm) IV 5 D
aide (nf) I 2 D
aigu (adj) II 5 D
aïl (nm) III 5 D
aile (nf) III 2 V
ailleurs (adv) III 3 D
alarme (nf) IV 2 D
aller (s'en —) (v) II 1 D
allonger (v) IV 3 V
amateur (nm) I 2 D
ambitieux (adj) I 1 D
ambition (nf) I 5 D
âme (nf) III 3 D
améliorer (v) II 3 V
amende (nf) III 2 V
amour (nm) II 4 D
amplificateur (nm) II 5 V
analyser (v) II 5 V
ancêtre (nm) I 3 D
âne (nm) III 3 D
animateur (nm) I 1 V
animer (v) III 4 D
angoisse (nf) II 4 D
annuler (v) I 4 D
anticiper (v) IV 2 D
apercevoir (v) III 3 D
apparaître (v) I 3 V
appartenir (v) II 5 D
applaudir (v) II 3 V
apprécier (v) I 2 D
approcher (s') (v) III 3 D
approuver (v) I 5 D
arbitre (nm) II 1 V
arbuste (nm) III 4 V
aride (adj) IV 5 V
arme (nf) IV 1 V
armée (nf) IV 1 V
armure (nf) IV 3 D
arrêter (v) IV 4 D
arriver à (v) II 1 D
arroser (v) IV 5 V
artisan (nm) IV 4 V
ascenseur (nm) IV 4 D
ascension (nf) III 4 D
aspirateur (nm) II 2 D
assaut (nm) IV 1 D
assez (en avoir —) (v) II 2 D
assiéger (v) IV 2 V
assistant (nm) I 1 D
assister (v) II 1 D
association (nf) II 5 D
astronomie (nf) IV 5 V
athée (nm) IV 5 V
atomique (adj) IV 5 V
attaquer (v) II 1 D
atteindre (v) III 4 D
attentif (adj) IV 3 D
attitude (nf) IV 4 D
attraper (v) II 1 V
attribuer (v) II 5 V
aucun (pron) III 1 D
audacieux (adj) II 3 D
au-dessous (adv) III 3 D
au-dessus (adv) III 3 D
augmentation (nf) I 3 D
autel (nm) IV 5 V
auteur (nm) II 3 V
austère (adj) IV 5 D
automatique (adj) IV 1 D
autrement (adv) IV 3 D
avaler (v) III 5 D
avancer (v) III 2 V
avantage (nm) II 2 V
aveugle (adj) III 5 V
avocat (nm) IV 4 V
avouer (v) IV 4 V

B

bague (nf) IV 3 V
baguette (nf) IV 2 D
baie (nf) III 4 V
bail (nm) II 4 V
baisser (v) IV 3 D
baleine (nf) III 4 V
balle (nf) II 1 V
ballon (nm) II 1 V
balnéaire (adj) III 4 D
banal (adj) I 2 V
bande (nf) II 5 V
banlieue (nf) II 5 D
barque (nf) III 4 D
baroque (adj) III 3 V
bataille (nf) IV 1 D
batterie (nf) II 3 D
bavard (adj) IV 3 V
bénéficier (v) II 5 V
bête (nf) I 3 D
Bible (nf) IV 5 V
biographie (nf) IV 1 D
bien que (conj) IV 3 D
biologie (nf) IV 4 V
bilan (nm) I 4 V
bise (nf) III 1 D
blague (nf) I 5 V
bloquer (v) III 2 D
bombe (nf) I 4 V
bondé (adj) IV 1 D
bonheur (nm) II 4 V
bonne (nf) II 4 D
bord (nm) III 2 D
border (v) III 4 V
botanique (adj) II 1 D
boucher (nm) II 2 V
boucherie (nf) II 2 V
boucle (nf) IV 3 V
bouddhisme (nm) IV 5 V
bouddhiste (nm) IV 5 V
bouger (v) II 3 D
bouillir (v) III 5 V
bouillon (nm) III 5 D
boulanger (nm) II 2 D
boulangerie (nf) II 2 V
bouquin (nm) IV 1 V
bouquiniste (nm) IV 1 V
bourgeois (nm) IV 4 V
bourse (nf) IV 3 V
bousculer (v) II 3 D
bouton (nm) I 1 V/III 4 V
boutonner (v) IV 3 V
branche (nf) III 4 V
bracelet (nf) IV 3 V
brasserie (nf) II 2 D
brave (adj) IV 1 D
brèche (nf) III 4 D
briller (v) III 3 D
brochure (nf) II 5 V
broder (v) IV 3 D
bronzé (adj) III 4 V
brûler (v) I 4 V
brusquement (adv) III 2 D
budget (nm) II 1 D
buffet (nm) I 4 V
buisson (nm) III 4 V
but (nm) I 2 D

C

cabine (nf) III 2 V
cafard (nm) II 4 D
caillou (nm) III 4 V
calcul (nm) IV 4 V
calculer (v) IV 4 V
calendrier (nm) IV 2 D
camarade (nm) IV 3 D
camion (nm) III 2 V
camp (nm) IV 1 V
canapé (nm) II 4 V
canon (nm) IV 1 D
candidat (nm) II 2 V
canne (nf) III 4 V
capable (adj) I 2 D
capital (adj) I 2 V/(n) II 5 D
capitaine (nm) IV 1 V
capitalisme (nm) IV 5 V
capot (nm) III 2 V
caractère (nm) I 1 D
cardinal (nm) IV 5 V
carnet (nm) IV 1 V
carrefour (nm) III 2 D
carrosserie (nf) III 2 V
cartable (nm) IV 3 V
carton (nm) III 3 V
cas (nm) III 1 D
cascade (nf) III 4 D
case (nf) III 2 D
caserne (nf) IV 1 V
casser (v) I 4 V
casserole (nf) III 5 V
cassette (nf) II 5 V
catalogue (nm) II 5 V
cathédrale (nf) II 1 D
catholicisme (nm) IV 5 V
catholique (adj) IV 5 V
cauchemar (nm) III 5 V
cause (nf) I 3 D
causer (v) I 3 D
célèbre (adj) I 1 D
célébrer (v) II 5 D
célébrité (nf) I 4 D
cellule (nf) IV 4 V
centrale (nf) IV 5 V
cependant (adv) II 1 D
cercle (nm) III 3 V
cerf (nm) I 3 D
certain (adj) III 1 D
chacun (pron) III 1 V
chahuter (v) IV 3 V
chaîne (nf) I 1 D/II 5 V
chaleureux (adj) I 1 V
champion (nm) II 1 V
championnat (nm) II 1 V
changement (nm) I 3 V
chapelle (nf) IV 5 V
chaque (adj) III 1 V
charcuterie (nf) II 2 V
charcutier (nm) II 2 V
charge (nf) IV 4 V
charmant (adj) III 1 D
charme (nm) III 1 D
chasse (nf) I 3 D
chasser (v) I 3 D
châtain (adj) IV 3 V
chaudière (nf) III 2 D
chauffer (v) III 5 D
chauffeur (nm) III 2 D
chaussée (nf) III 2 D
chauve (adj) IV 3 V
chemin (nm) III 2 D
chêne (nm) III 4 V
chevalier (nm) IV 1 V
chimie (nf) IV 3 V
chrétien (adj) IV 5 V
christianisme (nm) IV 5 V
choc (nm) III 2 D
chœur (nm) II 5 V
chorale (nf) II 5 V
circonstance (nf) III 2 D
circuit (nm) III 1 D
circulation (nf) III 2 D
cirer (v) II 2 D
cirque (nm) III 4 D
cité (nf) III 3 D
citoyen (nm) IV 4 D
classement (nm) II 1 D
classeur (nm) IV 3 V
clergé (nm) IV 4 V
client (nm) II 5 V
climat (nm) I 3 V
climatisé (adj) III 1 D
clochard (nm) II 2 D
cloche (nf) III 3 V
clocher (nm) III 3 D
cocktail (nm) I 4 V
cœur (nm) III 1 D/I 5 V
coffre (nm) III 3 V
coin (nm) II 4 D
coïncidence (nf) III 5 D
collaborateur (nm) I 2 D
collier (nm) IV 3 V
colline (nf) III 4 V
colonne (nf) III 3 V
colloque (nm) II 2 V
colorer (v) II 2 D
comble (nm) II 2 D
comédie (nf) II 3 V
commande (nf) II 5 V
commenter (v) I 5 D
commerçant (nm) II 1 D
commettre (v) IV 4 D
commissaire-priseur (nm) III 3 D
comité (nm) II 1 D
commode (nf) II 4 V
commun (adj) IV 4 D
communication (nf) III 2 V
communisme (nm) IV 5 V
compact (adj) II 5 V
compagnie (nf) II 5 V
compétition (nf) II 1 V
compliqué (adj) I 1 V
comploter (v) IV 4 D
compositeur (nm) II 5 V
comprendre (v) III 1 D
compréhensif (adj) IV 4 D
compter (v) II 4 V
compte rendu (nm) II 2 D
comte (nm) I 3 D
concerto (nm) II 3 V
conception (nf) I 2 D
concret (adj) IV 5 V
concurrence (nf) II 5 V
condamner (v) IV 4 D
conduite (nf) III 2 V
conférence (nf) II 2 V
confiance (nf) II 4 D
confidentiel (adj) II 4 D
confirmer (v) III 1 V
conflit (nm) II 1 D
confort (nm) II 4 V
confus (adj) IV 2 D
congé (nm) IV 1 D
congrès (nm) II 5 V
conquérir (v) IV 1 D
conseil (nm) III 1 D
conseiller (v) III 1 V
conserve (nf) III 1 D
conservation (nf) IV 5 D
considérer (v) II 1 D
consigne (nf) III 1 V
contravention (nf) III 2 V
constat (nm) III 2 D
construction (nf) II 5 D
contagieux (adj) IV 5 D
contemporain (adj) IV 2 V
contenir (v) IV 4 D
contourner (v) IV 1 D
contraire (nm) I 1 D
conversation (nf) II 2 V
convoquer (v) II 4 D
coopérative (nf) III 2 D
copain (nm) II 2 D
coq (nm) I 3 V
coquelicot (nm) III 4 V
coquillage (nm) III 4 V
Coran (nm) IV 5 V
corpulent (adj) I 4 D
correspondance (nf) IV 1 V
côté (nm) II 4 D
coudre (v) IV 3 V

- exprès (adv) I 5 D
- exprimer (v) I 2 V
- extérieur (nm) III 3 V

F

- fabrique (nf) II 5 V
- façade (nf) III 4 D
- facultatif (adj) IV 1 V
- facture (nf) IV 4 D
- faible (adj) II 5 V
- faillir (v) III 4 D
- falaise (nf) III 4 D
- famine (nf) I 3 V
- fantaisie (nf) IV 5 D
- fantôme (nm) III 3 V
- fascinant (adj) IV 3 D
- favoriser (v) III 2 D
- fer (nm) II 2 V
- ertile (adj) IV 5 V
- festival (nm) II 5 D
- feuille (nf) III 4 V
- feuilleter (v) IV 1 D
- fiançailles (nf) I 4 D
- fiancer (se) (v) I 4 D
- fiche (nf) III 1 V
- fichu (pp) III 2 D
- fier (adj) II 1 D
- fièvre (nf) III 5 V
- fil (nm) III 2 V
- file (nf) III 2 D
- filet (nm) III 4 V
- finalement (adv) IV 1 V
- financer (v) II 2 D
- fleuve (nm) III 4 V
- formalité (nf) III 1 V
- forme (nf) III 5 D
- formule (nf) III 1 D
- formulaire (nm) III 1 V
- forteresse (nf) III 3 D
- fossé (nm) III 3 V
- foudre (nf) I 4 V
- fraction (nf) IV 4 V
- fragile (adj) III 3 V
- franc (adj) III 1 V
- frapper (v) II 1 V
- freiner (v) III 2 D
- fréquenter (v) II 2 D
- frire (v) III 5 V
- frisé (adj) IV 3 V
- frotter (v) II 2 V
- fur et à mesure (au —) (adv) IV 4 D
- furieux (adj) IV 4 D
- fusée (nf) IV 5 V
- fusil (nm) IV 1 V

G

- gai (adj) II 4 V
- gaieté (nf) II 4 V
- galaxie (nf) IV 5 V
- galet (nm) III 4 V
- galop (nm) IV 1 D
- garder (v) III 4 D
- garer (v) III 2 V
- gastronomie (nf) II 1 D
- gazelle (nf) I 3 V
- gaz (nm) II 4 D
- général (adj) II 1 D
- (nm) IV 1 D
- génération (nf) II 5 D
- genre (nm) IV 3 D
- géographie (nf) IV 3 V
- gérer (v) II 5 D
- geste (nm) II 5 D
- gigantesque (adj) III 3 D
- giratoire (adj) III 2 D
- glacier (nm) III 4 D
- glisser (v) III 2 D
- glorieux (adj) IV 3 D
- golfe (nm) III 4 V
- gothique (adj) III 3 V
- gouffre (nm) III 3 D
- goût (nm) III 5 D
- goutte (nf) III 3 D
- gouverner (v) IV 2 D
- grâce à (prép) II 1 D
- graine (nf) IV 5 V
- grave (adj) II 5 V
- greffe (nf) IV 5 V
- griller (v) III 5 V
- grimper (v) III 4 D
- gronder (v) IV 2 V
- grossier (adj) I 1 V
- grotte (nf) III 3 D
- groupe (nm) II 1 D
- guerre (nf) IV 1 D
- gymnastique (nf) II 1 V

H

- habile (adj) II 1 V
- habitation (nf) IV 4 D
- haut-parleur (nm) II 5 V
- hauteur (nf) II 1 V
- hébergement (nm) III 1 D
- héritier (nm) IV 5 D
- héros (nm) IV 1 V
- hésitation (nf) II 4 D
- hésiter (v) IV 3 D
- hêtre (nm) III 4 V
- heurter (v) III 2 D
- honnête (adj) III 1 V
- horoscope (nm) III 1 D
- horrible (adj) III 3 V
- hors (de) (prép) IV 3 D
- huître (nf) III 4 V
- humide (adj) I 3 V
- humour (nm) I 1 D
- hypocrite (adj) II 5 D

I

- idéaliste (adj) IV 5 V
- idéologie (nf) IV 5 V
- identité (nf) III 1 V
- idiot (adj) III 2 D
- île (nf) II 4 D
- image (nf) IV 4 D
- imagination (nf) IV 2 D
- imâm (nm) IV 5 V
- immatriculation (nf) III 2 V
- immense (adj) I 5 D
- immobile (adj) III 1 D
- importance (nf) I 4 D
- imposer (v) I 1 D
- impresario (nm) II 4 D
- impressionnant (adj) III 3 D
- inaugurer (v) II 5 D
- incendie (nm) I 4 D
- incident (nm) III 3 D
- inconscient (adj) IV 2 D
- inconvénient (nm) II 2 D
- inculte (adj) IV 5 V
- indépendant (adj) I 4 D
- indifférent (adj) III 1 V
- indispensable (adj) IV 4 D
- individuel (adj) III 1 D
- indulgent (adj) IV 3 V
- industriel (nm) I 4 D
- inexplicable (adj) I 4 D
- infraction (nf) III 2 V
- injustice (nf) IV 5 D
- innocent (adj) I 5 V
- inondation (nf) I 4 D
- inquiéter (v) II 3 V
- inquiétude (nf) III 3 V
- inscrire (s') (v) III 1 D
- insignifiant (adj) I 2 V
- insister (v) I 4 D
- insouciant (adj) III 1 V
- insomnie (nf) III 5 V
- instant (nm) III 2 D
- instituteur (nm) IV 3 V
- instruction (nf) III 2 D
- instrument (nm) II 3 V
- insulter (v) III 2 D
- intellectuel (nm) IV 5 D
- intelligence (nf) IV 5 V
- intention (nf) II 5 D
- intéresser (s') (v) II 3 D
- intérêt (nm) III 1 D
- intérieur (nm) III 3 D
- interpréter (v) II 3 V
- intolérance (nf) IV 5 D
- intrigue (nf) IV 1 V
- invasion (nf) IV 2 V
- inventer (v) IV 5 D
- invention (nf) IV 5 V
- inverse (adj) III 2 D
- ironie (nf) I 5 V
- ironique (adj) I 5 D
- islam (nm) IV 5 V

J

- jaloux (adj) I 3 5
- jeter (v) III 5 D
- joueur (nm) II 1 D
- jonquille (nf) III 4 V
- judaïsme (nm) IV 5 V
- juge (nm) IV 4 V
- jugement (nm) IV 4 V
- juger (v) I 5 V
- juif (nm) IV 5 V
- jurer (v) IV 4 V
- jury (nm) IV 4 V
- juste (adj) II 5 D
- justement (adv) II 5 D
- justice (nf) IV 4 V

L

- lâcher (v) III 1 D
- lampadaire (nm) II 4 V
- lancer (v) I 5 D
- large (nm) III 4 D
- laser (nm) II 5 V
- laurier (nm) II 5 V
- lavage (nm) II 2 V
- lave-vaisselle (nm) II 4 V
- lecteur (nm) II 5 V
- lecture (nf) II 5 V
- légende (nf) III 3 D
- léger (adj) III 3 V
- lendemain (nm) IV 1 D
- lessive (nf) II 2 D
- lever (v) III 3 D
- librairie (nf) IV 1 V
- lieu (avoir —) (v) I 2 V
- (au — de) (prép) III 1 D
- ligne (nf) IV 1 V
- limiter (v) II 2 D
- lion (nm) I 2 D
- lisse (adj) III 3 V
- littéraire (adj) I 1 V
- loger (v) II 4 D
- logiciel (nm) IV 5 V
- logique (adj) IV 5 V
- loi (nf) I 4 D
- longer (v) III 3 D
- longueur (nf) III 3 V
- lorsque (conj) III 4 D
- louer (v) II 5 V
- lumière (nf) III 3 D

- luxe (nm) IV 2 D
- lycéen (nm) II 1 D
- lyrique (adj) II 5 V
- lys (nm) III 4 V

M

- magique (adj) IV 2 D
- magnétophone (nm) II 5 V
- magnétique (adj) II 5 V
- maître (nm) IV 1 D
- majorité (nf) IV 4 D
- mal (nm) IV 5 D
- malgré (prép) II 1 D
- malheur (nm) II 4 V
- malhonnête (adj) III 1 V
- maniaque (nm) III 5 D
- manifestation (nf) II 5 D
- manifester (v) II 1 D
- manquer (v) I 3 V
- maquillage (nm) II 3 V
- maquiller (se) (v) II 3 V
- marée (nf) III 4 D
- marécage (nm) III 4 V
- mariage (nm) I 4 D
- marmite (nf) III 5 D
- marquer (v) II 1 D
- marxisme (nm) IV 5 V
- matelas (nm) II 4 D
- matérialisme (nm) IV 5 V
- matière (nf) III 3 V
- mécanique (adj) IV 1 D
- médaille (nf) IV 5 D
- méfiance (nf) II 4 V
- méfier (se) (v) II 4 V
- mélodie (nf) II 3 V
- mémoire (nf) I 5 D
- ménage (nm) II 2 D
- mensonge (nm) I 5 V
- mérite (nm) II 5 V
- message (nm) IV 1 D
- métal (nm) III 3 V
- méthode (nf) IV 5 D
- métier (nm) I 2 V
- mettre (se — à) (v) II 5 V
- micro (nm) IV 5 D
- microscopique (adj) III 3 V
- mignon (adj) III 4 D
- milieu (nm) III 1 D
- militaire (adj) IV 1 V
- minuscule (adj) II 4 D
- miracle (nm) III 2 D
- mise en scène (nf) II 3 V
- mitrailleuse (nf) IV 1 V
- misérable (adj) IV 3 D
- moine (nm) IV 5 V
- moment (nm) III 2 D
- monarchie (nf) IV 2 V
- monastère (nm) III 3 V
- mondain (adj) I 4 D
- monologue (nm) IV 3 D
- mont (nm) III 4 V
- morale (nf) IV 5 D
- morue (nf) III 4 V
- mosquée (nf) IV 5 V
- mou (adj) III 3 V
- moule (nf) III 4 V
- mouvement (nm) IV 1 D
- Moyen-Age (nm) III 3 D
- muet (adj) II 2 V
- muguet (nm) III 4 V
- municipal (adj) II 2 D
- municipalité (nf) II 1 D
- multiplication (nf) IV 4 V
- musulman (adj) IV 5 V

N

- nager (v) III 4 V
- naissance (nf) I 4 V
- naïf (adj) III 1 V
- naître (v) I 4 V
- nation (nf) IV 2 V
- nationalité (nf) II 5 V
- naufragé (adj) III 4 D
- nausée (nf) III 5 V
- navigation (nf) III 4 D
- navire (nm) IV 1 V
- nécessaire (adj) II 1 D
- négligent (adj) I 5 V
- nier (v) II 2 V
- niveau (nm) III 2 V
- noble (adj) IV 2 V
- noblesse (nf) IV 2 V
- nombre (nm) I 3 D
- nombreux (adj) III 4 D
- normal (adj) I 1 D
- note (nf) II 3 V
- nourriture (nf) I 3 D
- nouvelle (nf) IV 1 V
- nucléaire (adj) IV 5 V

O

- obéir (v) I 4 V
- obélisque (nm) III 3 V
- objectif (adj) I 1 D
- obligatoire (adj) IV 1 V
- obliger (v) IV 2 D
- observateur (adj) III 1 D
- obtenir (v) II 5 D
- odeur (nf) III 5 D
- offre (nf) II 5 V
- offrir (v) III 1 V
- oignon (nm) III 5 D
- ombre (nf) III 3 D
- opération (nf) IV 5 D
- opinion (nf) I 2 V
- optimiste (adj) IV 5 D
- orchestre (nm) II 3 V
- ordonné (adj) IV 3 V
- ordonner (v) I 4 V
- ordre (nm) I 4 V
- oreiller (nm) II 4 V
- organe (nm) IV 5 V
- organiser (v) I 1 D
- orgue (nm) II 3 V
- orgueilleux (adj) I 1 V
- original (adj) I 2 D
- oubli (nm) I 5 V
- ouïe (nf) III 5 V
- ouragan (nm) I 4 V
- ours (nm) I 3 V
- ovale (adj) IV 3 D

P

- page (nf) II 4 D
- paiement (nm) IV 4 D
- paix (nf) IV 1 D
- palace (nm) III 2 V
- pâle (adj) III 3 D
- panneau (nm) IV 1 D
- pape (nm) IV 5 V
- paraître (v) IV 3 D
- parcourir (v) III 3 D
- par-dessus (prép-adv) III 3 D
- pardonner (v) I 5 D
- pare-brise (nm) III 2 V
- pare-chocs (nm) III 2 V
- paresseux (adj) IV 3 V
- parfum (nm) III 5 V
- parking (nm) II 1 D
- parlement (nm) IV 2 V
- parmi (prép) III 3 D
- parole (nf) II 2 D
- partager (v) II 4 D
- particulier (adj) IV 3 V
- partisan (nm) IV 3 D
- passéiste (adj) IV 4 V
- passeport (nm) III 1 V
- passionner (v) I 2 D
- pasteur (nm) IV 5 V
- pauvreté (nf) I 3 V
- paysan (nm) IV 1 D
- peine (nf) II 4 V
- pencher (v) IV 1 D
- pente (nf) III 4 V
- perception (nf) III 5 V
- perfection (nf) IV 3 D
- permettre (v) I 1 D
- persil (nm) III 5 D
- personnalité (nf) I 5 D
- peser (v) III 3 V
- pessimiste (adj) IV 5 D
- peuplier (nm) III 4 V
- peureux (adj) III 3 V
- phare (nm) III 2 V
- philosophe (nm) IV 5 D
- philosophie (nf) IV 5 D
- physique (nf) IV 3 V
- pièce (nf) III 2 D
- piéton (nm) III 2 V
- pilotage (nm) IV 1 D
- piquer (v) III 4 V
- pire (adj) II 1 D
- piste (nf) II 1 D
- pistolet (nm) IV 1 V
- plaindre (se) (v) III 2 D
- plaisanter (v) I 5 V
- planche (nf) II 2 V
- planète (nf) IV 5 V
- plat (adj) IV 3 V
- platine (nf) II 5 V
- plonger (v) III 4 V
- plupart (la) (adj-pron) III 1 D
- plusieurs (adj-pron) III 1 V
- plutôt (adv) I 1 D
- poche (nf) III 3 D
- poème (nm) II 4 D
- poésie (nf) IV 1 V
- point (au —) II 3 D
- poireau (nm) III 5 D
- poison (nm) III 5 V
- pompiste (nm) III 2 V
- population (nf) I 3 D
- portail (nm) III 3 V
- portière (nf) III 2 V
- posséder (v) II 5 D
- poteau (nm) III 2 D
- poursuivre (v) I 2 D
- pourtant (adv) II 1 D
- pousser (v) IV 5 V
- prairie (nf) III 4 V
- pratiquer (v) II 1 V
- pré (nm) III 4 V
- précédent (adj) IV 1 V
- prêcher (v) IV 5 V
- précipiter (se) IV 1 D
- précis (adj) IV 2 D
- préciser (v) II 2 V
- préhistoire (nf) IV 2 V
- préoccupé (adj) III 1 V
- préparatif (nm) III 1 V
- présence (nf) II 5 D
- présentateur (nm) I 1 D
- presque (adv) I 3 D
- presser (v) IV 1 V
- pression (nf) III 2 V
- prétentieux (adj) I 1 D
- prêtre (nm) IV 5 V
- preuve (nf) IV 4 D
- prier (v) I 5 V
- principal (adj) I 2 V
- principe (nm) II 3 D
- priorité (nf) III 2 D
- prisonnier (nm) IV 2 D

privé (adj) II 5 V
probable (adj) IV 5 D
procès (nm) II 2 V/IV 4 D
produire (se) (v) I 2 D
professionnel (adj) I 2 V
profiter (v) IV 1 D
profond (adj) II 5 D
profondeur (nf) III 3 D
profusion (nf) IV 2 D
progrès (nm) II 3 V
projecteur (nm) II 3 D
promenade (nf) III 5 D
proposer (v) I 4 D
propre (adj) III 2 V
prospectus (nm) II 5 V
protéger (v) I 1 D
protestant (nm) IV 5 V
provenance (nf) III 1 V
province (nf) II 3 D
provisoire (adj) IV 1 D
psychologie (nf) IV 1 V
public (adj) II 5 V
publier (v) IV 1 V
puisque (conj) II 2 D
puissant (adj) IV 2 D
punir (v) IV 2 V
pur (adj) IV 3 D

Q

quai (nm) IV 1 D
quand même (adv) II 5 D
quotidien (adj) I 2 V

R

rabbin (nm) IV 5 V
race (nf) IV 2 V
raccompagner (v) I 3 V
raccrocher (v) III 2 V
raison (nf) IV 5 V
ramasser (v) III 1 D
ramener (v) I 3 V
ranger (v) II 2 D
rapporter (v) I 3 V
raquette (nf) II 1 V
rassurer (v) II 3 D
rattraper (v) IV 2 D
réaliser (v) II 1 D
rebondissement (nm) IV 1 V
récent (adj) IV 3 D
réception (nf) I 4 D
récit (nm) IV 1 V
récipient (nm) III 5 V
réciproque (adj) IV 1 V
réclamer (v) II 1 D
recommander (v) III 1 D
reconnaissant (adj) IV 3 D
record (nm) II 1 V
recouvrir (v) III 3 D
rectangle (nm) III 3 V
rectangulaire (adj) III 3 V
recueil (nm) IV 1 V
reculer (v) III 2 D
rédaction (nf) I 2 D
réfléchi (adj) III 1 D
réflexion (nf) I 2 V
réforme (nf) IV 4 D
réfrigérateur (nm) II 4 V
régiment (nm) IV 4 D
règle (nf) IV 3 V
règlement (nm) IV 2 D
régner (v) IV 5 D
relaxation (nf) II 1 V
relief (nm) III 3 V
religieux (adj) IV 5 D
remarque (nf) I 2 V
remettre (v) IV 2 D
remonter (v) III 3 D
rempart (nm) III 3 D
remplacer (v) I 2 D
remplir (v) II 1 D
réconciliation (nf) I 5 D
rencontre (nf) II 1 V
rendre (se — à) (v) III 1 D
rendre compte (se) (v) I 2 D
renoncer (v) IV 2 D
renseigner (v) III 1 V
renverser (v) III 2 V
renvoyer (v) I 5 D
réparation (nf) III 2 V
repartir (v) I 3 V
repassage (nm) II 2 D
repasser (v) II 2 D
répétition (nf) II 3 D
répéter (v) II 3 D
repeupler (v) I 5 D
réponse (nf) I 4 D
reportage (nm) I 1 V
reporter (nm) I 1 D
repos (nm) III 5 V
repousser (v) IV 2 D
représentant (nm) III 1 D
représentation (nf) II 3 V
réprimander (v) IV 2 D
reprocher (v) IV 2 D
requin (nm) III 4 V
réserve (nf) I 3 D
réserver (v) III 1 V
réservoir (nm) III 2 V
résigner (se) (v) IV 2 D
résister (v) II 1 V
respirer (v) III 5 V
responsabilité (nf) I 5 V
responsable (adj) I 3 D
résumer (v) III 2 V
retenir (v) I 5 V
retourner (se) (v) III 1 D
retrait (nm) III 1 V
retraite (nf) IV 1 V
retransmettre (v) I 5 D
rétro (adj) II 3 D
rétroviseur (nm) III 2 V
réunir (v) I 2 D
réveillonner (v) II 1 D
révéler (v) I 5 D
révélation (nf) I 5 D
revenir (v) I 2 V
révolte (nf) IV 4 D
révolter (se) (v) IV 4 V
révolution (nf) IV 1 D
revolver (nm) IV 1 V
rhinocéros (nm) I 3 V
richesse (nf) I 3 V
ridé (adj) IV 3 V
risquer (v) III 5 V
rivage (nm) III 4 V
rive (nf) III 4 V
robinet (nm) II 4 V
roche (nf) III 3 D
roman (adj) III 3 D
rond (adj) III 3 V
rose (adj) III 4 V
rouler (v) III 2 D
rugueux (adj) III 3 V
rugby (nm) II 1 D
ruiner (v) IV 4 V
ruisseau (nm) III 4 V
rupture (nf) I 5 D
rusé (adj) III 1 V
rythme (nm) II 3 D

S

sacrifier (se) (v) II 2 D
sacrer (v) IV 3 D
sagesse (nf) IV 5 D
sain (adj) II 5 D
saler (v) III 5 V
salle (nf) II 1 D
sapin (nm) III 4 V
satellite (nm) IV 5 V
satisfaction (nf) II 4 V
saule (nm) III 4 V
saumon (nm) III 5 D
saut (nm) II 1 V
sauter (v) II 1 V
sardine (nf) III 4 V
saxophone (nm) II 3 D
scandale (nm) I 5 D
scénique (adj) II 5 D
sceptique (adj) IV 5 V
scientifique (adj) I 1 V
séance (nf) II 2 D
sec (adj) I 2 V
sécheresse (nf) I 3 D
secondaire (adj) I 2 V
secours (nm) IV 2 D
séduisant (adj) III 1 D
seigneur (nm) IV 2 D
sélectionner (v) II 4 D
selon (prép) I 2 D
sembler (v) IV 3 D
semer (v) IV 5 D
séminaire (nm) II 5 V
sens (nm) III 2 D/III 5 V
sensation (nf) I 2 D
sentier (nm) III 4 D
sentir (v) III 5 D
série (nf) I 3 D
sérieux (adj) I 4 D
serpent (nm) I 3 V
servir (v) III 5 V
sévère (adj) IV 3 V
sieste (nf) III 4 D
siège (nm) III 2 V
siffler (v) II 3 V
signal (nm) III 2 D
signaler (v) III 2 D
signifier (v) IV 3 V
silhouette (nf) II 5 D
sincère (adj) II 4 D
sinon (conj) II 3 D
singe (nm) I 3 V
situation (nf) II 2 D
situer (v) II 4 D
social (nm) I 2 V
soie (nf) IV 3 V
soirée (nf) I 4 V
solaire (adj) III 4 D
soldat (nm) IV 1 D
sole (nf) III 4 D
solide (adj) III 3 V
soliste (nm, f) II 5 V
solitaire (adj) IV 1 D
solution (nf) III 2 D
sommet (nm) III 3 V
somptueux (adj) IV 2 D
sonate (nf) II 3 V
sou (nm) III 2 D
souci (nm) III 1 D
soucieux (adj) III 1 V
soudain (adv) III 3 D
souffrir (v) III 5 D
souffrance (nf) III 5 D
souhaiter (v) IV 5 D
soulever (v) IV 4 D
souple (adj) II 1 V
source (nf) III 4 V
sourd (adj) III 5 V
sournoi (adj) III 1 V
sous-entendu (nm) I 5 D
sous-marin (nm) IV 1 D
soustraction (nf) IV 4 V
souvenir (se) (v) I 5 D
spécialité (nf) II 1 D
splendide (adj) III 4 D
star (nf) I 1 D
station (nf) II 1 V
stationnement (nm) III 2 D

TABLE DES MATIÈRES

RÉFÉRENCES PHOTOGRAPHIQUES

Dans les romans-photos, toute ressemblance avec des personnes existantes ou ayant existé serait purement involontaire ou fortuite.

p. 13g : ED. NUGERON ; p. 13hd : UGC ; p. 13bd : AAA ; p. 14 : TF1 ; p. 21g : RARP, Marguerite ; p. 21d : RHÔNE-POULENC ; p. 29g : MAGNUM, Barbey ; p. 29d : SIPA PRESS, Worral ; p. 37g : TOP, Mazin ; p. 37hd : SYGMA ; p. 37bd : SIPA PRESS ; p. 45h : RAPHO, Rammerman ; p. 45m : RAPHO, Ohania ; p. 45b : RAPHO, Baret ; p. 46 : DIDONA ; p. 48 : RAPHO, Doisneau ; p. 49hg : TOP, Cogan ; p. 49hd : SYGMA, Vauthey ; p. 49b : IGN ; p. 52h : RAPHO, Niepce ; p. 52m : RAPHO, Baret ; p. 53g : PIX, D'Herouville ; p. 53bd : RAPHO, Serailler, p. 61g : SYGMA, Poulet ; p. 61hd : SIPA PRESS, Billon ; p. 61bd : SIPA PRESS, Zihnioglu ; p. 62 : RAPHO, De Sazo ; p. 69 : DAGLI ORTI ; p. 71 : CHARMET ; p. 76g : ENGUERAND ; p. 76d : CHARMET ; p. 77 : ENGUERAND ; p. 84 : DAGLI ORTI : p. 85h : DAGLI ORTI ; p. 85bg : RAPHO, Frieman ; p. 85bd : BERTON ; p. 86g : CHARMET ; p. 86hd : MAGNUM, Capa ; p. 86bd : MAGNUM, Cartier Bresson ; p. 93 : SIPA PRESS, Facelly ; p. 95 : CHARMET ; p. 96 : RAPHO, Ganther ; p. 97bg : GAMMA, Vioujard ; p. 97bd : SIPA PRESS, Boccon-Gibod ; p. 100h : MAISON DU NORD PAS-DE-CALAIS ; p. 100m : SIPA PRESS, Forrester ; p. 100b : AEROSPATIALE ; p. 101b : RAPHO, Martel ; p. 109 : RAPHO ; p. 116g : RAPHO, Fournier ; RAPHO, Niepce ; p. 117h : FRANCOS FILMS ; p. 117b : SIPA PRESS, Benaroch ; p. 125 h : PIX, Marcou ; p. 125b : PIX, Apa ; p. 126 h : RAPHO, Yan ; p. 126b ; BRAGA ; p. 127 : MUSÉES NATIONAUX ; p. 133g : PIX ; p. 133d : RAPHO, Gazuit ; p. 141g : RAPHO, Briolle ; p. 141d : RAPHO, Donnezan ; p. 144 : PIX, Mage ; p. 145h : LABAT ; p. 145b : PIX, D'Herouville ; p. 148h : PIX, Moes ; p. 148b : PIX, Klein ; p. 149h : PIX, Viard ; p. 149b : PIX, Mage ; p. 157h : BIBLIOTHÈQUE NATIONALE ; p. 157b : DAGLI ORTI ; p. 165g : MAGNUM, Erwitt ; p. 165d : MAGNUM, Barbey ; p. 167h : RAPHO, Yan ; p. 167b : DAGLI ORTI ; p. 173h : CNDP ; p. 173b : SIPA PRESS, Gimes ; p. 181 : CHARMET ; p. 189g : GAMMA, Paireault ; p. 189d : LABAT ; p. 191 : LABAT ; p. 194 : DAGLI ORTI ; p. 195h : PIX ; p. 195m : ND ROGER-VIOLLET ; p. 195b ; ROGER-VIOLLET, Harlingue ; p. 196 : BIBLIOTHÈQUE NATIONALE ; p. 197h : ROGER-VIOLLET ; p. 197b : SYGMA, Charlier.

Les photographies des pages "dialogues" ont été réalisées par les "Films du Lézard" à l'exception de : p. 24md : MAGNUM, Steele-Perkins ; p. 24bg : MAGNUM, Salgado ; p. 25m : RAPHO, Bernheim ; p. 25bg : RAPHO, Cole ; p. 25bm : ZEFA, Reinhard ; p. 25bd : ZEFA, Damm ; p. 32b : EXPLORER ; p. 56hg : EXPLORER, Cuny ; p. 57h : SYGMA, Bisson ; p. 88hg : SYGMA, Saguet ; p. 89mh : SIPA, Facelly ; p. 128bg : RAPHO, Lang ; p. 137 : RAPHO, Del Boca ; p. 152 : Bibliothèque Nationale ; p. 153bd : Éditions Ponchet-Plan Net S.A. ; p. 161h : Roger-Viollet ; p. 161m : Bibliothèque Nationale ; p. 161b : Bibliothèque Nationale ; p. 168h : MAGNUM, Riboud ; p. 168b : Bibliothèque Nationale ; p. 169h : Bibliothèque Nationale ; p. 169b : Roger-Viollet ; p. 177 : Bibliothèque Nationale ; p. 185mg : Roger-Viollet ; p. 185mb : Bibliothèque Nationale ; p. 185bd : Bibliothèque Nationale.

ICONOGRAPHIE : ATELIER D'IMAGES
ÉDITION : Michèle GRANDMANGIN

N° d'éditeur : 10139885
Composition : Touraine Compo.
Photogravure Charente Photogravure
Imprimé en Italie - janvier 2007
par N.I.I.A.G. - Bergamo